Urlaub auf ihrer Heimatinsel Sylt! Selig begrüßt die 46-jährige Christine am Bahnhof ihren Johann, da tippt ihr das Unheil auf die Schulter: Vor ihr steht Tante Inge (64), Papas jüngere Schwester. Aber was macht sie allein auf Sylt? Noch dazu mit so vielen Koffern? Für Papa Heinz kann dies nur eines bedeuten: Inge will Walter, den pensionierten Finanzbeamten, samt gemeinsamem Reihenhaus verlassen. Als dann auch noch Inges divenhafte Freundin Renate mit ihrem Faible für (nicht nur alleinstehende) ältere Männer auftaucht, platzt Mama Charlotte der Kragen: Walter muss her, und zwar sofort! Christine stimmt Inges unbändige Lebenslust unterdessen nachdenklich. Mit Mitte 60 wagt ihre Patentante einen Neuanfang – und sie selbst?

Dora Heldt, 1961 auf Sylt geboren und gelernte Buchhändlerin, ist seit 1992 als Verlagsvertreterin unterwegs und lebt heute in Hamburg. Mit ihren wundervollen Romanen ›Ausgeliebt‹, ›Unzertrennlich‹, ›Urlaub mit Papa‹ und ›Kein Wort zu Papa‹ hat sie schon Hunderttausende von Leserinnen und Lesern zum Lachen gebracht.
Weitere Informationen unter www.dora-heldt.de

Dora Heldt

Tante Inge haut ab

Roman

Deutscher Taschenbuch Verlag

Von Dora Heldt
sind im Deutschen Taschenbuch Verlag erschienen:
Ausgeliebt (21006)
Unzertrennlich (21133)
Urlaub mit Papa (21143 und <u>dtv</u> großdruck 25303)
Kein Wort zu Papa (24814)

Ausführliche Informationen über
unsere Autoren und Bücher
finden Sie auf unserer Website
www.dtv.de

Ungekürzte Ausgabe 2010
4. Auflage 2011
© 2009 Deutscher Taschenbuch Verlag GmbH & Co. KG,
München
Dieses Werk wurde vermittelt durch die Literarische Agentur
Thomas Schlück GmbH, Garbsen
Umschlagkonzept: Balk & Brumshagen
Umschlagbild: Gerhard Glück
Satz: Greiner & Reichel, Köln
Gesetzt aus der Sabon 9,25/13·
Druck und Bindung: Druckerei C. H. Beck, Nördlingen
Gedruckt auf säurefreiem, chlorfrei gebleichtem Papier
Printed in Germany · ISBN 978-3-423-21209-0

Für Anika und Till,
mit dem festen Vorsatz,
als Patentante nie anstrengend zu werden.
Hoffentlich klappt es!

Die Frau am Ende des Bahnsteigs trug einen roten Hut und sah aus wie Tante Inge. Nur dass die nie Hüte und nur im äußersten Notfall ihr Gepäck tragen würde. Christine kniff die Augen zusammen, um sie besser sehen zu können. Die Ähnlichkeit war wirklich verblüffend. Aber es konnte nicht sein. Schließlich stand sie hier in Westerland.

Christine verlor die Frau aus dem Blick und konzentrierte sich auf die Zugtüren. In einer von ihnen würde er auftauchen, Johann, der wunderbarste Mann überhaupt. Sie hatten sich in letzter Zeit viel zu selten gesehen. Aber heute war der erste Tag ihres gemeinsamen Urlaubs. Zwei Wochen Sylt im Mai, es war einfach grandios. Sie stellte sich auf die Zehenspitzen. Immer mehr Menschen bevölkerten den Bahnsteig, der Zug musste brechend voll gewesen sein. Endlich sah sie ihn. Er stieg aus einem der hinteren Wagen. Christine versuchte, ihm entgegenzulaufen. Die Menschenmassen machten das Vorhaben fast unmöglich, zumal Johann aus irgendeinem Grund stehen geblieben war. Christine hatte ihn fast erreicht, als sie sah, dass sich der Strom um ein Hindernis teilte. Mitten auf dem Bahnsteig stand ein voll beladener Gepäckwagen. Die Frau mit dem roten Hut saß darauf und ignorierte die Flüche und irritierten Gesichter derjenigen, die plötzlich ausweichen mussten oder gleich dagegengerannt waren. Sie lächelte einfach alles weg.

Johann rieb sich schmerzverzerrt das Schienbein. Christine hatte nur Augen für ihn, kam endlich bei ihm an, fasste nach seiner Schulter, er drehte sich um, sie sah sein Lächeln, fühlte plötzlich seine Hände und Arme, roch sein Rasierwasser und schloss die Augen beim Kuss. Die Welt versank, das Leben war großartig.

Bis sich jemand hinter ihr räusperte. Und eine Stimme, die wie Tante Inge klang, sagte: »Na? Ist das dein neuer Freund?«

Christine zuckte zusammen, löste sich von Johann und sah die Frau auf dem Gepäckwagen an. Es war Tante Inge. Nur mit Hut. Und ohne Onkel Walter. Aber bestens gelaunt und mit sehr viel Gepäck. Sie legte den Kopf schief und musterte den verblüfften Johann.

»Sehen Sie, man sollte immer so freundlich wie möglich pöbeln, man weiß nie, wen man vor sich hat. Ich bin Christines Patentante. Ich halte den Westerländer Bahnhof zwar nicht für den idealen Ort, um sich kennenzulernen, aber bitte. Seid ihr nicht etwas zu alt, um hier öffentlich zu knutschen? Na ja, müsst ihr wissen.« Sie drehte sich wieder zum Gepäckwagen. »Habt ihr eine Ahnung, wie man dieses Monstrum in Bewegung setzt?«

Johann reagierte endlich. »Sie müssen den Griff drücken, sonst bremst er. Ich habe auch nicht gepöbelt, das war ein Schmerzensschrei. Kommen Sie, ich schiebe den Wagen, wo wollen Sie denn hin?«

Christine starrte ihre Tante noch immer an. Sie war dünner geworden, trug einen engen Rock, eine helle Bluse und einen vermutlich teuren Mantel. Die Handtasche passte zum Hut. Inge wirkte irgendwie verändert. Sie nahm die Handtasche vom Wagen.

»Ach, so einfach? Na, dann mal los. Was ist? Kommst du, Christine?«

Christine musste zweimal tief Luft holen, bevor sie sprechen konnte. »Was machst du denn hier? Papa hat gar nicht erzählt, dass du kommst. Sonst hätten wir uns doch gar nicht in der Dachwohnung einquartiert. Das ist viel zu eng, zu dritt. Und wo ist Onkel Walter?«

Tante Inge lächelte ihre Nichte an. »Reg dich nicht auf. Ich schlafe nicht bei euch auf der Ritze, ich habe mir bei Petra eine Ferienwohnung gemietet. Mein Bruder weiß gar nicht, dass ich komme. Und Onkel Walter ist zu Hause, wo sonst. Ich habe aber nicht die geringste Lust, über ihn zu sprechen. Ich denke, es ist an der Zeit, mein Leben zu verändern. Und jetzt kommt, ihr könnt mich zu Petra fahren, diese Taxipreise finde ich sowieso übertrieben.«

Sie rückte den ungewohnten Hut zurecht, sie hatte ihn viel zu tief ins Gesicht gezogen, und ging mit schnellen Schritten zum Ausgang.

Christine sah ihr mit offenem Mund hinterher, während Johann seine Reisetasche schulterte und sich mit dem voll beladenen Gepäckwagen in Bewegung setzte.

Sie hatte Tante Inge vor einem knappen Jahr das letzte Mal gesehen, bei einem Familienfest in Dortmund, als Onkel Walter seinen 65. Geburtstag gefeiert hatte. Das Lokal hieß »Eichenhof«, es gab gemischten Braten mit Gemüseplatte und Kroketten, hinterher Schnaps, und alles war in Ordnung. Bis auf die Tatsache, dass Tante Inge in ihrer Rede sagte, dass sie Walters Rentnerdasein in die Gefahr bringen würde, ihn irgendwann einmal auf dem Sofa zu erschlagen. Es sei denn, er suche sich endlich ein vernünftiges Hobby. Und damit wären nicht die Bundesliga und seine Kegelrunde gemeint, das reiche ihr nicht aus. Onkel Walter guckte zwar etwas beleidigt, doch keiner hatte es ernst genommen. Tante Inge war noch nie diplomatisch gewesen.

Christine hatte für einen kurzen Moment das Bild des erschlagenen Walters auf dem blutgetränkten Sofa vor Augen, zwang sich aber sofort, es wegzublinzeln und stattdessen Tante Inge anzusehen, die neben dem Auto stand und beobachtete, wie Johann ihre Gepäckstücke im Kofferraum verstaute.

»Was heißt, es ist an der Zeit, dein Leben zu verändern? Was ist denn mit Onkel Walter?«

»Hm?« Ihre Tante betrachtete konzentriert Johanns Pack-
künste. »Wenn Sie die rote Tasche längs legen, geht es vielleicht
besser. Oder erst den großen Koffer und dann die Tasche.«

»Ich habe gefragt, was mit Onkel Walter ist.«

»Ich sagte es doch bereits, ich will nicht darüber reden. So,
na bitte, geht doch. Jetzt den Deckel zu und ab. Ihr könnt
mich direkt zu Petra nach Kampen fahren, keine Umwege bitte, ich muss ganz dringend zur Toilette.«

Johann schlug den Kofferraumdeckel mit Schwung zu und
wischte sich über die Stirn. »Wollen Sie vielleicht hier noch
mal …? Also, wir haben ja Zeit.«

»Nein, schönen Dank.« Inge setzte sich auf den Beifahrersitz und knöpfte ihren Mantel auf. »Ich gehe nicht auf fremde
Toiletten. Man weiß ja nie … Können wir jetzt fahren?«

Christine sah Johann fragend an, er nickte und stieg hinten
ein. Mit einem Blick auf die vier fast fünf Meter hohen Skulp-
turen auf dem Bahnhofsvorplatz öffnete Christine die Fahrer-
tür. »Reisende Riesen im Wind« hieß dieses Kunstwerk, vier
grüne Gestalten, die sich gegen den Wind stemmten. Hoffentlich war das kein schlechtes Omen.

Während sie an der Post vorbeifuhren und in den Bahnweg
bogen, drehte sich Inge um und musterte Johann nachdenklich. Dann lächelte sie freundlich.

»Sie sind also Johann. Wohnen Sie noch in Bremen, oder
haben Sie sich schon bei Christine eingenistet?«

Johann suchte Christines Blick im Rückspiegel. Sie nickte
ihm beruhigend zu.

»Ich wohne in Bremen, ich habe da meinen Job. Es war nie
die Rede davon, mich bei Christine einzunisten.«

Tante Inge sah wieder auf die Straße. »Dann ist ja gut.
Christine hat da nämlich ein Händchen für, sie sucht sich gern
Männer aus, die sie durchbringen muss.«

»Tante Inge!«

Sie lächelte. »Komm, du bist schon mal geschieden. Und

jetzt kannst du dein Geld allein ausgeben. Das geht überhaupt nicht gegen Sie, Johann, verstehen Sie das bloß nicht falsch, Sie sind mir ja ganz sympathisch. Ich halte nur nichts davon, sich in so jungen Jahren zu binden. Wer weiß, was noch alles passiert.«

Johann antwortete sehr höflich. »Ich bin 48. Und Christine ist zwei Jahre jünger. So jung sind die Jahre ja nun auch nicht mehr.«

»Stimmt.« Tante Inge nickte. »Ich vergesse das immer. Meine Güte, Christine, 46 bist du schon?«

Christine hielt vor einer roten Ampel. Tante Inge deutete nach links.

»Du musst hier abbiegen, List, Kampen, Wenningstedt. Hast du gesehen, oder?«

»Tante Inge ...«, die Ampel schaltete auf Grün, Christine bog links ab, »darf ich dich daran erinnern, dass ich mich auf der Insel auskenne? Guck mal, Johann, dort drüben ist der Flughafen und dahinter der Marine-Golfplatz.«

»Ah ja.« Johann blickte zum Heckfenster hinaus. Tante Inge beobachtete ihn dabei. »Falls Sie einen Golfplatz sehen wollen, müssen Sie sich den Hals nicht so verrenken. Da kommt gleich noch einer. Der Golfclub Sylt. Sagen Sie bloß, Sie spielen Golf? So alt sind Sie doch noch gar nicht. Oder machen Sie dabei windige Geschäfte?«

Christine stöhnte leise auf. »Tante Inge, bitte!«

Inge klappte die Sonnenblende runter und kontrollierte ihre Frisur. »Wie auch immer. Jedenfalls gibt es hier genug Golfplätze. Vier insgesamt. Da können Sie sich richtig austoben.«

Johann blieb gelassen. »Ich spiele kein Golf. Ich jogge.«

»Macht ja nichts«, antwortete Inge.

Mittlerweile hatten sie Kampen erreicht. Christine fuhr auf der Hauptstraße, vorbei an hübschen Reetdachhäusern, und bog in den Braderuper Weg ein. Sie sah ihre Tante an, die versonnen aus dem Fenster guckte.

»Wie heißt die Straße noch mal, in der Petra wohnt?«

»Wuldeschlucht. Die fünfte links. Ich denke, du kennst dich aus?«

Ihre Nichte gab keine Antwort. Johann verbiss sich ein Grinsen. Sie hielten vor einem Reetdachhaus mit blauen Gauben. Auf dem Schild stand »Uns to Hus«. Inge öffnete die Autotür, bevor Christine den Motor abgestellt hatte.

»Danke fürs Herbringen. Johann, tragen Sie mir das Gepäck bitte rein? Christine, du kannst im Wagen sitzen bleiben, du parkst so blöd. Ich komme später bei euch vorbei, bis dann.«

Tante Inge eilte mit schnellen Schritten zur Eingangstür. Johann folgte ihr in gebührendem Abstand mit ihrem vielen Gepäck. Sein Gesichtsausdruck war unergründlich.

Christine hatte Johann unter etwas schwierigen Umständen kennengelernt. Im letzten Sommer hatte sie ihren Vater mit nach Norderney nehmen müssen, wo sie einer Freundin bei der Renovierung einer Kneipe helfen wollte. Sie konnte sich nicht wehren, ihre Mutter bekam ein neues Knie und hatte einfach beschlossen, dass Töchter sich im Notfall um ihre Väter zu kümmern hatten. Auf der Insel angekommen, vergaß Heinz leider, dass Christine 45 war, und verfiel in alte Muster. Anfangs behielt Christine noch die Nerven, aber als Heinz begann, die vorsichtige Annäherung zwischen seiner Tochter und dem Pensionsgast Johann zu torpedieren, nur weil der seiner Meinung nach »tückische Augen« hatte, reichte es ihr. Heinz leider nicht. Er steigerte sich in die Vorstellung hinein, Johann wäre ein Heiratsschwindler, und setzte – angefeuert von seinem Jugendfreund Kalli und einem ziemlich durchgeknallten Inselreporter – alles daran, ihn auffliegen zu lassen.

Es kam zu erheblichen Komplikationen.

Es hatte sich zwar alles geklärt, aber Christine befürchtete, Johanns Meinung über ihren Vater sei durch die Norderneyer Eskapaden maßgeblich beeinflusst. Der zweiwöchige Urlaub im Haus ihrer Eltern sollte Johann davon überzeugen, dass sie aus einer durchaus zivilisierten, eigentlich reizenden und vor allen Dingen völlig normalen Familie stammte und dass das Verhalten von Heinz ein Ausrutscher gewesen war. Dass Tante Inge nun plötzlich auftauchte, war dabei nicht eben hilfreich.

Johann kam langsam zurück, setzte sich auf den Beifahrersitz. Christine legte ihre Hand auf sein Knie.

»Tante Inge ist die Schwester von Heinz. Und meine Patentante. Sie ist sehr nett.«

»Ja. Klar.« Er schnallte sich umständlich an. »Ein bisschen direkt vielleicht.«

Christine startete den Motor. »Wollen wir noch etwas trinken, oder fahren wir direkt zu meinen Eltern?«

»Lass uns erst mal irgendwo etwas trinken. Bitte.«

Während Christine losfuhr, schickte sie ein Stoßgebet zum Himmel. Hoffentlich hatte Tante Inge sich einfach nur entschlossen, bei der Tochter einer Freundin ein paar Tage friedlich auszuspannen.

Eine halbe Stunde später saßen sie auf der Terrasse von »Wonnemeyer« in Wenningstedt und blickten aufs Meer. Wasser beruhigt, Christine hoffte, dass es auch bei Johann wirkte. Er trank stumm ein Weizenbier, während sie in ihrem Kaffee rührte. Runde um Runde. Schweigend. Endlich hob er den Kopf.

»Es ist ja wirklich albern, dass ich mich in meinem Alter noch nervös machen lasse, nur weil ich mit dir für zwei Wochen zu deinen Eltern fahre.«

Christine fand nicht, dass es albern war, schließlich hatte ihr Vater ihn bereits auf Norderney Blut und Wasser schwitzen lassen. Das konnte sie aber nicht zugeben.

»Johann, mein Vater ist in Wirklichkeit ganz anders. Er hat sich nur ein bisschen verrückt machen lassen. Das war alles. Wenn du ihn erst besser kennst, wirst du das merken. Er neigt sonst nie zu irgendwelchen wilden Aktionen. Eigentlich hat er überhaupt keine Fantasie. Er ist ganz friedlich.«

Johanns Blick blieb skeptisch. Aber das Meer schien ihn zu beruhigen. Wenigstens gab er sich Mühe.

»Vermutlich. Und deine Tante Inge? Ist die sonst auch ganz anders?«

»Ja. Sie ist ganz reizend. Sie ist seit 45 Jahren mit Onkel Walter verheiratet, sie haben eine Tochter, Pia, die in Berlin lebt und gerade vierzig geworden ist. Mein Onkel war Steuerinspektor, er ist vielleicht ein bisschen dröge, aber auch sehr lieb. Inge ist auf Sylt aufgewachsen, sie kommt ein paarmal im Jahr her und besucht ihre alten Bekannten, das ist ganz normal.«

Christine plapperte sich selbst ruhig. Inge kam nie ohne Onkel Walter. Erneut tauchte in ihrem Kopf das Bild des blutgetränkten Sofas auf, das sie sofort verscheuchte.

»Und warum will deine reizende Tante jetzt ihr Leben verändern?«

»Ach, das war doch nur so ein Spruch. Vermutlich meinte sie damit nur, dass sie ohne Onkel Walter verreist ist. Das hat sie seit Jahrzehnten nicht mehr gemacht.«

Christine graute bei dem Gedanken, was für eine Aufregung Inges Auftauchen ohne Walter bei der übrigen Familie auslösen würde. Vor allen Dingen bei Heinz.

»Hm …« Johann musterte Christine. »Ich habe dich schon besser lügen hören. Wie auch immer: Ich habe auf Norderney Heinz überlebt, da werde ich auch mit dem Rest deiner Familie fertig.« Er beugte sich vor, um ihre Hand zu nehmen. »Wir können ja mal mit deinen Eltern essen gehen, meinetwegen auch mit deiner Tante … aber ich hoffe doch, dass wir die meiste Zeit für uns haben.«

»Bestimmt.« Christines Antwort kam ganz schnell. »Tante Inge will sicher nur ein paar Tage Urlaub machen. Und dann wird ihr Bruder sich auch um sie kümmern, wir werden die beiden also kaum zu Gesicht bekommen. Und außerdem sind wir in der Dachwohnung sowieso ganz für uns.«

Was um alles in der Welt, fragte Christine sich, meinte Inge nur damit, dass sie ihr Leben verändern wollte?

Heinz schoss sofort aus der Haustür, als das Auto in der Auffahrt hielt.

»Christine, du stehst mit den Vorderreifen auf der Rasenkante, du machst die ganz platt, setz mal ein Stück zurück.«

»Hallo Papa, schön, dich zu sehen, danke, wir hatten eine gute Fahrt und ...«

»Ja, ja, aber fahr ein Stück zurück, ich gucke sonst den ganzen Sommer lang auf gelben Rasen.«

Johann hustete, und Christine legte den Rückwärtsgang ein. Als sie die richtige Parkposition hatte, riss ihr Vater die Beifahrertür auf und zerrte Johann beim Händeschütteln regelrecht aus dem Auto.

»Mensch, Johann, das ist ja nett, dich wiederzusehen, geht es dir gut? Siehst auch gut aus. Ja, sieh dich um, das ist jetzt Sylt, was ganz anderes als Norderney, aber es wird dir garantiert gefallen. Dann kommt mal rein, wo bleibt meine Frau denn? Charlotte, die Kinder sind da!«

Er umrundete das Auto, um seine Tochter in den Arm zu nehmen, nicht ohne einen prüfenden Blick auf die Vorderreifen zu werfen.

»Komm her, Kind, das ist ja schön, du warst so lange nicht zu Hause.«

Über seine Schulter beobachtete Christine Johann, der sich den Unterarm rieb und von ihrer Mutter herzlich begrüßt wurde. Heinz hob Christines Kinn mit dem Zeigefinger und sah sie abschätzend an.

»Und? Bist du glücklich? Ist er nett zu dir?« Wenigstens hatte er leise gesprochen.

»Ja, Papa, alles wunderbar. Du, wir wollen ... ach, ist egal, ich freue mich auch auf die Tage hier. Johann muss sich mal erholen, er hatte viel Stress, er braucht einfach nur Ruhe, okay?«

Ihr Vater breitete seine Arme aus. »Das kann er haben. Wieso sagst du das so komisch? Ihr könnt euch das doch schön machen, ihr habt oben eure Ruhe. Ihr seid dort ganz allein.«

»Ich weiß, Papa. Wir können ja auch mal zusammen essen gehen. Mal einen Abend oder so.«

»Wieso? Mama kocht sowieso, da könnt ihr doch auch immer mit uns essen.«

»Papa! Ich sagte gerade, mal einen Abend oder so. Nicht jeden Tag. Wir wollen euch auch nicht stören.«

»Das sehen wir dann. So, dann kommt, Mama hat Suppe gekocht. Und hinterher gibt's Kaffee und Butterkuchen.«

Nach dem Kaffeetrinken musste Johann telefonieren, Heinz ging in den Garten und Christine half ihrer Mutter beim Abwaschen. Sie hatten das gute Geschirr genommen, das durfte nicht in die Spülmaschine.

»Und?« Charlotte polierte die Kaffeelöffel. »Wie geht es dir? Ich meine, so mit Johann und der Liebe?«

Christine hatte überlegt, wann der richtige Zeitpunkt wäre, ihr von der Begegnung am Bahnhof zu erzählen.

»Gut. Weißt du, dass Tante Inge auf Sylt ist?« Alles war besser als ein Mutter-Tochter-Gespräch über Christines Liebesleben.

»Unsinn. Tante Inge ist zur Kur. Zum Fasten in Bad Oeynhausen. Das macht sie doch jedes Jahr.«

»Wir haben sie vorhin am Bahnhof getroffen. Sie trug einen roten Hut und hatte jede Menge Gepäck dabei. Sie sah irgendwie anders aus.«

»Du hast sie verwechselt. Papa hat heute Morgen mit Onkel Walter telefoniert, wegen der Steuer, er hätte sicher was gesagt.«

»Wir haben aber mit ihr gesprochen und sie zu Petra gefahren.«

Charlotte ließ ihr Geschirrtuch sinken und sah ihre Tochter stirnrunzelnd an. »Welche Petra?«

Christine nahm ihr das Tuch aus der Hand und polierte weiter. »Na, die Tochter ihrer ältesten Freundin Hanne. Sie vermietet in Kampen Ferienwohnungen.«

Ihre Mutter schnaubte. »Das weiß ich auch. Aber was will Inge da? Sie wohnt doch immer bei uns.«

»Wir sind doch hier. Das wusste sie vielleicht.«

»Woher denn? Walter hat gesagt, dass sie noch zur Kur ist. Er hätte doch wissen müssen, dass sie nach Sylt fährt. Vielleicht hat er einfach was durcheinandergebracht. Komisch. Er wird doch hoffentlich nicht senil.«

Christine warf den letzten Löffel in die Schublade und hängte das Handtuch weg. »Sie kommt jedenfalls später vorbei, dann kannst du sie selbst fragen.«

»Da stimmt irgendwas nicht.« Nachdenklich verrieb Charlotte einen kleinen Wasserfleck auf der Spüle. »Hoffentlich ist da nichts passiert.«

In diesem Moment kam Johann die Treppe runter. Es war einfach perfekt, dachte Christine, sie hatte mit diesem wunderbaren Mann zwei Wochen Urlaub. Sie beide, ganz alleine. Bei dem Gedanken daran bekam sie weiche Knie und ein rotes Gesicht. Als er vor ihr stand, küsste sie ihn und flüsterte: »Komm, ich zeige dir den Strand. Lass uns fahren.«

Wenn sie gewusst hätte, was noch alles auf sie zukommen sollte, wäre sie mit ihm zwei Wochen am Strand geblieben. Egal, wie das Wetter gewesen wäre.

Kampen, im Mai

Liebe Renate,
Du glaubst nicht, was ich getan habe!
Du hattest ja so recht: Walter hat sich während meiner Kur natürlich überhaupt nicht verändert. Von wegen, er hätte sich vier Wochen selbst versorgt und alles allein geregelt. Montag, Mittwoch und Freitag hat er bei den Nachbarn rechts von uns gegessen, Dienstag und Donnerstag bei Pias Schulfreundin Jutta, und am Wochenende hat er sich im Fußballstadion eine Wurst gekauft. Dafür macht er jetzt alle Steuererklärungen umsonst und kommt gar nicht mehr von der Rechenmaschine weg. Und das als Rentner.

Der Gipfel passierte dann am letzten Donnerstag. Da kam er an und sagte, ich wollte doch immer mal zu Lesungen oder ins Theater, er hätte jetzt Karten besorgt für einen sehr interessanten Vortrag. Ich sollte mich schick machen, er würde mich hinterher noch zu einem Drink (das hat er wirklich gesagt! Drink!) ausführen. Das passte mir gut, ich wollte ja unbedingt etwas Wichtiges mit ihm besprechen, und das schien eine sehr gute Gelegenheit. (Um was es dabei genau geht, erzähle ich Dir mal in aller Ruhe, das lässt sich schlecht schreiben.)

Aber zurück zu diesem Abend, Renate, ich schwöre Dir, wenn nicht so viele Zeugen im Raum gewesen wären, ich hätte ihn umgebracht. Wir waren nämlich bei der AOK, bei einem Vortrag über Diabetes! Walter sagte, er hätte immer so einen stechenden Durst, garantiert würde er an Altersdiabetes leiden. Ich sollte mal genau zuhören, er wäre sich da ganz sicher. Anschließend gab es belegte Brötchen, da hat sich mein Diabetiker viermal welche mit Heringssalat geholt. Er mochte nämlich mein Abendessen nicht. (Ich hatte diesen tollen Salat mit Avocados und Sprossen gemacht. Das war ja klar, ich stehe zwei Stunden in der Küche und probiere was Neues, und der Herr haut sich anschließend Heringssalatbrötchen rein.)

Und dann der »Drink«! Zwei Pils in Jürgens Eckkneipe, der hat nämlich Premiere-Fernsehen, und da gab es eine Zusammenfassung vom englischen Fußball. Ich war vielleicht sauer! Und Walter hat das noch nicht mal mitbekommen!

Am nächsten Morgen habe ich nicht mit ihm geredet, das hat er, glaube ich, auch nicht gemerkt. Dafür ist er zum Arzt gegangen. Er hätte immer so schwere Beine, und sein Freund Günther hatte eine Thrombose. Na ja, er ist Privatpatient, deswegen bleibt unser Hausarzt wohl so freundlich.

Als Walter zurückkam, hat er nur von Günther und seiner Thrombose erzählt und dass der Arzt sich irren muss (er hat natürlich nichts gefunden). Ich habe geantwortet, dass die schweren Beine ja vielleicht auch von seinem Altersdiabetes kommen könnten, da war er ganz begeistert. Er will nun einen Zuckertest machen lassen.

Und da platzte mir der Kragen. Ich habe ihm gesagt, dass ich so nicht weiter leben will. Und dass ich eine Zeitlang verreisen werde, um über alles nachzudenken. Und weißt Du, was er geantwortet hat? »Aber Inge, Zucker ist doch keine Geisteskrankheit. So schlimm ist das doch nicht.«

Ich habe ihm gesagt, er wäre bereits geisteskrank, und habe meine Koffer gepackt. Und weil ich keine Lust habe, diese privaten Dinge mit meinem Bruder Heinz zu besprechen, also vom Regen in die Traufe zu kommen, habe ich mir bei Petra, der Tochter einer alten Freundin, für die nächsten Wochen auf Sylt eine Ferienwohnung gemietet. Ich bekomme einen Sonderpreis.

So, meine Liebe, ich sehe Dich lachen. Ich bin richtig froh, dass wir uns in der Kur getroffen haben und Du mir die Augen geöffnet hast. Wie ich Dir geschworen habe: *Ich sitze nicht die nächsten zwanzig Jahre neben Walter auf dem Sofa, gucke Sportschau und Volksmusik und esse Leberwurstschnittchen mit Gürkchen. Ich nicht!*

Stattdessen spaziere ich jetzt in die »Sturmhaube« und bestelle mir ein feines Mittagessen. Das brauche ich auch, bevor ich zu meinem Bruder und meiner Schwägerin fahre.

Übrigens habe ich meine Patentochter Christine hier getroffen. Sie hat einen neuen Freund. Beide Mitte Vierzig und knutschen auf dem Bahnsteig. Man muss sich wundern, jetzt fängt die wieder mit dem Blödsinn an. Sie war doch so glücklich geschieden.

Also, liebe Renate, ich halte Dich auf dem Laufenden.

Mit fröhlichen Grüßen,
Deine Inge

PS: Ach ja, ich habe auf der Fahrt den Hut getragen, den Du mir geschenkt hast, der soll mir Glück bringen.

Inge überflog den Brief ein letztes Mal, bevor sie ihn faltete und in den adressierten Umschlag schob. Sie nickte zufrieden und schraubte ihren Füllfederhalter zu. Er war ein Geschenk von Walter zu ihrem sechzigsten Geburtstag, ein sehr elegantes Stück, mit Gravur. Damals hatte sie sich sehr darüber gefreut, aber da hatte sie Walter auch noch nicht richtig durchschaut. Renate war entsetzt, als sie ihn ihr gezeigt hatte.

»Ein Füllfederhalter. Na, großartig! Das ist Bürobedarf, und dein Mann hat ihn garantiert von der Steuer abgesetzt. Du hättest einen Ring bekommen sollen. Oder eine schöne Reise. Aber Bürobedarf? Nein, meine Liebe, da hast du was Besseres verdient.«

Inge schrieb aber furchtbar gern mit diesem Füller, deswegen fand sie das Geschenk auch nach vier Jahren noch schön. Seufzend hatte Renate erwidert, dass sie wenigstens nicht vergessen sollte, welche Demütigung er darstellte.

Renate. Inge klebte eine Briefmarke auf den Brief und kontrollierte die Adresse. Sie waren Zimmernachbarinnen im Kurhotel in Bad Oeynhausen gewesen. Gleich am ersten Tag waren sie ins Gespräch gekommen, auf dem Parkplatz, wo Inge Walter nachwinkte, der darauf bestanden hatte, sie hinzubringen.

Ihr war schon klar, dass Walters Fürsorglichkeit auch damit zusammenhing, dass Pia ihren Audi TT bei ihren Eltern abgestellt hatte, bevor sie mit ihrem Freund in den Urlaub flog. Walter hatte seine Tochter darauf aufmerksam gemacht, dass so ein Wagen auch mal bewegt werden müsse. Pia hatte ihm etwas zögernd die Schlüssel und die Papiere überlassen. »Aber nicht so weit, Papa, und nicht so ruppig schalten, okay? Und kein Diesel tanken, das ist ein Benziner.« Natürlich hatte er ihr daraufhin einen Vortrag über irgendwelche Steuernachteile gehalten, aber das war Pia gewohnt.

Während Inge ihrem Mann hinterhersah, der auch noch das Verdeck geöffnet hatte und sein graues Haar im Fahrtwind wehen ließ, hatte sich Renate neben sie gestellt.

»Schöner Wagen.«

»Ja«, antwortete Inge höflich, während sie zusammenzuckte, weil sie mehrmals das Krachen des Getriebes hörte, »ein Audi.«

Sie drehte sich zu Renate und vergaß sofort, was sie noch sagen wollte. Renate war stattlich. Zumindest war das der Ausdruck, der Inge als Erstes einfiel. Sie war groß (mindestens 1,80 Meter), sehr weiblich (80 Kilo, großer Busen), rothaarig (sicherlich gefärbt, guter Friseur), hatte ihre langen Haare kunstvoll hochgesteckt (sehr unordentlich, war aber beabsichtigt), trug ein dunkelrotes Kleid mit silbernen Applikationen (mehr ein überdimensionaler Kaftan) und glitzerte in der Sonne (Indianerschmuck).

Sprachlos starrte Inge sie eine Weile an, riss sich dann zusammen und streckte ihr die Hand entgegen.

»Guten Tag, mein Name ist Inge Müller. Wohnen Sie auch in diesem Hotel? Ich mache wie jedes Jahr hier eine Fastenkur. Wird auch wieder Zeit.« Verlegen lachend kniff sie sich beim letzten Satz in den Hüftspeck, ließ aber sofort wieder los, weil ihr auffiel, dass Renate ungefähr das Doppelte an derselben Stelle hatte. »Also, ich meine …«

Mit einem letzten Blick auf den abfahrenden Walter beugte sich Renate zu Inge.

»Das war wohl Ihr Gatte, oder? Ich bin Renate von Graf, aber sagen Sie ruhig Renate zu mir. Ich komme auch jedes Jahr hierher. Ein bisschen Yoga, ein bisschen Sauna, was frau halt so macht, um die Seele zum Klingen zu bringen. Im Einklang mit Geist und Körper, um der Welt und den Männern zu trotzen.«

Inges Blick wurde unsicher. »Trotzen? Den Männern?«

Ein Lächeln breitete sich über Renates gepudertes Gesicht. »Ich sehe schon, Sie haben auch Ihr Päckchen zu tragen.« Sie hakte sich bei Inge unter und schob sie in Richtung Hoteleingang. »Meine Liebe, ich glaube, das ist kein Zufall, dass wir uns hier getroffen haben. Ich spüre eine gewisse Seelenverwandtschaft, wir beide werden in den nächsten Wochen viel Spaß haben. Jetzt packen Sie erst mal in Ruhe aus, und wenn Sie fertig sind, klopfen Sie einfach an meine Tür, und wir trinken ein kleines Begrüßungsschlückchen.«

Das Schlückchen hatte aus einer ganzen Flasche Sekt bestanden. Inge war beeindruckt gewesen, in welcher Geschwindigkeit ihre neue Freundin reden und schlucken konnte. Sie war zehn Jahre jünger als Inge, hatte keine Kinder und war geschiedene Zahnarztgattin.

»Wissen Sie, ich habe zwei Tage pro Woche in Werners Praxis den Empfang gemacht, habe das Haus und den Garten in Schuss gehalten, habe seine Golffreunde bekocht, unsere Urlaube organisiert, und was ist der Dank? Werner geht mit unserer Sprechstundenhilfe ins Bett.«

Inge hatte mitleidig Renates Hand genommen. »Das ist ja schrecklich. Und wie sind Sie damit fertig geworden?«

Renate hatte lässig eine Haarsträhne zurückgesteckt. »Ich habe das Haus und das Auto bekommen, und der Herr Doktor zahlt ordentlich. Das soll er auch tun, schließlich ist alles seine Schuld. Tja, der blutet, der Junge.«

Zufrieden hatte sie gelächelt und sich Sekt nachgeschenkt.

Entschlossen klebte Inge den Briefumschlag zu und steckte das Kuvert in ihre Handtasche. Statt sich in Erinnerungen zu verlieren, sollte sie sich jetzt mal umziehen. Die Kleinigkeiten, die es in der »Sturmhaube« zu essen gab, kosteten bestimmt einiges mehr als Currywurst mit Pommes in Jürgens Eckkneipe. Walter würde einen Anfall kriegen, wenn er das wüsste. Inge streckte ihren Rücken durch und betrachtete sich im Spiegel. Sie stellte sich Walters Gesicht vor.

»Tja, mein Lieber. Dann krieg du mal deinen Anfall, ich bestelle mir nämlich gleich etwas sehr Feines für mindestens dreißig Euro.«

Wenn sie danach noch einen Espresso trank, hätte sie fast 35 Euro auf den Kopf gehauen, sie lachte leise, es fühlte sich gut an. Leider würde Walter das nicht mitbekommen. Sie könnte es aber ihrem Bruder Heinz erzählen. Der regte sich auch immer gern über solche Dinge auf.

Heinz. Er war nicht so schlimm wie Walter, wenn es um Geld ging, aber im Restaurant bekam er es nicht übers Herz, die Rechnung anzugucken. Er ließ sie kommen, steckte dann Charlotte oder seinen Kindern die Brieftasche zu und ging zur Toilette. Man durfte ihm nie sagen, wie viel man bezahlt hatte, sonst bekam er schlechte Laune. Trotzdem ging er gern essen.

Walter hingegen rechnete jede Position nach, kontrollierte die Steuernummer auf dem Beleg und fragte Inge anschließend, was es gekostet hätte, wenn sie selbst gekocht hätten.«»Nur so ungefähr, nicht auf den Cent. Unter zwanzig Euro?« Wenn sie nickte, stellte er zufrieden fest: »Na, wir können uns auch mal was leisten. Ich nehme noch ein Pils.«

Wenn sie alle zusammen essen gingen, blieb Heinz immer so lange auf der Toilette, bis Walter den Beleg ordentlich zusammengefaltet in seiner Brieftasche hatte.

Beim Gedanken an Heinz fiel ihr Christine ein. Sie war ihre Lieblingsnichte, auch wenn das Kind langsam Gefahr lief, ihrem Vater immer ähnlicher zu werden. Wie sie sie angeguckt hatte, völlig entsetzt. Aber dieser Johann war nicht unflott, ein bisschen grauhaarig vielleicht, aber was will man mit Ende vierzig schon erwarten? Christine hatte ziemlich abgespannt gewirkt, eine Fernbeziehung in ihrem Alter war wirklich nicht das Gelbe vom Ei. Zwei Haushalte, dauernd diese Fahrten, auch wenn es nur Hamburg–Bremen war. Aber vermutlich war sie froh, doch noch einen Mann gefunden zu haben, nach ihrer Ehepleite. Inge hatte diesen Bernd von Anfang an unpassend gefunden, aber es hatte sie ja keiner gefragt. Er hatte so große Hände gehabt, sah irgendwie komisch aus, redete auch viel dummes Zeug. Und das dauernd. Dieser Johann Thiess hatte wenigstens schöne Augen. Und schöne Hände. Außerdem wirkte er sehr gelassen, das war gut, das würde er brauchen, Christine regte sich so schnell auf, das hatte sie von ihrem Vater. Sie hatten beide keine starken Nerven.

Inge hatte ihre neue weiße Hose angezogen und knöpfte sich den obersten Knopf der roten Bluse wieder auf.

»Du brauchst Farbe, meine Liebe«, hatte Renate in der Boutique in Bad Oeynhausen gesagt, »mach dein Leben bunt.«

Das Haarspray wirbelte durch die Luft und ließ die Frisur glänzen. Inge setzte den roten Hut auf und musterte sich im Spiegel. »Perfekt«, sagte sie laut, »Inge, für dein Alter siehst du wirklich grandios aus. Und das ist erst der Anfang. Ihr werdet euch noch alle wundern.«

Johann und Christine bürsteten sich auf der Haustreppe gerade den Sand von den Füßen, als das Taxi vor der Auffahrt hielt. Heinz stand in der Haustür und beugte sich nun nach vorn.

»Tatsächlich. Inge. Was hat sie denn da auf dem Kopf?«

»Einen Hut, Heinz.« Charlotte drückte sich an Heinz vorbei und ging dem Taxi entgegen. »Nun komm.«

Heinz stieg langsam die Treppe nach unten.

»Einen Hut. Wozu das denn? Ist sie jetzt vornehm, oder was?«

Angestrengt verbiss sich Johann das Lachen, Christine stieß ihn an.

»Los, beweise ihr, dass du nicht mein Geld willst, sei charmant!«

»Ich werde mich bemühen.« Er küsste ihren Nacken, was ihnen einen belustigten Blick von Tante Inge einbrachte, und lief mit großen Schritten zum Taxi, wo er seine Geldbörse aus der Jeans zog, um zu bezahlen. Tante Inge nickte ihrer Nichte zufrieden zu.

»Gar nicht so schlecht, dein junger Mann.«

»Tante Inge!«

»Hüte dich vor kleinlichen Männern. Ich kann ein Lied davon singen. Gehen wir in den Garten? Am besten kommt ihr gleich mit, dann muss ich die Geschichte nicht dreimal erzählen.«

Sie ging schwungvoll voraus, die anderen folgten dem roten Hut.

Sie warteten geduldig ab, bis Tante Inge auf dem dritten Gartenstuhl, den sie ausprobierte, sitzen blieb.

»So«, prüfend hob sie das Gesicht, »hier ist es gut. Ab einem bestimmten Alter sollte man vorsichtig mit der Sonne sein. Zur Strafe kriegt man Falten.«

Charlotte, die sich gerade setzen wollte, hielt mitten in der Bewegung inne und schob ihren Stuhl etwas zur Seite.

»Ach ja? Seit wann machst du dir darüber Gedanken? Früher hast du stundenlang in der Sonne gelegen.«

»Leider. Na ja, dafür finanziere ich jetzt ganze Kosmetikkonzerne. Christine, ich meinte auch dich.«

Mit geschlossenen Augen ließ Christine sich die Sonne ins Gesicht scheinen. »Ach, Tante Inge, wenn wir mehr als drei Tage schönes Wetter haben, leihe ich mir deine teure Creme.«

Johann, der sich neben sie auf die Bank gesetzt hatte, drückte seinen Oberschenkel an ihren. Nach einem Räuspern ihres Vaters rutschte er ein Stück zur Seite.

»Wolltest du auf die Bank?«

»Eigentlich ist das mein Platz.« Heinz klang ein bisschen beleidigt. »Aber egal. Ich muss mir sowieso meine Mütze holen. Inge hat recht mit der Sonne. Ich bringe etwas zu trinken mit. Johann, komm, du kannst tragen helfen.«

Christine hielt die Augen geschlossen. Sie sagte sich, dass Johann ein erwachsener Mann war und ihr Vater 73. Es gab keinen Grund, sich einzumischen. Kaum waren die beiden weg, setzte sie jedoch ihre Sonnenbrille auf und beugte sich zu Inge.

»So, Tante Inge, jetzt erzähl. Was ist mit Onkel Walter?«

»Also ...«

Sie wurde von ihrer Schwägerin unterbrochen: »Willst du nicht warten, bis Heinz wieder da ist? Sonst musst du es ja doppelt erzählen.«

»Ach, Heinz. Ich kann mir schon denken, wie der reagiert, Männer sind doch alle gleich. Er kriegt die verkürzte Version.

Also, ich war doch in Bad Oeynhausen zur Kur. Und da habe ich eine sehr kluge Frau kennengelernt, Renate. Sie hat mir die Augen geöffnet. Ich bin nämlich in den besten Jahren, was man von Walter nicht behaupten kann. Ständig hat er eine neue Krankheit. Mal ist er kurz vor einem Herzinfarkt, dann hat er das Gefühl, seine Niere arbeitet nicht mehr, im Moment sind Diabetes und Thrombose seine Favoriten. Er ist unerträglich. Außer er macht für irgendeinen seiner Freunde die Steuern, dann ist er kerngesund. Aber wie es in mir aussieht, das interessiert ihn überhaupt nicht. Andere Frauen werden zum Essen ausgeführt, machen Reisen, gehen in Konzerte, bekommen Blumen und Aufmerksamkeiten, nur ich sitze neben Walter auf dem Sofa, höre mir seine neuesten Krankengeschichten an, schmiere Schnittchen und gucke Bundesliga und Tagesschau. Es reicht. Es ist so langweilig. Ich will meine besten Jahre nicht mit so was verplempern. Deshalb habe ich beschlossen, mein Leben zu verändern.«

»Du bist ja verrückt«, Charlotte ignorierte den stolzen Ton, in dem Tante Inge den letzten Satz gesagt hatte, »total verrückt. War das die Idee von dieser Renate?«

»Was heißt hier *diese* Renate? Sie ist eine gute Freundin von mir, sehr lebenserfahren und klug. Sie war fassungslos, dass ich mich mit so wenig zufriedengebe. Sie hat gesagt, ich hätte ja wohl etwas Besseres verdient.«

Charlotte schnaubte, aber Christine kam ihr zuvor. »Und was willst du verändern? Also, ich meine, suchst du dir jetzt einen Liebhaber? Oder machst du mit Renate eine WG auf? Oder gehst du auf eine Weltumsegelung? Was hast du vor?«

Tante Inge faltete die Hände, lehnte sich zurück und lächelte vergnügt. »Vielleicht von allem ein bisschen. Ihr werdet es rechtzeitig erfahren. Da kommen die Jungs zurück.«

Heinz warf einen kurzen Blick auf Johann, der mit einem Flaschenträger hinter ihm ging, und beschleunigte seine Schritte.

Nachdem er sich neben Christine auf die Bank gesetzt hatte, deutete er auf den Stuhl neben seiner Frau.

»Guck mal, Johann, das ist der beste Platz im ganzen Garten. Und, Inge? Was gibt es Neues?«

»Deine Schwester ist verrückt geworden.« Charlotte griff nach einer Bierflasche und hebelte den Kronkorken weg. »Sie will sich *verändern*.« Sie sprach das Wort aus, als handele es sich um eine besonders widerliche Kakerlakenart.

»Wie, verändern? Inge ist 64.« Heinz warf erst einen irritierten Blick auf seine Ehefrau, die aus der Flasche trank, dann auf seine Schwester, die ihn freundlich ansah. »Bist du für so was nicht ein bisschen zu alt? Und was sagt Walter dazu?«

»Charlotte, nimm dir doch ein Glas.« Inge musterte stirnrunzelnd ihre Schwägerin. »Du bist doch kein Bauarbeiter. Walter? Der hat das noch nicht begriffen. Aber das wird er schon noch. Jedenfalls bleibe ich erst mal eine Zeitlang bei Petra.«

»Aber du willst ihn nicht verlassen, oder?«, fragte Heinz beunruhigt.

Johann zuliebe beschloss Christine, die Wogen etwas zu glätten. »Papa, lass doch. Sie macht jetzt erst mal Ferien.«

»Aber sie ist mit Walter verheiratet. Inge, ihr habt doch in fünf Jahren goldene Hochzeit. Das wollen wir doch feiern.«

»Heinz, ich will mein Leben ändern. Mir langt es. Ich bin zu jung, um in unserem Reihenhaus zu versauern. Und ich habe auch nicht mehr alle Zeit der Welt.«

Johann wand sich in seinem Stuhl. Christine bekam ein schlechtes Gewissen und stand auf.

»Tante Inge, du bist nachher doch bestimmt noch hier. Wir gehen mal eine Runde spazieren.«

Keiner beachtete sie. Stattdessen beugte sich ihre Mutter vor und sagte: »Zu jung, um im Reihenhaus zu versauern? Sag mal, was hast du denn in der Kur für Anwendungen gehabt? Und was sagt Pia zu dem Blödsinn?«

»Was hat denn meine Tochter damit zu tun? Die hat ja wohl ihr eigenes Leben in Berlin, das störe ich doch nicht.« Inge sah ihre Schwägerin durchdringend an. »Und du hast doch nur Angst, dass Veränderungen anstecken.«

»Wie bitte?«

Jetzt wurde Charlotte sauer und bekam frostige Augen.

Heinz guckte hilflos von einer zur anderen, öffnet den Mund, schloss ihn wieder und sah Christine unsicher an. Die legte ihrer Mutter die Hand auf die Schulter.

»Keinen Streit, bitte. Es wird nichts so heiß gegessen, wie es gekocht wird.«

An Johanns Gesicht und dem zufriedenen Nicken von Heinz merkte sie, dass sie den schwachsinnigsten Satz des Tages gesagt hatte.

»Jedenfalls gehen wir jetzt spazieren. Komm, Johann, bis später dann.«

Kaum waren sie um die Ecke, flüsterte Johann: »Die kriegen sich gleich in die Haare, sollen wir sie wirklich allein lassen?«

»Och«, Christine beschleunigte ihre Schritte, »wenn Erwachsene was besprechen, sollten Töchter schweigen.«

In Gedanken versunken liefen Johann und Christine durch den Lister Koog dem Sommerdeich entgegen. Auf den Seen, die sich hier bildeten, war Tante Inge früher mit Pia und Christine Schlittschuh gelaufen. Sie konnte einen kleinen Sprung und fabelhafte Pirouetten, die Mädchen waren immer furchtbar um sie beneidet worden. Außerdem hatte sie im Gegensatz zu den anderen Müttern und Tanten nie vernünftige Wintersachen getragen, sondern war immer in einem schwingenden halblangen roten Rock gelaufen. Sie war sehr elegant gewesen.

Zu Christines Konfirmation hatte Tante Inge ihr ein Medaillon und einen gelben Minirock geschenkt. Den Rock fand Heinz unmöglich, aber Inge war nun einmal seine Schwester und setzte sich durch. Im Medaillon war ein Foto von Sean Connery, in den Inge damals ein bisschen verknallt war. Christine überlegte, ob sie dieses Bild jemals ausgetauscht hatte, sie musste dringend in ihrer Schmuckdose nachsehen. Onkel Walter sah so ganz anders aus als der brustbehaarte James Bond, trotzdem war sie seit 45 Jahren mit ihm verheiratet. Und bestimmt würde sie es auch bleiben. Wie lange Frauen wohl mit Hormonschwankungen zu tun hatten? Es konnte ja gut sein, dass sich bei ihrer Tante noch wilde biochemische Prozesse abspielten, ausgelöst von ihrer Fastenkur und den Saunagängen.

Renate war wahrscheinlich eine dieser beleidigten Exfrauen, die von ihren reichen Gatten wegen einer jungen blonden Sekretärin verlassen worden waren und deshalb einen Kreuzzug gegen Ehemänner führten. Nur weil sie frustriert waren.

Christine konnte sich so richtig vorstellen, wie Inge nach diversen Massagen und Fangopackungen dieser Furie in die Hände gefallen war. Als ob Inge ihr Leben tatsächlich verändern wollte. So ein Unsinn! Sie hatte doch alles und wirkte immer sehr zufrieden. Christine war sich sicher, dass Onkel Walter spätestens in drei Tagen auf der Matte stehen würde. Wenn er klug war, mit Blumen und irgendwelchen Konzertkarten.

Christine blieb stehen, als sie den Sommerdeich erreichten und Johann sie fragend ansah.

»Nach links, Richtung Ellenbogen.« Sie schob ihre Hand in seine und lächelte ihn an. »Schön hier, nicht?«

Der Liebste lächelte nicht. Stattdessen ließ er seine Augen über den Deich wandern und atmete tief durch. Christine wurde unruhig. Wenn das so weiterging, würde er ihr die reizende, völlig normale Familie nie abnehmen.

»Was denkst du gerade?«, fragte sie betont harmlos.

Eine der schlimmsten Fragen, die Frauen Männern stellen können.

»Nichts Besonderes.«

Und eine der typischen Antworten auf diese dämliche Frage. Selbst schuld.

Sie liefen schweigend weiter, und Christine versank wieder in Gedanken. Sie wunderte sich über die Reaktion ihrer Mutter. Sie trank nie Bier aus der Flasche. Eigentlich mochte sie ihre Schwägerin. Anstrengend wurde es für sie nur, wenn sich Heinz daran erinnerte, dass er Inges großer Bruder war. Inge war fast zehn Jahre jünger. Sie war ein niedliches kleines Mädchen gewesen und von ihrem Bruder vergöttert worden. Sie war schon als Kind mutig, laut, verrückt und albern, Heinz hingegen war ernst, ängstlich und schüchtern und hatte über dieses Wesen gestaunt, das so gar nichts mit ihm zu tun zu haben schien. Also hatte er beschlossen, sie zu beschützen. Und das versuchte er bis heute. Soweit Christine sich erinnern konnte, hatte Charlotte es immer schon nervig gefunden,

31

wenn ihr Mann sich Inges Probleme zu eigen machte und dann noch versuchte, sie zu lösen. Zum Glück mochte er Onkel Walter und der ihn, sonst hätten die gut gemeinten Ratschläge für den Umgang mit seiner Schwester schon lange zu einem Familienzerwürfnis geführt. Vermutlich rief Heinz seinen Schwager heute noch an, um ihm selbst den Tipp mit den Blumen und den Konzertkarten zu geben. Ganz sicher würde sich alles wieder ordnen.

Johann fasste sie am Arm und deutete auf eine Schafherde, in der es vor Lämmern nur so wimmelte. Christine blieb stehen.

»Süß, nicht wahr? Tante Inge hat als Zehnjährige mal eines geklaut und im Garten versteckt. Sie wollte nicht, dass es gegessen wird. Es flog natürlich auf, und sie musste zur Strafe sämtliche Unterstände der Schafe streichen. Hat sie auch gemacht, aber alle knallbunt. Das gab dann erneut Ärger. Seit ich die Geschichte kenne, esse ich kein Lamm mehr.«

»Deine Tante ist schon erstaunlich. Davon abgesehen, dass sie noch toll aussieht.«

»Findest du?« Überrascht sah Christine ihn an. »Ja, sie sieht gut aus. Und was ist erstaunlich?«

»Erstaunlich ist, dass sie sich in ihrem Alter vorgenommen hat, einen Neuanfang zu wagen. Das traut sich nicht jeder.«

Etwas zu schnell winkte Christine ab. »Da warten wir mal ab. Ich glaube nicht, dass das wirklich passiert. Diese komische Renate hat sie nur kirre gemacht. Meine Tante war schon immer schnell zu begeistern. Das heißt noch nichts.«

Johann legte seinen Arm um ihre Schulter und setzte sich langsam wieder in Bewegung. »Ich glaube, sie meint es ernst. Sie sah sehr entschlossen aus. Und sie wirkte auch nicht kirre. Außerdem kennst du Renate doch gar nicht, wieso sagst du, sie wäre komisch?«

»Ach, man kennt doch diesen frustrierten, missmutigen Frauentyp, der keiner anderen ein intaktes Liebesleben gönnt.

Ich kann sie mir richtig gut vorstellen. Gibt das Geld ihres Exmannes in irgendwelchen Schönheitstempeln aus und ...«

»Meine Güte, Christine, du hast ja genauso viele Vorurteile wie Heinz. Vielleicht ist Renate ja auch charmant, gebildet, liest Bücher, hört gute Musik, kümmert sich mit Hingabe um ihre Patenkinder und ...«

»Blödsinn! Dann würde sie sich nicht in andere Ehen einmischen. Und im Übrigen bin ich davon überzeugt, dass man in Inges Alter niemals ohne triftigen Grund sein gewohntes Leben aufgibt. Und Onkel Walters eingebildete Krankheiten, die Bundesliga und irgendwelche Schnittchen sind nun mal kein Grund. Außerdem ist mein Onkel auch noch sehr nett.«

Johann grinste. »Reg dich doch nicht auf. Vielleicht hat sie ja einen Grund. Hast du schon mal was von Kurschatten gehört? Die große Liebe, die einen ereilt, wenn man gar nicht mehr damit rechnet? Die einem den Boden unter den Füßen wegzieht, auch wenn man nicht mehr jung ist? Die letzte große Chance, um wirklich glücklich zu werden?«

Beunruhigt blieb Christine stehen. »Sag mal, du Romantiker, liest du ›Brigitte woman‹, oder woher hast du solche Weisheiten? Das sind doch alles Klischees. Tante Inge und ein Kurschatten! Dass ich nicht lache!«

Der Romantiker zog sie weiter, kopfschüttelnd folgte sie ihm. Ein Kurschatten: So etwas kam nur in schlechten Romanen oder Fernsehfilmen vor. Nicht in ihrer reizenden und völlig normalen Familie.

Der Parkplatz in der Kapitän-Christiansen-Straße war voll, Christine musste gefühlte fünf Stunden die Runde fahren, bevor sie eine Frau entdeckte, die sich in einem Cayenne zentimeterweise aus ihrer Parklücke zitterte.

»Kauf dir ein Fahrrad, wenn du mit so einer Karre nicht fahren kannst.«

Als hätte sie sie gehört, sah die Fahrerin Christine plötzlich über ihre Schulter forschend an. Dann fuhr sie langsam wieder vor, riss das Lenkrad herum und setzte danach noch langsamer zurück. Bremste.

»Herrgott, soll ich ausparken? Da komm ich ja mit einem Bus rein.«

Die Autotür öffnete sich, die Cayenne-Besitzerin stieg aus. Sie war ungefähr sechzig, sehr schlank, trug viel Gold, weiße enge Klamotten, roten Lippenstift und hatte getöntes Haar und einen faltigen Hals. So musste Renate aussehen. Mit schnellen Schritten kam sie auf Christine zu.

»Entschuldigung«, sie beugte sich zu dem geöffneten Fenster, »es ist wahrscheinlich doch was dran, dass Frauen nicht einparken können. Würden Sie mich rauswinken? Ich sehe nicht genug. Nicht, dass ich noch eine Beule in den Wagen fahre.«

»Ich kann einparken.« Christine hatte leise gesprochen.

»Bitte?«

»Natürlich winke ich Sie raus. Gerne.«

Und kauf dir ein kleineres Auto, fügte Christine im Stillen hinzu. Sie fuhr ihr Auto ein Stück zurück und stellte sich hin-

34

ter den Cayenne. Der Renate-Typ legte den Rückwärtsgang ein, Christine winkte, sie bremste. Christine winkte übertriebener, sie fuhr zwei Zentimeter und bremste wieder. Das Spielchen wiederholten sie ein paar Minuten, der Cayenne hatte unverändert über einen Meter Platz nach hinten.

Da riss Christine der Geduldsfaden. Mit zuckersüßem Gesichtsausdruck ging sie zur Autotür. »Entweder Sie gucken mich an, wenn ich winke, und fahren. Oder Sie lassen mich Ihr Auto rausfahren, damit ich endlich Ihren Parkplatz bekomme. Oder Sie versuchen es alleine noch für den Rest Ihres Urlaubs. Sie müssen sich nur entscheiden. Ich bin seit zehn Minuten verabredet und habe leider keine Zeit mehr.«

Augenbrauen schossen in die Höhe, Mundwinkel gingen nach unten.

»Was soll das denn? Ich habe Sie nur um einen kleinen Gefallen gebeten, meine Güte! Wenn es zu viel verlangt ist, dass Frauen sich untereinander helfen … Suchen Sie sich doch einen anderen Parkplatz, na los, worauf warten Sie noch?«

Jetzt wurde ihre Stimme auch noch schrill. Christines Halsschlagader fing an zu pochen, sie war drauf und dran, gegen das Auto zu treten. Blöde Nuss. Aber sie riss sich zusammen. Als ob sie Lust hätte, sich auf einem öffentlichen Parkplatz mit so einem Huhn zu prügeln. Im Leben nicht!

»Dann weiterhin viel Spaß und einen schönen Tag noch.«

Hoch erhobenen Kopfes ging Christine zu ihrem Auto. Der liebe Gott belohnte sie für ihre Selbstbeherrschung, denn in dem Moment wurden zwei Parklücken frei. Sie parkte komplikationslos ein.

Renate zwei saß immer noch bei laufendem Motor in ihrem Schlachtschiff. Fast bekam Christine ein schlechtes Gewissen, aber dann sah sie, dass die Dame sich in aller Ruhe die Lippen nachzog. Was war sie froh, dass sie mit solchen Weibern nichts zu tun hatte.

Mit fünfzehn Minuten Verspätung hetzte Christine über die Treppen zum Strandaufgang, zeigte kurz ihre Kurkarte und lief der »Badezeit« entgegen, einem Lokal, das an der Westerländer Promenade lag.

Sie hatte sich mit Luise verabredet, einer Freundin, die gerade für zwei Tage auf Sylt war. Sie hatten morgens telefoniert, und Luise hatte vorgeschlagen, sich am frühen Abend zu treffen, ihr Mann hätte berufliche Termine auf der Insel, er würde später dazustoßen. Sie sei so gespannt, was Johann für ein Typ sei. Christine hatte das Telefon auf Lautsprecher gestellt, weil sie sich gerade die Fußnägel lackierte, so dass Johann mithören konnte. Danach erklärte er, er komme ebenfalls später. »Weißt du, mit den alten Freundinnen, die einen unter die Lupe nehmen, ist das so eine Sache … also, ich komme gegen halb acht dazu, da ist Luises Mann ja dann auch da, oder?«

»Du kannst gern schon früher kommen.«

Er küsste sie und nickte. »Mal sehen.«

Luise war noch nicht da, trotz der Verspätung. Nachdem Christine sich im Lokal umgesehen hatte, setzte sie sich auf die Terrasse, von wo aus sie den Strand und gleichzeitig jeden ankommenden Gast im Blick hatte.

Eine unglaublich hübsche Kellnerin kam an den Tisch. Sie sah aus wie ein Model, hatte ihre langen Haare hochgesteckt und lächelte. Sie trug ein Namensschild: Anika. Auch noch ein schöner Name.

Bevor Christine etwas bestellen konnte, klingelte jedoch ihr Handy. Luise.

»Hallo, ich habe die Zeit vertrödelt, ich beeile mich, bis gleich.«

»Wollen Sie mit dem Bestellen noch warten?«

»Äh, nein, ich möchte einen Milchkaffee und ein Wasser.«

Versonnen starrte Christine ihr nach. Wieso waren manche Menschen nur so schön, hatten so eine Figur und einen solchen Gang?

Drei Minuten später kam Anika mit der Bestellung und einer Zeitung zurück.

»Die ›Sylter Rundschau‹ von heute. Falls Ihnen das Warten langweilig wird.«

Nett war sie auch noch. Während Christine ihren Kaffee trank, überflog sie die Schlagzeilen und hob zwischendurch immer mal wieder den Blick, um Luise nicht zu verpassen. Und plötzlich entdeckte sie auf der Promenade Tante Inge, die einen roten Hosenanzug trug und auf die »Badezeit« zusteuerte. Christine hatte sich schon halb erhoben, um sie zu rufen, als Inge auf einmal stehen blieb und sich umdrehte. Offensichtlich wartete sie auf jemanden. Vermutlich hatte sie Heinz im Gefolge, der mit seinen kurzen Beinen nicht hinterherkam. Hoffentlich blieben sie nicht zum Essen, Johann sollte eigentlich in Ruhe Luise kennenlernen.

Christine beugte sich über das Geländer. Doch es war nicht ihr Vater, der Inge folgte. Es war noch nicht mal jemand, den Christine kannte. Tante Inge lächelte den Mann entrückt an, der ihr den Vortritt an der Treppe ließ und ihr dann mit lässigem Gang folgte. Graumeliertes Haar, sportliche Figur, teurer Anzug und höchstens Anfang fünfzig. Also locker zehn Jahre jünger als Tante Inge.

Sie betraten zusammen das Lokal, Tante Inge hatte ihre Nichte anscheinend nicht entdeckt, obwohl sie sich konzentriert nach einem Tisch umgesehen hatte. Christine lehnte sich vorsichtig zurück und spähte in das Restaurant, wo sich ihre Tante mit dem Rücken zum Fenster auf den vierten Stuhl, den sie ausprobiert hatte, setzte. Ihr Begleiter war höflich stehen geblieben und nahm nun ihr gegenüber Platz. Er sah ausgesprochen gut aus. Und er lächelte Tante Inge an.

Christine kniff die Augen zusammen. Sah so jemand aus, dem die späte Liebe gerade den Boden unter den Füßen weggezogen hatte? Wobei … eigentlich interessierte es sie viel mehr, wie Tante Inge im Moment schaute. Aber ihr Gesicht konnte sie von der Terrasse aus nicht erkennen, und ihr Rücken wirkte wie immer.

Der Unbekannte zog jetzt einige zusammengerollte Papiere aus seiner Anzugtasche, strich sie glatt und schob sie Inge hin. Christine beugte sich mitsamt dem Stuhl vor, um mitzukriegen, wie Inge reagierte. Anscheinend redete sie weiter, legte dabei aber eine Hand auf seinen Unterarm.

»Wen observierst du gerade?«

Fast hätte Christine das Gleichgewicht verloren, im letzten Moment knallte der Stuhl auf alle vier Beine zurück. Aufgeschreckt durch den Krach hoben die anderen Gäste auf der Terrasse die Köpfe.

»Oh. Nichts. Hallo Luise. Da bist du ja endlich.«

Mit einem schnellen Blick vergewisserte Christine sich, dass Tante Inge und ihr Galan sich in der Zwischenzeit nicht nähergekommen waren. Waren sie nicht. Inzwischen redete er, und ihre Hand lag auf den Papieren.

Luise folgte ihrem Blick. »Der Typ da? Der Graumelierte im Anzug? Nicht unflott, aber ich denke, du bist nicht mehr auf der Suche? Apropos, wo ist dein Wundermann eigentlich?«

»Er joggt. Aber er kommt zum Essen nach.«

Luise hatte sich hingesetzt. Mit einer kleinen Drehung des Halses konnte Christine immer noch den Rücken ihrer Tante sehen, war durch Luise aber jetzt besser gedeckt. Entspannt lächelte sie.

»Und? Wie geht es dir?«

»Sehr gut.«

Während Luise sich umdrehte, um besser in den Innenraum sehen zu können, fragte sie: »Was ist denn jetzt mit dem Mann da drinnen? Kennst du ihn?«

»Luise! Starr ihn doch nicht so an, das fällt doch auf.«

Tatsächlich. Nun hob er seinen Kopf und schaute in ihre Richtung. Christine lehnte sich zurück, um aus seinem Blickfeld zu kommen.

»Luise! Bitte!«

»Ja, doch«, entgegnete diese grinsend, »aber nur, wenn du mir erzählst, was an dem so spannend ist.«

Christine setzte sich wieder gerade hin. »Wie alt schätzt du ihn? Nein, nicht wieder hingucken!«

Luise sah sie an und hob die Schultern. »Keine Ahnung. Vielleicht so um die fünfzig. Wieso?«

»Er sitzt da mit meiner Tante.«

Jetzt drehte sich Luise doch wieder um. »Echt? Das ist deine Tante?« Sie stand auf. »Lass uns hingehen und guten Tag sagen.«

Christine erwischte im letzten Moment ihren Arm. »Bist du verrückt? Bleib hier. Ich glaube nicht, dass es meiner Tante recht wäre, wenn wir jetzt da aufkreuzen. Sie hat der Familie gerade eröffnet, dass sie ihr Leben verändern will. Ohne nähere Angabe von Gründen. Aber ich habe es gerade begriffen: So wie es aussieht, sitzt da der Grund. Ich glaube es einfach nicht. Mir wird ganz schlecht.«

»Wieso? Der wirkt doch ganz sympathisch.«

»Luise! Meine Tante ist 64! Nicht vierzehn!«

Ihre Freundin hob erstaunt die Augenbrauen. »Na, dann gerade! Da darf man doch keine Zeit mehr vergeuden.«

In diesem Moment kam Anika an den Tisch und fragte, ob sie bestellen wollten. Luise beschloss, es sei Zeit für Weißwein.

»Wie kann man nur so schön sein?«, sagte sie und sah der Kellnerin anerkennend hinterher.

Die nächste halbe Stunde verbrachte Christine damit, Luises Schilderungen ihres letzten Urlaubs in Andalusien zu folgen und gleichzeitig herauszufinden, wie innig Tante Inge mit dem graumelierten Anzugtyp wirklich war. Immer wieder kam ihr das Bild von Onkel Walter in den Sinn, der in seinem Lieblingstrainingsanzug mit dem Emblem von Borussia Dortmund Rasen mähte. Man musste es zugeben, er schnitt im Vergleich leider schlechter ab. Obwohl er noch ganz fit war. Und irgendwie auch attraktiv. Wenn man seinen Typ mochte. Diesen Onkel-Walter-Typ eben.

Tante Inge und ihr Begleiter steckten nun zwar die Köpfe zusammen, darüber hinaus konnte Christine aber keine weiteren Vertraulichkeiten erkennen. Wobei sie natürlich nicht sehen konnte, was sich unter dem Tisch abspielte.

»Und was sagen deine Eltern nun zu ihm?«

Irritiert starrte Christine Luise an. Sie hatte gar nicht mitbekommen, dass sie nach den Geschichten aus Andalusien schon wieder bei Tante Inge angekommen war.

»Die wissen doch noch gar nichts von ihm. Ich habe die beiden doch gerade eben erst entdeckt.«

»Ich rede von Johann.« Luise guckte ungeduldig. »Hörst du mir überhaupt zu?«

»Ja, sicher.« Mit einem Hüsteln versuchte Christine Luises peinliche Frage zu überspielen. »Also, meine Eltern haben ihn ja schon auf Norderney kennengelernt. Mein Vater fand ihn erst, wie soll ich sagen, etwas eigenartig, aber das hat sich dann alles schnell gegeben.«

»Eigenartig ist gut.«

Johanns Stimme ließ beide zusammenzucken, sie hatten überhaupt nicht bemerkt, dass er an den Tisch getreten war. Unbekümmert gab er Luise die Hand und setzte sich neben Christine.

»Heinz fand, ich hätte tückische Augen, und hat mich eine Woche lang mit zwei anderen Rentnern und einem wahnsinnigen Inselreporter verfolgt. Sie hielten mich für einen Heiratsschwindler.«

Luise schüttelte verblüfft den Kopf. »Das ist ein Witz, oder?«

Christine winkte lässig ab, achtete dabei aber darauf, ihre Deckung nicht zu verlieren.

»Mein Vater hatte sich da in eine fixe Idee verrannt, das war aber nicht so schlimm.«

Im vergangenen Sommer hatte sie Luise eine sehr verkürzte Version ihrer Begegnung mit Johann erzählt. Die ganze Wahrheit war ihr zu peinlich gewesen. Luise sollte schließlich nicht denken, dass Heinz nicht mehr bei Verstand war.

»Na ja«, Johann legte den Arm auf Christines Stuhllehne und lächelte milde, »normal war das nicht. Wieso zappelst du eigentlich so, Christine?«

Sie biss sich auf die Lippen, um ja nichts Falsches zu sagen.

»Christines Tante sitzt da drin, im Restaurant, vermutlich mit ihrem neuen Liebhaber«, erklärte Luise an ihrer Stelle.

War es Christines Einbildung, oder stöhnte Johann auf? Jedenfalls nahm er seinen Arm von ihrer Stuhllehne und winkte entschlossen der Bedienung zu.

»Ich frage jetzt extra nicht, ob du deiner Tante nachspionierst. Ich will es auch gar nicht wissen. Nur so als Information: Jeder andere wäre hingegangen und hätte gesagt: ›Hallo, Tante Inge, was machst du denn hier? Dürfen wir uns dazusetzen?‹ Hallo, ich möchte gern ein Bier, ein großes.«

Letzteres galt der schönen Anika, die seine Bestellung entgegennahm und dann wieder verschwand.

Christine schluckte und nahm sich vor, gleich ins Lokal zu gehen, so zu tun, als wäre sie gerade gekommen und Inge zu begrüßen. Alex' Ankunft verhinderte das Vorhaben. Er kam die Treppe hochgerannt, winkte kurz in die Runde, sagte: »Komme gleich zurück«, und verschwand im Lokal.

Als er wieder auf die Terrasse trat, sah Luise ihm erwartungsvoll entgegen. Alex zog einen Stuhl näher an den Tisch, küsste Christine zur Begrüßung auf beide Wangen, schüttelte Johann die Hand und ließ sich auf seinen Platz fallen. Dann sah er sich um.

»Kommt hier jemand an den Tisch, oder muss man drinnen bestellen?«

»Es kommt jemand.« Luise legte ihre Hand auf seine. »Ist dir das Paar aufgefallen, das direkt neben der Theke sitzt?«

»Welches Paar?« Abrupt drehte sich Alex wieder um, was Christine zu einem heftigen Griff nach seinem Oberarm zwang. »Nicht umdrehen!«, zischte sie ihn an.

Verständnislos rieb er sich den Arm. »Aua! Was ist denn los?« Sein Blick fiel auf Johann, der sein Gesicht in die Hände vergraben hatte. »Habe ich was verpasst? Sind die beiden hier auf Promijagd, oder was soll das?«

Christine überlegte, ob Alex schon immer so schwer von Begriff gewesen war. Er war doch direkt an Inge und ihrem ominösen Begleiter vorbeigekommen, er hätte sie doch sehen müssen.

»Dieses ältere Liebespaar, Schatz. Die Frau im roten Anzug und der graumelierte Mann. Du bist fast an ihren Tisch gestoßen.« Luises Stimme war geduldig und energisch zugleich.

»Ich habe kein Liebespaar gesehen.«

Christine beugte sich vor. »Sind die beiden kein Liebespaar, oder hast du gar nicht hingeguckt?«

Alex zog vorsichtshalber seinen Arm weg. »Ich weiß nicht, ich musste so dringend …«

»Christine.« Johanns Stimme klang jetzt sehr weich und gütig. Er sprach wie mit einer kurz vor dem Ausbruch stehenden Psychopathin. »Das kannst du deine Tante gleich selbst fragen, sie haben nämlich schon bezahlt. Nur, damit du die Fassung behältst.«

In diesem Moment trat Inge auch schon aus der Tür, die der Unbekannte ihr aufgehalten hatte. Bevor sie nebeneinander die Treppe hinunterstiegen, drehte Tante Inge sich kurz um, winkte gut gelaunt und rief: »Hallo, Christine. Viel Spaß noch.«

Christines Gesicht fühlte sich plötzlich ganz heiß an, und sie hörte Johann sagen: »Sie hat dich die ganze Zeit gesehen.«

Irgendwie klang er schadenfroh.

Der Abend mit Luise und Alex war lustig und lang gewesen, deshalb bekam Christine erst um elf Uhr die Augen auf. Johann hatte schon geduscht, saß am Bettrand und strich ihr die Haare aus dem Gesicht.

»Ich dachte schon, ich müsste dich reanimieren.«

Er sah richtig gut aus. Schön und wach. Sie kam da mit Sicherheit nicht mit. Trotzdem wurde sie geküsst.

»Guten Morgen.« Langsam setzte sie sich auf und lehnte sich an ihn. »Warst du schon unten?«

Er zauberte eine Tasse hervor. »Ja. Ich habe dir Kaffee geholt. Hier, ist heiß.«

»Sind meine Eltern da?« Christine nahm einen Schluck und verbrannte sich prompt die Zunge. »Aua!«

»Ich habe doch gesagt, er ist heiß. Dein Vater ist nach Kampen gefahren, und deine Mutter vergiftet im Garten Ameisen.«

»Dann ist sie sauer. Sie tötet nur, wenn sie sich geärgert hat.«

Johann nahm ihr die Tasse aus der Hand und probierte. »So heiß ist er auch nicht. Heinz ist zu dieser Petra nach Kampen gefahren. Er will hören, was deine Tante da so macht.«

»Hm. Dann geht Mama auch gleich noch mit Schneckenkorn ins Beet. Wir sollten die Räder nehmen und den ganzen Tag lang über die Insel fahren. Wir setzen uns Sonnenbrillen und Mützen auf und beschleunigen, wenn wir jemanden treffen, der mit mir verwandt ist.«

»Hervorragende Idee.« Johann lächelte zufrieden. »Dann los, geh duschen. Ich frage deine Mutter, wo die Räder stehen.«

»Im Schuppen. Aber frag sie ruhig.« Christine stand auf. »Und nimm kein Bonbon von ihr an. Ich beeile mich.«

Eine gute Stunde später fuhren sie auf der ehemaligen Inselbahntrasse in Richtung Kampen. Christine hatte beschlossen, das mütterliche Frühstück ausfallen zu lassen und stattdessen Johann in die »Kupferkanne« einzuladen. Das Wetter war schön, sie konnten im Garten sitzen und über das Wattenmeer bis Dänemark gucken. Wenn Johann da nicht wieder romantische Gefühle bekam, dann wusste Christine auch nicht weiter. Die weiche Mailuft, der Blick aufs Wasser, der Geruch des gelben Stechginsters und der rosa Sylt-Rosen und Johanns Rücken vor ihr, alles zusammen hob ihre Stimmung und machte sie zuversichtlich.

Vor der »Kupferkanne« schlossen sie die Räder zusammen und gingen an dem Lokal vorbei in den zauberhaften Cafégarten. Christine ging etwas staksig, Radtouren war sie nicht gewohnt. Inmitten von Kieferhecken war ein Tisch frei, mit Blick aufs Watt.

Johann lehnte sich entspannt zurück und hielt sein Gesicht in die Sonne. »Das war doch mal eine gute Idee«, sagte er. »Und es ist hier so friedlich.«

Der Frieden währte allerdings nur so lange, bis das Frühstück kam. Dann wurde er von einem Paar gestört, das lautstark den Nachbartisch enterte, nachdem es die Bedienung beim Servieren fast umgerannt hatte. Charlotte würde jetzt sagen: »Als ob ihnen hier alles gehört.«

»Schau mal, Günther, der Tisch ist gut. Mit Meerblick.«

Die Stimme kam Christine bekannt vor, sie drehte sich unauffällig um, tatsächlich, das Ausparkwunder, die Cayenne-Frau. Na, super!

Der Mann war um die siebzig. Er trug weiße Jeans und ein rosa Polohemd, dessen Kragen aufgestellt war. Bevor er sich hinsetzte, sah er sich selbstzufrieden um, vermutlich, um sicherzugehen, dass ihn auch wirklich jeder bemerkt hatte. Er deutete ungeduldig auf den Stuhl, der ihm gegenüber im Schatten stand.

»Na los, Maus, setz dich hin, du stehst mir in der Sonne.«
Die Auspark-Weltmeisterin stöckelte über den losen Kiesweg und nahm Platz. Ihr Gesichtsausdruck war unergründlich.

Johanns Fuß strich über Christines. Sie sah in seine braunen Augen.

»Ja?«

»Maus! Du starrst schon wieder fremde Leute an.«

»Ich starre doch gar nicht, ich habe nur kurz geguckt. Außerdem kenne ich die Frau, ich habe gestern versucht, ihr beim Ausparken zu helfen. Und ich hasse Kosenamen.«

»Und?«

»Hat nicht geklappt. Gibst du mir mal das Rührei rüber?«

Während sie das Ei auf eine Brötchenhälfte häufte, bekam das Paar nebenan seine Getränke, er ein großes Pils, sie ein stilles Wasser, ohne Eis, mit Zitrone. Kein Wunder, dass sie in Größe 36 passte. Von ihrem Gespräch waren nur Bruchstücke zu verstehen: »Ich denke, du wolltest was essen? ... Dann eben nicht. Hallo, Fräulein, ich nehme noch ein Schinkenbrot.«

Er griff zu seiner Zeitung und begann zu lesen. Sie knibbelte an ihren Fingernägeln und sah aufs Watt.

Johann schenkte Kaffee nach und streichelte Christine kurz über den Arm. »Du bist so still. Worüber denkst du nach?«

»Dass es doch viele komische Paare gibt. Findest du nicht auch?«

Er warf einen kurzen Blick zum Nebentisch. »Meinst du die beiden?«

»Ja, zum Beispiel. Sie hockt da und macht ein beleidigtes Gesicht, er liest Zeitung, sie reden nicht miteinander, bestimmt haben sie auch keinen Sex mehr.«

»Worüber du dir so Gedanken machst.« Johann rührte in seiner Tasse und sah wieder zu den beiden. »Er hat wahrscheinlich Sex mit seiner Sekretärin. Dafür hat sie ein großes Auto und teuren Schmuck und fährt zweimal im Jahr mit ihm nach Sylt. Das nennt sich Gegengeschäft.«

Und dieser Mann hatte ihr vorgeworfen, sie hätte Vorurteile.

»Woher willst du das mit dem Auto wissen?«

»Sie ist so ein Tuareg-Typ«, antwortete er achselzuckend, »und er hat das Geld.«

»Sie fährt einen Cayenne. Und du hast Vorurteile. Ich hätte keine Lust, so eine Ehe zu führen. Ich finde so was grauenhaft.«

Wenn Johann lächelte, bekam er Grübchen. Und Christine einen warmen Bauch. Er beugte sich vor. »Was würdest du denn machen, wenn du mit so einem Typen verheiratet wärst?«

»Ich hätte den nie geheiratet.«

Johann winkte ab. »Die waren alle mal anders. Also, was würdest du machen, wenn dein Mann sich nach einer Weile so verhalten würde wie der da drüben?«

»Ich würde ihn verlassen.«

Jetzt grinste er. »Wie alt, glaubst du, sind die beiden?«

»Mitte bis Ende sechzig?« Im selben Moment ärgerte sie sich über die schnelle Antwort. »Johann, das war unfair. Das kannst du doch gar nicht vergleichen. Onkel Walter ist ganz anders. Und Tante Inge sowieso.«

»Wieso? Schlechte Ehe ist schlechte Ehe. Und wenn man konsequent ist, geht man. Egal in welchem Alter.«

»Das ist doch Blödsinn.« Verärgert suchte Christine nach Argumenten. »Außerdem kennst du meine Tante und meinen Onkel gar nicht, das kannst du nicht beurteilen.«

Das war unfreundlich gesagt und auch unfreundlich gemeint. Sofort tat es ihr leid.

Johann war zum Glück wenig empfindlich. »Christine, das will ich auch nicht. Ich möchte nur so furchtbar gern, dass du dich nicht einmischt. Lass doch deine Tante machen, was sie will. Ich habe mich so auf den Urlaub gefreut. Sie ist doch erwachsen. Und wir auch.«

Langsam stand Christine auf, ging um den Tisch herum und küsste Johann. Auf den Mund und vor allen Leuten.

Es war sehr wirkungsvoll, die Cayenne-Frau stierte hin, zunächst irritiert, dann irgendwie neidisch und schließlich mit dem Hauch eines Erkennens. Das rosa Polohemd machte einen langen Hals und brummte irgendetwas scheinbar Abfälliges. Johann lächelte und küsste zurück.

Liebe Renate,

ich bin ganz aufgeregt, es passieren hier Dinge, die ich noch gar nicht fassen kann. Du hattest mir doch neulich am Telefon mein Horoskop für dieses Jahr vorgelesen. Wie war das noch? Auf zu neuen Ufern? Neue Kontakte? Die Erfüllung meiner Träume? Es ist unglaublich, wie genau meine Sterne das wussten.

Während ich Dir schreibe, sitze ich in einem sehr netten Lokal direkt an der Westerländer Promenade, trinke Tee und schaue aufs Meer. Traumhaft. Ich war gestern Abend schon mal hier, hatte ein sehr interessantes Treffen mit einem Herrn … Aber das gehört zu den Dingen, die ich dir erzählen muss, wenn wir uns mal wieder sehen.

Meine Nichte war gestern übrigens auch hier. Sie sah mich kommen und hat dann so getan, als hätte sie mich nicht erkannt. Wer weiß, was in ihrem Kopf vorgeht. Vielleicht ist der neue Freund ihr Problem, aber wer guckt schon da hinein? Ich werde mich bald mal mit ihr unterhalten. Kannst Du auch noch nach ihrem Horoskop suchen? Ich will nicht, dass das Kind in sein Unglück rennt.

So, ich habe mir jetzt einen Cocktail bestellt. Ich finde, das kann man so kurz vor dem Mittagessen mal machen. Schließlich habe ich Urlaub. So ein grünes Zeug mit grünen Zitronenstückchen. Schmeckt nicht so gut, wie es aussieht, ist aber sehr süß. Es hat einen komischen Namen: Kai Pirinja. Klingt nach einem finnischen Barkeeper, vielleicht hat er dieses Getränk erfunden. Gebracht hat es mir eine ganz entzückende junge Frau, die hier bedient. Ich werde Anika fragen – so heißt sie nämlich –, woher dieser Kai kommt.

Liebe Renate, mir ist jetzt ganz warm geworden, je länger man dieses grüne Zeug trinkt, umso besser schmeckt es.

Also dann, bis bald, Prösterchen,
Deine Inge

Inge hatte gerade den Brief beendet, als Anika an ihren Tisch trat.

»Entschuldigung, darf ich bei Ihnen kassieren? Ich habe gleich Feierabend.« Sie lächelte dabei so hinreißend, dass Inge regelrecht dankbar war, bereits 64 zu sein und nicht in Konkurrenz zu diesem schönen Wesen treten zu müssen.

»Oh, *schicher*«, antwortete sie. Hatte sich dieses grüne Zeug direkt um ihr Sprachzentrum gewickelt? Sie suchte nach ihrem Geld und begann zu kichern. Einfach so. Sie konnte gar nichts dafür.

»*Schicher* ...« Der Lachkoller war nicht mehr zu stoppen, Inge gab sich ihm hin. Sie hatte als Kind schon zu hysterischen Lachkrämpfen geneigt, leider fehlte ihrer Umwelt dafür das Verständnis. Ihr fiel Walter ein, und wie er jetzt gucken würde, wenn er sie sehen könnte. Und ihr Bruder erst.

»*Schicherlisch.*« Ging auch nicht. Inge konnte nichts anderes tun, als Anika ihr Portemonnaie hinzuschieben und ihren Kopf auf den Tisch zu legen. Als sie wieder hochkam, immer noch kichernd, sah Anika sie besorgt an.

»Alles in Ordnung?«

»*Sisch* ... o Gott, ja, Entschuldigung. Ich hätte gern noch einen Kaffee.« Sie hörte im Geiste Walters Stimme: *Inge, jetzt reiß dich mal zusammen. Wie alt bist du eigentlich?* Das Kichern hörte einfach nicht auf, jetzt bekam sie auch noch Schluckauf. Inge legte die Hände über den Mund, hielt die Luft an, zählte bis drei, versuchte, trocken zu schlucken und wieder ernst zu werden.

»Mama? Was hat die Dame?«

Der kleine Junge stand plötzlich neben Anika und schaute Inge mit großen Augen an. Das brachte sie wieder zur Besinnung. Sie atmete tief durch.

»Ist das Ihr Sohn, Anika?«

»Ja.«

Er war genauso hübsch wie seine Mutter. Inge wandte sich ihm zu.

»Wie heißt du denn?«

»Till.«

»Und wie … alt bist du?« Inges Schluckauf wurde weniger.

»Acht.«

»Mhm. Und wo … wohnst du?«

Till kletterte auf den Stuhl. »Gleich hier um die Ecke. Aber wir müssen bald umziehen, sagt Mama. Und dann muss ich mit dem Zug zum Handballtraining fahren. Das ist ganz doof. Wie heißt du? Du hast eine schöne Kette. Und warum lachst du so?«

»Das weiß ich auch nicht so genau. Manchmal überkommt es mich einfach, weil ich irgendeinen Quatsch plötzlich ganz witzig finde. Ich heiße Inge. Holst du deine Mama ab?«

Till nickte ernsthaft. »Mache ich immer, wenn Mama nur bis mittags arbeitet. Sonst gehe ich zu Oma Hansen nach nebenan.«

»Hast du Durst? Möchtest du etwas trinken?«

Till sah unsicher erst Inge an, dann hinüber zu seiner Mutter, die am Tresen stand und gerade Inges Kaffee auf ein Tablett stellte. »Ich weiß nicht, ich soll nicht …«

»Ach was.« Inge stand auf und ging zu Anika. »Entschuldigen Sie, darf ich Ihren Sohn zu einer Cola oder so einladen? Bis Sie fertig sind, kann er mir doch noch ein bisschen Gesellschaft leisten.«

»Meine Kollegin kommt ein bisschen später, es dauert deshalb noch etwas. Also, wenn er Sie nicht stört?«

»Im Gegenteil, also für ihn, was er gern trinkt.«

Eine halbe Stunde später kannte Inge den Namen von Tills Klassenlehrerin, den seines besten Freundes und seines Kaninchens, seine Lieblingsfächer und wusste, dass er beim TSV Westerland Handball spielte.

Inzwischen hatte Anika ihre Schürze mit einer weißen Leinenjacke getauscht und setzte sich nun zu ihnen.

Inge schob ihre Tasse zur Seite. »Und wieso müssen Sie wegziehen?«

Anika musterte ihren Sohn nachdenklich. »Da hast du ja wohl alles erzählt, oder?« Sie hob entschuldigend die Schultern. »Er redet immer ein bisschen viel.«

»Nein«, Inge schüttelte den Kopf, »ich frage zu viel. Sagt mein Mann auch immer. Also, warum ziehen Sie weg?«

Nach dem Essen schlug Johann vor, auf dem Rückweg zur »Buhne 16« zu fahren. Er wollte unbedingt Schickimickis und Prominenz sehen. In seinem Reiseführer stand, dass sich alle Berühmtheiten an diesem Strandabschnitt trafen. Christine sagte ihm nicht, dass das früher, in den sechziger Jahren, mal so gewesen war: Heute war es nur noch ein ganz normaler Strand mit einem Kiosk, zwar nett, aber nichts Besonderes. Ihr war es egal, es war überall am Wasser schön.

Als sie vom Kirchenstig auf die Hauptstraße bogen, fuhr ein roter VW Käfer an ihnen vorbei. Christines erstes Auto war dasselbe Modell gewesen, sentimental schaute sie dem Wagen nach, der ein paar Meter weiter anhielt, um das Auto vor ihm links abbiegen zu lassen. Langsam überholten Johann und Christine rechts, sie warf einen kurzen Blick ins Wageninnere und verriss den Lenker. Auf der Beifahrerseite saß Tante Inge. Der rote Käfer fuhr weiter, und Christine verlor ihr Gleichgewicht.

Johann sprang sofort erschrocken vom Fahrrad, als er sie hinter sich auf den Gehweg stürzen hörte.

»Christine, um Himmels willen, ist dir was passiert?«

Christine rieb ihr Knie und zeigte dem Wagen hinterher. »Hast du das gesehen? Da saß Tante Inge drin. Ich kenne niemanden mit so einem Auto. Wer war das denn?«

Johann hockte sich hin, betrachtete das Knie und schüttelte den Kopf. »Wie kann man einfach so mit dem Fahrrad umkippen? Tut das weh?« Er strich vorsichtig über die Abschürfung.

Unwirsch schob Christine seine Hand weg. »Nein, aua, lass das. Komm, wir fahren hinterher.« Mühsam stand sie auf. »Hast du dir das Kennzeichen gemerkt?«

»Christine.« Er hob das Fahrrad auf und stellte es hin. »Du machst mich wahnsinnig. Die sind doch längst weg. Kannst du noch fahren?«

»Natürlich.« Die Antwort kam mit zusammengebissenen Zähnen. »Was ist jetzt? Wollen wir weiter?«

Johann atmete tief durch. »Tut dir sonst nichts weh? Sollen wir nach Hause fahren?«

»Nein«, Christine hatte schon einen Fuß auf der Pedale, »wir fahren jetzt zum Strand. Ich habe keine Lust mehr, mich von Verwandten aus dem Gleichgewicht bringen zu lassen. Komm.«

Bei jedem Tritt tat ihr das Knie weh. Nach ein paar Metern überholte Johann sie.

»Lass uns da vorne am ›Gourmet-Eck‹ was trinken, zumindest so lange, bis sich dein Knie erholt hat.«

Sie hielten vor dem Lokal an der Ecke. Eigentlich wollte Christine weiter, aber plötzlich sah sie schräg gegenüber einen roten Käfer parken. Und das Knie pochte.

»Okay. Ist vielleicht besser.«

Sie humpelte langsam vor, während Johann die Räder abschloss. Mit zusammengekniffenen Augen versuchte sie, die Gäste im »Gourmet-Eck« zu erkennen.

»Ach nein«, Johann stand schon neben ihr, »guck mal, da in der Ecke, da sitzt deine Tante mit der Bedienung aus der ›Badezeit‹. Wir gehen jetzt da hin und begrüßen sie.«

Er ging voraus, und Christine folgte ihm so schnell es ging, bis sie vor Tante Inge standen.

»Hallo, Tante Inge.«

Ihre Frisur war wirr, die Wimperntusche etwas verschmiert, aber sie strahlte übers ganze Gesicht, obwohl sie einen Schluckauf hatte.

»Chris…tine, oh, das ist … ja nett. Setzt euch zu uns … wir feiern … ich … upps, kann gar nicht … richtig reden.«

Es war noch keine 16 Uhr, und Tante Inge war angeschickert. Fassungslos setzte ihre Nichte sich neben sie, während Johann Anika die Hand gab.

»Hallo, ich bin Johann.«

Er war so gut erzogen. Christine streckte schnell die Hand über den Tisch und stellte sich ebenfalls vor.

»Christine. Ich hoffe, wir stören nicht.«

»Anika. Nein, nein, wir wollten uns nur noch ein bisschen unterhalten. Wir haben meinen Sohn zum Sport gefahren, und ich wollte Frau Müller nach Hause bringen.«

»Da … wollte ich … aber nicht … hin.« Inge kicherte und versuchte, ihr Zwerchfell in den Griff zu kriegen. »Also … so einen Schluckauf … hatte ich … lange nicht …«

Sie wurde von einer Kellnerin unterbrochen, die zwei Kaffee brachte. Wenigstens trank sie nicht weiter.

»Och, bringen … Sie mir … noch ei…nen Kräuter…likör dazu? Bitte.«

»Tante Inge!«

Christine traf ein warnender Blick von Johann. Tante Inge schien der Ton nicht gestört zu haben.

»Schätz…chen, das hilft … gegen Schluck…auf. Und An…ika ist ja … dabei.«

Sie schlug ihrer Nichte mit der flachen Hand aufs Bein, traf dabei mit ihrem Daumen aber das aufgeschürfte Knie, was Christine zum Stöhnen und sie zum Lachen brachte.

»Guck mal … Knie, wie mit … zehn, nach dem … Rollschuhlaufen. Ka…putt.«

Sie steigerte sich in einen Lachkrampf hinein. Christine sah Anika an, die hilflos die glucksende Tante Inge beobachtete.

»Was hat sie denn getrunken?«

»Nur einen Cocktail. Aber sie muss dauernd lachen. Dass das so wirkt?«

»Hahaha!« Tante Inge warf ihren Kopf zurück und lachte brüllend: »Und wie ... Und ich habe so eine tolle Id...ee, hups ... Und ich bin übrigens nicht betrunken. Mir geht es großartig.«

Johann konnte sich das Grinsen nicht mehr verkneifen, genauso wenig wie Anika.

Christine fragte sich mit Sorge, ob ihre Patentante jetzt völlig verrückt geworden war. Aber Inge sah unglaublich gut gelaunt aus.

Johann stand auf und bestellte vier Gläser Sekt. Er wusste immer, was das Richtige war.

Der Pathologe setzte gerade sein Seziermesser an, als Heinz sich neben Christine in den Strandkorb fallen ließ.

»Na? Was machst du gerade?«

»Ich lese, Papa.«

»Aha. Gutes Buch?«

»Ja.«

»Um was geht es?«

Seine Tochter klappte den Krimi zu und nahm die Brille ab.

»Um einen Mord. Was willst du?«

»Du, gar nichts.« Betont interessiert guckte er auf das Buch. »Ich wollte nur mal sehen, was du machst. Wo ist Johann?«

»Joggen.«

»Ach ja. Er läuft viel, oder?«

»Hast du Langeweile?«

Empört rutschte er nach vorn. »Langeweile! Ich weiß gar nicht, wie man das schreibt. Nein, ich dachte, ich sollte mich mal um dich kümmern, so oft bist du ja auch nicht hier.«

Er sah sie forschend an. Sie konnte sich denken, worüber er reden wollte. Ihre Kopfschmerzen meldeten sich sofort wieder zurück. Es nützte nichts.

»Da hattet ihr wohl einen schönen Nachmittag, oder?«, fragte Heinz nach einem Räuspern.

Vor Christines geistigem Auge erschien die ganze Palette Sektgläser, die sie tags zuvor im »Gourmet-Eck« geleert hatten. Ihre Schläfen pochten. Sie fragte sich, wer wohl die horrende Rechnung gezahlt hatte, sie war es jedenfalls nicht gewesen. Tante Inge hätte es nicht mehr gekonnt, Anika hatte bestimmt nicht so viel Geld, blieb nur Johann oder Zechprellerei. Sie musste ihn später fragen.

»Ja, das war ganz lustig.«

Diese Antwort reichte Heinz anscheinend nicht. Er legte den Kopf schief. »Es war auch sehr lang. Und es wurde wohl viel Alkohol getrunken? Oder?«

Das Bild, in dem Johann kichernd die Fahrräder auf den Busgepäckträger hob, während Tante Inge und Nichte eingehakt und mit schwerer Zunge die Fahrkarten nach List lösten, schob sich in Christines Kopf. Der Busfahrer musste zweimal nachfragen, so hatten sie gelacht. Sie konnten hier nie wieder Bus fahren. War sie nicht auch noch in den Gang gestürzt?

»Oder? Christine?«

»Was? Ja, wir haben ein paar Gläser Sekt getrunken, stimmt.«

Tante Inge hatte Anikas Angebot, sie zu Petra zu bringen, abgelehnt. Stattdessen hatte sie vorgeschlagen, bei Heinz im Gartenhaus noch einen Absacker zu trinken. Anika schüttelte bedauernd den Kopf, sie müsse jetzt ihren Sohn abholen, sie könne sie aber gern hinbringen. Das hielt Johann wiederum für unnötig, der einen Bus gesehen hatte, der Fahrräder mitnahm. »Mit so was will ich auch fahren, außerdem fällt Christine ja schon nüchtern vom Rad, wie soll das jetzt erst gehen? Und Inge nehmen wir mit.«

Dieser Vorschlag begeisterte Inge, die seit Jahren nicht mehr Bus gefahren war. »Super, ich gebe eine Runde Bus aus. Aber ich will ganz hinten sitzen, allerletzte Reihe.«

Es fiel Christine plötzlich ein: Sie war tatsächlich in den Gang gestürzt! Inge hatte danach auf ihr Knie gepustet. Es war nicht zu fassen.

»Sag mal, Kind …« Unruhig kaute Heinz auf seiner Unterlippe. »Mit dem Alkohol …«

Jetzt ging das wieder los. »Papa, ich bin 46.«

»Wie? Das weiß ich doch. Nein, ich wollte über was ganz

anderes mit dir sprechen: Meinst du, Inge hat ein ... wie soll ich sagen? Also, glaubst du, dass Inge, ähm ... trinkt?«

Er sah seine Tochter ängstlich an, die ihn erstaunt anstarrte. »Wie meinst du das?«

Verlegen wand er sich. »Ja, also, ob sie ein ... wie sagt man ... Alkoholproblem hat. Es gehen viele Ehen deswegen kaputt, es gibt auch schon solche Gruppen, weißt du, für Leute, deren Partner trinken. Das ist ja schlimm. Und wenn Inge jetzt öfter mal einen zwitschert, vielleicht gibt es deswegen ein kleines Problem, ich meine ... Jetzt guck mich doch nicht so an, es muss doch einen Grund geben, dass sie auf einmal allein auf Sylt ist.«

Christine fiel zu dieser wilden Theorie nur ein, dass ihre Tante am Abend zuvor voll wie eine Strandhaubitze gewesen war. Aber hatte sie deswegen ein Problem? Oder Onkel Walter? Ihre Gedanken wurden immer langsamer, die Stimme von Heinz immer lauter.

»Du brauchst gar nicht so desinteressiert zu gucken, glaub man nicht, dass ich nicht gemerkt habe, dass du auch einen Schwips hattest. Ich habe nur nichts gesagt, aber gemerkt, mein liebes Kind, hab ich das!«

Einen Schwips? Der Witz war gut.

»Papa...«, um einen beruhigenden Ton bemüht, versuchte Christine die richtige Antwort zu finden, »Tante Inge säuft garantiert nicht, mach dir keine Sorgen. Wir haben gestern nur spontan ein bisschen gefeiert, das war alles gar nicht so schlimm.«

»Nicht so schlimm?« Vor lauter Entrüstung zitterte seine Stimme. »Frau Gebauer hat euch im Bus gesehen. Inge hat dem Busfahrer den Kopf gestreichelt und mit Johann dann auf der letzten Bank ›An der Nordseeküste‹ gesungen. Ganz laut. Alle Leute haben sich umgedreht.«

»Frau Gebauer ist die größte Klatschtante der ganzen Insel.«

»Sie hat sicher nicht übertrieben. Inge hat ja immer noch gesungen, als sie in den Garten kam.«

»Das fandest du doch ganz lustig. Die zweite Strophe hast du sogar mitgesungen.«

Er winkte ab. »Ja, ja, aber Mama ist sauer. Inge hat den teuren Sekt aufgemacht.«

»Deswegen ist sie sauer?«

Heinz seufzte. »Ja. Weil anschließend zwei Gläser kaputt waren. Von Mamas guten. Und weil ich Inge dann zu Petra gefahren habe und noch so lange da geblieben bin. Aber was soll ich denn machen? Sie ist meine kleine Schwester.«

»Sie ist 64.«

»Na und? Sie steckt in einer Krise. Und vielleicht kommt das ja vom Trinken. Was meinst du?«

Christine stand auf und drückte den Rücken durch. »Sie hat gestern bestimmt nur ausnahmsweise getrunken. Nach Krise sieht es jedenfalls nicht aus, dafür hat sie zu gute Laune. Und Mama stellt sich doch immer so mit ihren guten Gläsern an.«

Heinz wirkte nicht sehr beruhigt.

»Ich weiß nicht. Ich verstehe sie einfach nicht. Sie kann doch in ihrem Alter nicht von zu Hause weglaufen. Das gehört sich einfach nicht. Wenn das jeder tun würde.«

Mitleidig schaute Christine auf ihn herunter. »Papa, Tante Inge wird nicht gleich einen Trend daraus machen. Und mit euch hat das gar nichts zu tun. Warte doch mal ab, was überhaupt passiert. Vielleicht hat sich in ein paar Tagen schon alles erledigt. So, ich gehe jetzt duschen. Bis später.«

An der Tür drehte sie sich zu ihm um. Er saß verloren im Strandkorb, kaute an seiner Nagelhaut und betrachtete die Buchsbäume. Er machte sich Sorgen. Zu Recht?

Johann betrat genau in dem Moment das Badezimmer, als Christine krampfhaft versuchte, sich zwischen den Schulterblättern einzucremen. Er nahm ihr die Lotion aus der Hand.

»Wie bist du eigentlich bisher ohne mich durchs Leben gekommen?«

»Schlecht. Und mein Rücken hat oft gejuckt.« Sie küsste ihn,
bevor sie sich umdrehte. »Und? Wie war das Laufen?«

»Schön.« Er cremte sehr gefühlvoll, Christine wurde bis ins
Innere weich. »Und fast ohne Wind. Knapp zehn Kilometer.
Was macht dein Kater?«

»Es geht. Irgendwie habe ich immer noch Watte im Kopf.
Wer hat eigentlich bezahlt?«

»Ich. Du und deine Tante konntet ja nicht mehr zählen. So,
fertig.«

Während Christine den Deckel auf die Flasche schraubte,
drehte sie sich zu ihm um.

»So schlimm war das doch gar nicht. Mein Vater tut auch
so, als hätten wir uns total danebenbenommen. Wir hatten einen Schwips. Ich kann Alkohol am Nachmittag einfach nicht
ab. Und Tante Inge ist sowieso keinen gewöhnt.«

Das hoffte sie wenigstens.

Johann zog sein T-Shirt über den Kopf und lachte. »Nicht
so schlimm? Na ja. Du bist um halb acht auf deinem Gartenstuhl eingeschlafen, und deine Tante wollte unbedingt Spie-
geleier braten. Deine Mutter hat fast einen Anfall gekriegt, als
sie hinterher die Küche gesehen hat. Inge hat ihr daraufhin die
Schulter gestreichelt und gemeint, dass ihr Putzzwang Ausdruck für ihre Unzufriedenheit in der Ehe sei.«

»Das hat Tante Inge gesagt?«

»Nicht ganz. Sie hat *Auschtruck* gesagt. Und *Putschwang*.
Aber man konnte sie trotzdem verstehen.«

Christine ließ sich auf den Badewannenrand sinken. »O
Gott. Und dann?«

»Dann hat Inge deiner Mutter ein Sektglas in die Hand gedrückt und mit so viel Schmackes mit ihr angestoßen, dass
beide Gläser kaputtgegangen sind.«

Das waren die guten Gläser. Es war riskant, weiter zu fragen, Christine tat es trotzdem: »War noch was?« Jetzt hatte sich Johann ganz ausgezogen und stieg in die Dusche. Im Moment hatte sie kaum einen Blick dafür. »Ob sonst noch was war?«

»Deine Mutter fand, es wäre jetzt genug, und wollte ein Taxi für Inge rufen, Heinz hatte aber Angst, dass man den labilen Zustand seiner Schwester ausnutzen könnte. Weshalb er sie höchstpersönlich nach Kampen bringen wollte. Das ergab dann eine kleine Diskussion, die er aber gewonnen hat. Als er fuhr, bin ich nach oben gegangen.«

Die Dusche ging an.

»Johann, kann es sein, dass Tante Inge ein Alkoholproblem hat?«

»Was?« Das Wasser rauschte zu laut.

»Ob Inge trinkt?«

Christines Frage hallte durch die plötzliche Stille im Badezimmer. Johann hatte das Wasser ausgestellt und seifte sich ein.

»Schrei doch nicht so. Was weiß ich? Gestern hat sie jedenfalls ganz schön was getrunken.« Er lachte leise. »Und du auch. Und übrigens viel mehr als Inge.«

»Sie hat früher nie Alkohol getrunken.«

Statt seiner Antwort rauschte wieder das Wasser. Christine überlegte, woran man eine geübte Trinkerin erkannte. Tante Inge hatte sie gefragt, was so ein Glas Sekt im Lokal wohl koste, und hatte ihr irgendetwas von einem finnischen Barkeeper erzählt, der ein kleines grünes Getränk erfunden habe, das sehr gesund sei. Anika hatte lachend erklärt, was Inge meinte. Das klang alles nicht danach, als würde Tante Inge sich dauernd betrinken. Im Bus hatte sie sich verdutzt umgesehen, sich dann kichernd die Hand vor den Mund gelegt und geflüstert: »Oh, Schande, es ist ja noch hell! Und wir haben schon einen sitzen.« Dann hatte sie ›An der Nordseeküste‹ angestimmt. Ganz sicher trank sie nicht so häufig tagsüber.

Das Wasser wurde jetzt endgültig abgedreht. Die Duschtür öffnete sich, Johann angelte nach dem Handtuch.

»Mein Vater glaubt, sie steckt in einer Krise, und vermutet ein Alkoholproblem«, sagte Christine. »Das ist doch Blödsinn, oder?«

Er frottierte sich gerade die Haare, deswegen klang seine Antwort dumpf. »Heinz mit seinen Vermutungen. Frag sie doch einfach, ob sie eine Krise hat.«

»Johann, sie will ihren Mann verlassen. Nach fast einem halben Jahrhundert. Das ist ja wohl eine Krise.«

Er schlang sich das Handtuch um die Hüfte und sah sie freundlich an. »Christine, sie *hat* ihren Mann verlassen. Ihr wisst nur noch nicht, warum. Das ist euer Problem.«

»Sie will ihr Leben verändern«, war die schnelle Antwort, »sie hat aber nicht gesagt, wie und warum. Sie hat ihn vielleicht nur vorübergehend verlassen.«

Johann zog kopfschüttelnd seine Jeans an. »Ich fände es grauenhaft, wenn du mich vorübergehend verlassen würdest. Das macht es nicht besser.«

»Ach, das kannst du doch gar nicht vergleichen. Das ist was ganz anderes.« Stimmte das? War auch egal. »Inge ist schließlich nicht mehr jung.«

»Das ist doch kein Argument. Ich würde einfach mal mit ihr reden. Dabei kannst du sie auch gleich fragen, was für eine Wohnung sie für Anika gefunden hat.«

In aller Ruhe fing er an, sich Rasierschaum aufzutragen. Christine hatte das Gefühl, so einiges verpasst zu haben.

»Welche Wohnung? Und wieso für Anika?«

Der Rasierpinsel zog gleichmäßige Kreise in Johanns Gesicht. »Das sollst du deine Tante fragen. Anika hat mir gestern erzählt, wie sie überhaupt mit Inge ins Gespräch gekommen ist. Du hast dich anscheinend gar nicht gefragt, warum die Kellnerin aus der ›Badezeit‹ mit deiner Tante durch die Gegend fährt.«

Da hatte er recht. So weit hatte sie überhaupt nicht gedacht. Dafür hatte sie der Zustand ihrer Tante zu sehr aus dem Konzept gebracht.

»Erzählst du es mir?«

Die Rasierklinge fuhr über sein Grübchen. Das war ja interessant. Christine fragte sich, warum sie noch nicht einmal mitbekommen hatte, dass sich dieser Mann so ausgiebig mit der schönen Kellnerin unterhalten hatte. Schnell verdrängte sie den Gedanken, der da kommen wollte. Schließlich war sie den ganzen Abend dabei gewesen, und außerdem war Anika viel zu jung für ihn, höchstens dreißig. Aber so schön.

»Wie bitte?« Vor lauter Grübeln hatte sie nicht verstanden, was Johann gerade gesagt hatte.

Johann hielt den Rasierer unter das laufende Wasser und sah sie im Spiegel an. »Du guckst so komisch. Was ist?«

»Nichts. Was ist denn jetzt mit dieser Wohnung?«

»Anika muss aus ihrer Wohnung raus, ihr Mietvertrag wird nicht verlängert. Und es ist anscheinend schwierig, auf Sylt eine bezahlbare Mietwohnung zu finden, weil alles an Feriengäste vermietet oder verkauft wird. Ihr Sohn ist aber erst acht, deshalb will sie eigentlich nicht mit ihm wegziehen. Irgendwie kam sie mit deiner Tante auf das Thema.«

»In der ›Badezeit‹?«

Wieder traf sie ein forschender Blick im Spiegel. »Ja. Was weiß ich. Anika hatte ja schon Feierabend. Und dann kam wohl auch noch Till dazu, das ist ihr Sohn. Sie kamen ins Gespräch und waren dann noch zusammen Mittag essen.«

»Ich denke, es gab kleine grüne Getränke?«

»Nur für deine Tante. Sie hat sich jedenfalls Anikas Problem angehört und plötzlich gesagt, Anika müsse sich keine Sorgen machen, sie hätte vielleicht eine passende Wohnung für sie.«

Christine verstand jetzt gar nichts mehr. »Was hat Inge denn mit Wohnungen zu tun?« Eine Idee schoss ihr durch den Kopf. »Sag bloß, sie meint unsere Wohnung hier. Das kann doch nicht wahr sein! Meine Mutter flippt aus, wenn Inge hier jemanden einquartiert. Das traut sie sich doch wohl nicht, oder?«

Johann knöpfte sein Hemd zu. »Fahr nach Kampen und gehe mit deiner Tante eine Runde spazieren. Dann musst du dir nicht umsonst dein Hirn zermartern.«

Der Klingelton einer ankommenden SMS unterbrach das Gespräch. Johann deutete auf Christines Jacke, die über einem Stuhl hing.

»Deine Jacke klingelt.«

Die aufgerufene SMS lautete: ICHGLAUBEICHHABE-EINEALKOHOLVERGIFTUNGINGE.

Christine klappte das Handy zu und sah Johann an. »Ich fahre mal in die Apotheke, kaufe Aspirin und Vitamin C und zeige Tante Inge die Taste für Leerzeichen. Willst du mit?«

Erschrocken winkte er ab. »Nein, danke, ich gehe ein bisschen spazieren und fange dann meinen neuen Krimi an. Bei Frauengesprächen störe ich nur.«

Unschlüssig blieb Christine an der Tür stehen. »Eigentlich wollten wir unsere Zeit ja zusammen verbringen.«

In Johanns Stimme lag eine Spur Ungeduld. »Kümmere du dich jetzt erst mal um deine Tante, du bist mit den Gedanken ja sowieso bei ihr. Und heute Abend gehen wir am anderen Ende der Insel essen.«

»Was sollen wir denn in Hörnum?«

»Christine«, er fuhr sich gereizt durch die Haare, »es ist mir egal, wo. Nur ohne Familienanschluss. Okay?«

Mit schlechtem Gewissen ging sie zurück und küsste ihn. »Alles in Ordnung?«

»Ja. Aber nun fahr endlich.« Er schob sie wieder sanft zur Tür und bemühte sich um ein Lächeln. »Bis nachher.«

Während Christine zu ihrem Auto ging, überlegte sie, ob ihr noch andere Dinge bei der gestrigen Party entgangen waren.

Inge lag mit einem nassen Waschlappen auf dem Gesicht in einem Liegestuhl im schattigen Teil von Petras Garten. Ihre Arme hatte sie über ihrem Bauch verschränkt, die nackten Füße fielen nach außen.

Christine betrachtete ihre Tante von oben. Inge trug eine knielange Hose mit Rosenmuster, dazu ein pinkfarbenes T-Shirt, ihre Haare waren gefönt, nur der Waschlappen störte.

Unbemerkt war Petra neben Christine getreten. »So liegt sie schon seit einer Stunde«, flüsterte sie. »Aber sie atmet. Das habe ich alle zehn Minuten kontrolliert.«

Christine ging einen Schritt vor. Man konnte ein leises Schnarchen hören. »Sie schläft. Und wie.«

Petra grinste. »Das muss ja eine irre Party gewesen sein. Dafür bist du aber früh auf. Wer von euch hatte denn Geburtstag?«

Tante Inge schnappte kurz nach Luft, dann wurde ihre Atmung wieder regelmäßig. Christine zog Petra ein Stück zur Seite.

»Du könntest mir eigentlich einen Kaffee anbieten.«

Kurz darauf setzten sie sich mit zwei Tassen in einen Strandkorb, von dem aus sie Inge im Blick hatten.

»Also«, Petra hatte ihre Frage noch nicht vergessen, »was habt ihr denn gestern gefeiert?«

»Nichts«, Christine rührte Milch in ihren Kaffee, »das war mehr so ein spontaner Dämmerschoppen. Kann ja mal passieren. Mein Vater hat Inge hergebracht, oder?«

»Ja. Das war auch so ein Ding: Er hat mir eine Standpauke gehalten.«

Christine hob erstaunt den Kopf. »Dir? Wieso das denn? Du warst doch gar nicht dabei.«

Petra lachte. »Eben. Er hat gesagt, ich hätte eine gewisse Aufsichtspflicht. Ich hätte ihn anrufen sollen, als seine Schwester so lange wegblieb. Das sei unverantwortlich gewesen.«

»Ach ja? Sag mal, warum wohnt Inge denn überhaupt bei dir?«

»Wieso nicht?«, antwortete sie verwundert. »Ich bin davon ausgegangen, dass ihr keinen Platz habt. Als Heinz siebzig geworden ist, hattet ihr doch auch so viel Besuch. Da hat Inge ja auch hier gewohnt.«

»Und für wie lange hat sie gebucht?«

Mit einem Blick auf die unveränderte Stellung von Tante Inge erwiderte Petra: »Erst mal zwei Wochen. Je nachdem, wie lange sie für die ganze Geschichte braucht.«

Elektrisiert sah Christine sie an und überlegte, wem ihre Tante was erzählt hatte. Vermutlich redete bereits die ganze Insel über Inges Trennung. Das war ja grauenhaft. Laut wiederholte sie: »Die ganze Geschichte. So kann man das auch nennen.«

»Na ja«, Petra zuckte mit den Achseln, »sie weiß ja nicht, was sie alles noch regeln muss.«

»Regeln?« Christines Stimme wurde lauter, so dass Inge sich auf ihrer Liege ein bisschen bewegte. »Was muss sie denn regeln?«

»Na, das mit Frau Nissen.« Petra sah sie erstaunt an. »Ihre alte Lehrerin. Sie ist doch im März gestorben, Inge war auf der Beerdigung. Deshalb ist sie doch jetzt hier.«

Frau Nissen war die erste Lehrerin, die Inge auf der Insel gehabt hatte. Inge war immer ihre Lieblingsschülerin gewesen, und später wurde sie eine Art Ersatztochter für sie. Daraus hatte sich eine lebenslange Freundschaft entwickelt. Die beiden unternahmen jedes Jahr zusammen kleine Reisen, schrieben sich Briefe und telefonierten. Jetzt war die alte Dame also gestorben.

Unsicher guckte Petra in Inges Richtung, bis Christine abrupt aufstand.

»So«, sagte sie entschlossen, »jetzt gehe ich aufs Klo, und dann brülle ich sie wach und gebe ihr nicht eher Aspirin, bis sie geredet hat. Petra, ich erkläre dir alles später in Ruhe.«

War das die Stimme ihrer Nichte? Inge öffnete kurz die Augen und lupfte den Waschlappen, um zu gucken, was los war. Christine verschwand gerade im Haus, während Petra sich im Strandkorb zurücklehnte. Beruhigt ließ Inge ihre schweren Lider wieder fallen. Sie hatte das Gefühl, ihr Hirn schwappte in einer Sektwelle durch ihren Schädel und stieß immer mal wieder seitlich an. Ab jetzt würde sie nie wieder grüne Getränke und rosa Sekt angucken, nie mehr.

So etwas Ähnliches hatte sie gestern Abend auch ihrem Bruder versprechen müssen. Meine Güte, was hatte der für ein Theater gemacht. Natürlich war es dumm gewesen, ihm zu erzählen, dass ihr schwindelig sei und sie schon seit geraumer Zeit immer wieder mal Kreislaufprobleme habe. Sie konnte ja nicht ahnen, dass er sie deshalb gleich in die Nordseeklinik brachte. Inge stöhnte bei der einsetzenden Erinnerung auf. Sie hatte das Ganze sehr lustig gefunden und dem diensthabenden Arzt einen Blutaustausch vorgeschlagen. »Wissen Sie«, hatte sie ihm zugelallt, »da ist so viel teures Zeug drin, in meinem Blut, das können Sie kristallisieren und auf Ihrer Weihnachtsfeier wieder flüssig machen.« Wie war sie bloß auf »kristallisieren« gekommen? Der nette Arzt hatte gelacht. Ihr Bruder nicht. Überhaupt nicht. Er hatte sie stumm zu Petra gefahren und dann dieses Riesentheater gemacht. Einen Blumenstrauß solle sie kaufen und sich im Krankenhaus entschuldigen. Und bei Charlotte gleich mit. Also zwei Sträuße. Sie würde ihn wahnsinnig machen, dauernd gäbe es Probleme mit ihr. Anstatt froh zu sein, dass sie kein Einzelkind sei, behandele sie ihn wie einen Hamster. Inge hatte diesen Vergleich überhaupt nicht begriffen, auch jetzt im nüchternen Zustand nicht. Sie hatte als Kind einen Hamster gehabt, er hieß Herr Knapke, und er durfte sogar manchmal in ihrem Bett schlafen. Er hatte es sehr gut bei ihr gehabt. Inge nahm sich vor, Heinz zu fragen, wie er das gemeint hatte. Immerhin hatten sie sich darauf geeinigt, dass man über den spontanen Klinikbesuch nicht mehr sprechen wollte. Mit niemandem!

Dabei war es Heinz gewesen, der auf ihrem Abschlussball so betrunken gewesen war, dass er in die Sektbar stürzte. Er hatte die Mehrzahl der Gläser zerstört und mit seinen Schnittverletzungen das Ballkleid der Pastorengattin ruiniert. Sie mussten den Ball verlassen. Inge musste natürlich mit, eigentlich hatte sie ihm das nie verziehen, sie hatte damals große Chancen gehabt, mit Hans-Martin das Preistanzen zu gewinnen. Diese Geschichte hatte Heinz natürlich vergessen, behauptete er wenigstens. Sie hatte sie ihm gestern deshalb viermal erzählt. Mindestens. Gut, es war jetzt fünfzig Jahre her, aber immer noch ärgerlich.

Brutal wurde sie aus ihren Gedankengängen gerissen, als jemand ihr den Waschlappen vom Gesicht riss und sich auf das Fußende der Liege fallen ließ.

»Na, Tante Inge, bist du wach?«

Sie hielt die Augen geschlossen und dachte, dass ihre Nichte sich manchmal wie ein Elefant benahm, man konnte sich weiß Gott auch eleganter hinsetzen. Aber sie war schon als Kind ein Trampel gewesen. Wenn Inge darüber nachdachte, wie oft Christine irgendwo reingefallen oder dagegengerannt war, wurde ihr heute noch ganz anders. Ein bisschen besser war es ja mittlerweile geworden. Wenigstens fiel sie nicht mehr so oft hin. Obwohl … was war denn noch im Bus gewesen?

»Tante Inge!«

Christine legte mehr Volumen in die Stimme, während sie ihre Tante musterte. Der Waschlappen hatte ein kleines Waffelmuster in ihrem Gesicht hinterlassen, ansonsten sah Inge ganz normal aus. Keine Spuren des vergangenen Exzesses.

»Inge! Hallo!«

Über Inges Nasenwurzel bildete sich eine steile Falte. Dann schlug sie die Augen auf.

»Was ist? Warum schreist du so? Bist du nicht müde?«

»Nein«, Christine sammelte ein paar kleine Blätter von Inge ab, »ich war ja früh im Bett. Was macht deine Alkoholvergiftung?«

Ihre Tante setzte sich langsam auf. »Ach, diese SMS, die wollte ich gar nicht abschicken, ich habe nur ein bisschen tippen geübt.«

»Wozu musst du das üben?«

Inge betrachtete ihre Nichte. »Das machen doch jetzt alle. Ich finde diese Simserei sehr praktisch.«

Christine sah ihre Tante stirnrunzelnd an. Tauschte sie mit dem Graumelierten heimlich kleine Nachrichten aus? Bislang hatte sie noch nie gesehen, dass ihre Tante überhaupt ein Handy benutzte.

Sie unterbrachen das Schweigen gleichzeitig.

»Hast du eigentlich …« – »Sag mal, was ist …«

Tante Inge schwang ihre Beine von der Liege und hielt sich dann den Kopf. »Aua, weißt du eigentlich, wie alt so ein Kater wird?«

»Ich habe dir Aspirin und Vitamin C mitgebracht. Bei mir wurde es nach zwei Tabletten besser.«

Christine kramte in ihrer Handtasche, während Inge die Wasserflasche vom Boden nahm und den Deckel abschraubte. »Da steht mein Glas. Du wolltest mich gerade was fragen.«

»Ja«, ihre Nichte warf die Tablette ins Glas und schaute zu, wie es anfing zu sprudeln. »Was ist mit Frau Nissen?«

»Die ist gestorben. Sie ist 83 geworden.« Inge schwenkte das Glas. »Wieso?«

Ungeduldig warf Christine die Tablettenschachtel auf die

Liege. »Ach, Tante Inge, jetzt hör doch auf mit diesen Spielchen. Petra hat gerade erzählt, dass du hier irgendetwas regeln musst. Wieso erzählst du uns nichts davon? Wieso machst du so ein Geheimnis daraus? Stattdessen kommt diese Räuberpistole, dass du Onkel Walter verlassen hast. Hältst du uns alle für blöd? Was soll das? Wir machen uns Sorgen um dich, und du tust so, als wäre es ganz normal, dass alles über Bord geschmissen wird. Das kannst du nicht machen!«

Inge hatte sich den Ausbruch ihrer Nichte ungerührt angehört. Dann nahm sie ihr Glas und trank es langsam leer. Nachdem sie es wieder abgestellt hatte, schaute sie Christine an.

»Du hast manchmal einen unmöglichen Ton am Leib. Hat dir das schon mal jemand gesagt?«

»Tante Inge. Bitte.« Christine bemühte sich, freundlich zu klingen.

»Wie auch immer«, fuhr Inge fort, »erstens: Ich bin sehr traurig, dass Anna Nissen gestorben ist. Zweitens: Was zu regeln ist, weiß ich auch noch nicht. Anna Nissen war alleinstehend, da kümmert sich sonst niemand drum. Und drittens: Ich erzähle keine Räuberpistolen. Erwarten Leute in deinem Alter eigentlich, dass wir Älteren einfach still in einem Sessel sitzen, bis wir zur Seite wegkippen? Glaubt ihr, dass wir mit allem durch sind? Nein, mein Kind, das sind wir noch lange nicht. Es gibt noch eine ganze Menge Dinge, die ich unbedingt noch machen will, bevor ich abtrete. Und die werde ich auch alle tun. Und wenn ich das alleine machen muss, dann ist es eben so. Also, erzähl mir nicht, was ich tun darf und was nicht. Ich habe noch ein paar Jahre vor mir und die sollen fabelhaft werden. So!«

Sie wartete gespannt auf die Reaktion ihrer Nichte. Hatte sie zu viel verraten? Christine kratzte sich gedankenverloren am Knie; an der Stelle, wo sie den Schorf gelöst hatte, fing es an zu bluten.

»Pass auf, dass du die Liege nicht einsaust. Blutflecken kriegt man nie mehr raus.«

»Oh«, Christine verwischte die Stelle mit Spucke, »habe ich gar nicht gemerkt.«

Nachdenklich ließ Christine ihren Blick durch den Garten wandern. Die alte Frau Nissen hatte ihr Leben lang als Lehrerin gearbeitet und fast immer allein gelebt. Irgendwas war vor Jahren mit einer Tochter, die gestorben war, aber das bekam sie nicht mehr zusammen. Frau Nissen hatte viele kleine Reisen unternommen, Bridge gespielt und war jeden zweiten Tag ins »Café Wien« zum Mittagessen gegangen. Sie hatte immer am selben Tisch am Fenster gesessen, das Stammessen gegessen und dabei die ›Süddeutsche Zeitung‹ gelesen. Von vorn bis hinten, nach zwei Stunden war sie wieder gegangen. Christine hatte sie oft dabei gesehen. Sie sah zu ihrer Tante, die in Richtung der Gartenpforte starrte und jetzt die Augenbrauen hob.

»Der hat mir gerade noch gefehlt.«

Heinz stellte umständlich sein Fahrrad an den Zaun. Christine wandte den Blick wieder zu Inge.

»Hat Frau Nissen was damit zu tun, dass du dein Leben verändern willst?«

»Hör auf, dein Vater kommt.«

Heinz hatte beide entdeckt, hob leicht die Hand und kam auf sie zu. Inge setzte sich aufrecht hin und seufzte ergeben.

»Na, ihr beiden? Ich bin gerade zufällig vorbeigekommen und habe Christines Auto gesehen. Wie geht es euch denn so?« Heinz setzte sich neben seine Schwester und musterte sie aufmerksam. »Du siehst noch ein bisschen blass aus. Alles in Ordnung? Möchtest du darüber reden?«

»Papa, ich …«

»Christine, ich spreche mit meiner Schwester. Geh doch mal gucken, was Petra macht. Früher habt ihr doch öfter zusammengehockt.«

»Christine hat auf Petra aufgepasst. Da waren die Mädchen zehn und zwei.« Inges Antwort klang ungeduldig. »Und was heißt, du bist zufällig vorbeigekommen? Fährst du jetzt über Kampen zum Bäcker? Was willst du?«

Ihr Bruder legte seiner Schwester die Hand auf die Schulter. »Ingelein, ich wollte doch nur wissen, was gestern los war. Du warst so furchtbar, wie soll ich sagen, so anders jedenfalls.«

»Papa, das böse Wort heißt besoffen.«

»Christine! *Du* solltest lieber ganz ruhig sein. Und in dem Ton redest du nicht über deine Tante.«

»Ich …«

»Du bist jetzt …«

»Christine und Heinz!«, fauchte Inge beide an. »Es langt. Ich habe gar nicht so viel getrunken, ich konnte nur diesen Cocktail nicht ab, der hat mich etwas, nun ja, ausgelassen gemacht. Und außerdem war ich aufgeregt, weil ich … also wegen Till und seiner Mutter und überhaupt. Ist auch egal. Da muss man jedenfalls keinen Staatsakt daraus machen, Himmel, noch mal! Ich habe keine Lust mehr, darüber zu reden. Und jetzt gehe ich duschen und dann fahre ich nach Wenningstedt, da habe ich nämlich eine Verabredung.«

»Mit wem denn?« Heinz war gleichzeitig mit ihr aufgestanden und sah mit seinem gütigsten Gesicht auf seine kleine Schwester herab.

»Kennst du nicht.« Inge schob ihren Bruder zur Seite. »Ich melde mich bei euch. Bis später.«

Mit langen Schritten ging sie zum Haus, ohne sich noch einmal umzusehen.

»Hat sie dir irgendetwas erzählt?«

»Nein, Papa.«

Christine antwortete automatisch, sie hatte das Gefühl, das ein Gespräch über Frau Nissen noch mehr durcheinanderbringen würde. Ihr Vater fixierte den Gartenweg und schüttelte ratlos den Kopf.

»Ich verstehe sie nicht. Ich habe ein ganz komisches Gefühl.

Irgendwas ist da passiert. Warum redet sie denn nicht mit mir darüber?«

»Das wird sie schon noch. Ich glaube fast, dass wir aus einer Mücke einen Elefanten machen. Warte einfach mal ab.« Christine legte die Decke auf die Liege zurück und zog sich ihren Pullover glatt. »Ich fahre jetzt nach Hause und gucke mal, was Johann macht, schließlich bin ich mit ihm hier. Also dann.«

Heinz ließ sich langsam auf die Liege sinken und zerpflückte einen Grashalm nach dem anderen zwischen den Fingern. Er merkte nicht, dass seine Schwester oben am Fenster stand und ihn beobachtete.

Irgendwie tat er Inge leid, wie er da hockte, mit der Last der ganzen Welt auf seinen Schultern. Er machte sich dauernd Sorgen, Inge hatte das schon als Kind gehasst. Nie ließ sich ihr großer Bruder beruhigen. Als sie einmal einen Reitkurs machte, stand er immer am Gatter und hielt sich bei jeder Bewegung des Pferdes die Augen zu. Inge hatte ihn gebeten, das zu lassen, da sie bereits das Gespött des ganzen Reiterhofs war. Heinz hatte sich entschuldigt – und weitergemacht. Sie war damals zwölf, er 21. Oder die Zeit, in der sie ihren Führerschein machte. Heinz war schon mit Charlotte verheiratet, Christine war bereits geboren. Während einer Fahrstunde entdeckte Inge plötzlich im Rückspiegel den roten Simca ihres Bruders, der sie durch die ganze Stadt verfolgte: »Ingelein, es ist doch nur, falls du noch Fragen wegen der Verkehrsführung hast. Ich weiß doch dann Bescheid, wo du gefahren bist. Außerdem war ich sowieso unterwegs. Das machte gar keine Mühe.« Ihre Freundinnen hatten sie immer um ihren großen Bruder beneidet, sie hatten keine Ahnung gehabt.

Kurz entschlossen riss Inge das Fenster sperrangelweit auf und stützte sich auf die Fensterbank. Aufgeschreckt sah Heinz zu ihr hoch.

»Sag mal, auf was wartest du?«

Ihr Bruder stand langsam auf, ließ sein Grasbüschel fallen und kam zum Haus herüber.

»Ich kann dich doch auch zu deiner Verabredung fahren. Hab ich mir so überlegt.«

»Auf dem Gepäckträger?«

»Wie?«

Inge atmete tief durch. »Du bist mit dem Fahrrad da. Und ich muss nach Wenningstedt.«

»Oh. Ach so. Na ja. Christine hätte dich ja auch fahren können. Jetzt ist sie weg. Ärgerlich.« Er nahm seine Schirmmütze ab, fuhr sich durch sein Haar und setzte sie wieder auf. »Wirklich ärgerlich.«

Inge zwang sich, einen Moment auf die blühenden Heckenrosen zu starren, bevor sie antwortete. Er war ihr Bruder.

»Lass nur, ich nehme mir ein Taxi. Und du fährst jetzt am besten nach Hause. Ihr wollt doch Christines Freund kennenlernen.«

Heinz winkte ab. »Den kenne ich schon. Und Taxis sind hier teuer.«

»Jetzt ist aber gut! So, ich muss mich fertig machen, bis später.«

Ein letzter gequälter Blick, dann setzte sich Heinz in Bewegung und ging langsam zu seinem Fahrrad. Erleichtert schloss Inge das Fenster. Sie würde demnächst in Ruhe mit ihrer Familie reden, aber erst musste sie sich über die nächsten Schritte klar werden. Dabei konnte sie gut gemeinte Ratschläge ihres Bruders wirklich nicht gebrauchen.

Während Christine das Auto gestartet hatte, war ihr Blick auf die Uhr gefallen. Sie war zwei Stunden bei Petra und Inge gewesen, das hatte sie gar nicht gemerkt. Mit schlechtem Gewissen holte sie ihr Handy aus der Tasche und suchte Johanns Nummer. Ohne ein Freizeichen sprang seine Mobilbox an, er hatte sein Telefon ausgestellt. Christine legte den Rückwärtsgang ein und fuhr nach einer Wende vom Parkplatz.

Es war schon der vierte Tag ihres Urlaubs, blieben noch zehn, bevor Christine in Hamburg und Johann in Bremen wieder vom Alltag eingeholt wurden. Irgendwie gingen die gemeinsamen Tage immer viel schneller vorbei als die Zeit dazwischen. Christine hatte in den letzten fünf Jahren allein gelebt. Die ersten beiden Jahre nach ihrer Scheidung war es ihr schwergefallen, sie hatte zwar Affären gehabt, die eine oder andere Fast-Liebesgeschichte, aber nichts, was ihr Singleleben ernsthaft in Gefahr gebracht hätte. Sie fand es gut, wie es war: ihre Wohnung, ihre Freunde, die Freiheit, jederzeit den Tagesplan über Bord zu werfen, weil jemand anrief oder vorbeikam. Keine Verpflichtungen, keine Absprachen, keine Kompromisse. Gut, manchmal auch ein ziemlich kaltes Bett im Winter, ein leerer Kühlschrank und einsame Samstagabende mit Tiefkühlpizza und der achten Wiederholung eines Fernsehkrimis, den sie beinahe schon synchronisieren konnte, aber trotzdem: Es gab Schlimmeres, wenn sie an ihre Ehe dachte, sogar viel Schlimmeres.

Als sie Johann im letzten Sommer auf Norderney kennengelernt hatte, hatte sie sich im selben Tempo in ihn verknallt wie

zum letzten Mal mit dreizehn. Mit zitternden Knien, Hitze-
wallungen, Herzklopfen und pubertierendem Benehmen. Es
war wie im Film gewesen. Sogar wie in einem mit Happy End.
Einfach großartig. Und es war immer noch so. Und das Beste
war – neben Johann natürlich –, dass sie eigentlich gar nichts
ändern musste. Ihr bisher fabelhaft eingerichtetes Leben blieb
fabelhaft, nur dass jetzt das Bett im Winter öfters warm und
der Kühlschrank meistens voll war. Und die Samstagabende
waren jetzt Johann-Abende. Ein Wochenende verbrachten sie
in Bremen, das andere in Hamburg. Alles war gut. Eigentlich.
Vor einigen Wochen hatte Johann sie gefragt, wie lange sie
diese Fernbeziehung noch leben wolle. Christines Antwort:
»So zweihundert Jahre mindestens«, fand er nicht sehr komisch. Ihm wäre es zu viel Fahrerei, und er wäre langsam zu
alt, alles Wichtige am Telefon zu bereden und am Wochenende schwierige Themen zu verdrängen, nur weil man es schön
haben wollte. Christine tat so, als wüsste sie nicht, welche
schwierigen Themen er meine, es wäre doch alles gut so.
Johann sah sie ernst an, hatte dann aber nicht mehr nachge-
hakt.

An der Ampel neben dem Kaamphüs musste sie halten. Auf
dem Fußweg neben ihr stand ein Paar. Sie redete auf ihn ein,
er winkte genervt ab. Sie fasste ihn am Ellenbogen, woraufhin
er harsch seinen Arm wegriss.

Christine schüttelte sich und konzentrierte sich wieder auf
das rote Licht der Ampel. Sie wollte nicht so ein Paar sein.
Grauenhaft. Sie wollte sich auf Johann freuen und sich nach
ihm sehnen. Sie war felsenfest davon überzeugt, dass das nicht
in einer Wohnung ging. Wie denn auch? Sehnsucht baute sich
schließlich nicht in sechs oder acht Stunden auf, bis der andere wieder nach Hause kam. Das hatte sie schon mal gehabt.
Und damals hatte sie es nicht hingekriegt. Außerdem hasste
sie Veränderungen. Das waren die Gene ihres Vaters, die hatte
sie komplett mitbekommen. Sie hatte es gehasst, ihr Leben zu

verändern, als ihr Exmann sie betrogen hatte. Sie wollte nicht in eine fremde Wohnung mit neuen Möbeln, sie wollte keine neue Adresse und Telefonnummer, kein neues Autokennzeichen, keinen neuen Friseur und Zahnarzt, sie wollte, dass alles so blieb, wie es war. Ging aber nicht. Im Nachhinein musste sie zugeben, dass alles, wirklich ausnahmslos alles, besser geworden war. Trotzdem war es anstrengend gewesen, und deshalb wollte sie keine Veränderungen mehr. Nicht mehr in diesem Leben.

Die Ampel sprang um. Christine fuhr weiter. Mit Johann war doch eigentlich alles ganz unkompliziert. Sie hatten es gut geregelt, telefonierten jeden Tag und sahen sich jedes Wochenende. Und es war immer schön. Außerdem hatten sie beide viel Urlaub. Gleich am Anfang hatte Christine ein paar Tage in Bremen verbracht. Johann musste zwar arbeiten, aber sie hatten sich jeden Tag gesehen. Umgedreht hatte dasselbe dann zwei Monate später in Hamburg stattgefunden. Es war wunderbar gewesen, doch war Christine danach nicht sonderlich traurig gewesen, ihre Wohnung wieder für sich zu haben. Zweieinhalb Zimmer zu zweit war nicht gerade weitläufig. Und dieser Urlaub hier auf Sylt sollte ebenfalls schön werden, das hatte sie sich fest vorgenommen.

Sie beschleunigte, nachdem sie das Ortsausgangsschild von Kampen passiert hatte. Ein Auto kam ihr entgegen, das sie anblinkte. Ein roter Käfer, Anika. Sie saß allein im Wagen und hob eine Hand, Christine grüßte zurück und fragte sich sofort, wo sie herkam. Aus List, wo sie Johann getroffen hatte? Christine schüttelte energisch den Kopf und stellte das Autoradio lauter. Sie war wirklich neben der Spur. Die letzten Wochen waren anstrengend gewesen, sie war erschöpft, genervt und latent schlecht gelaunt. Sie hatte diesen Urlaub und Johann wirklich gebraucht, ohne dass sie über ihre Probleme reden wollte, die würden sich schon irgendwie lösen lassen. Aber sie hatte überhaupt keine Lust, sich die Probleme anderer Leute anzuhören, und schon gar nicht, sie zu lösen. Und vor allen Dingen wollte sie keine neuen haben. Auf gar keinen Fall.

Johann lag auf einer Liege im Garten und las. Er schob die Sonnenbrille hoch, als Christine sich auf das Fußende setzte, und lächelte sie an.

»Na? Alles geklärt?«

Sie küsste ihn auf sein Knie und ließ ihre Stirn kurz darauf liegen. »Ach, ich glaube, das ist alles heiße Luft«, antwortete sie und richtete sich auf, »Tante Inge ist zwar irgendwie durch den Wind, das kann aber auch damit zusammenhängen, dass Frau Nissen gestorben ist. Das war ihre alte Lehrerin, mit der sie eng befreundet war. Das macht ihr wohl zu schaffen.«

Johann schwang seine Beine von der Liege, kam neben Christine zum Sitzen und legte seinen Arm um sie. »Na bitte.«

Christine griff nach seiner Hand und verschränkte ihre Finger mit seinen. »Wir haben nicht viel reden können. Erst schlief sie mit einem Waschlappen auf dem Gesicht, und dann kam mein Vater.«

Johann lachte. »Das ist mir so ein Geschwisterpaar! Soll ich mich jetzt mal umziehen? Und danach hauen wir ab? Nur wir beide?«

Christine sah ihn an und strich ihm dabei eine Haarsträhne aus der Stirn. Er war ein großartiger Typ und das Beste, was ihr seit Langem über den Weg gelaufen war. Sie wollte nicht, dass es sich änderte. Und sie wollte dafür einiges tun. Sie küsste ihn und sagte nur: »Wunderbare Idee. Beeil dich.«

Der rote Hut. Inge strich leicht über das rote Seidenband, das um die Krempe gelegt war. Sie hatte noch nie vorher einen Hut besessen, sie war immer ein Mützentyp gewesen. Erstens waren die billiger, zweitens hielten sie die Ohren warm, und drittens hatte Inge einen für Frauen untypisch großen Schädel. Mit ihrer Freundin Maria war sie früher bei Ausflügen aufs Festland schon mal in den großen Kaufhäusern in Flensburg oder Husum in den Hutabteilungen gewesen und hatte alle Modelle ausprobiert. Aber während Maria immer aussah, als wären die Hüte wie für sie gemacht, lagen die Dinger bei Inge nur oben auf und fielen bei der kleinsten Kopfbewegung runter. Maria hatte bei diesen Ausflügen immer Spaß gehabt, Inge war anschließend frustriert gewesen.

In Bad Oeynhausen hatte sie in einer Sektlaune Renate davon erzählt. Inge wusste nicht mehr, in welchem Zusammenhang, aber irgendwie war es um das Thema gegangen, wie sie sich als junge Frauen die Zukunft ausgemalt hatten. Inge hatte Renate erzählt, dass sie sich immer ganz mondän gesehen hätte, in langen schwarzen Kleidern mit großen Hüten auf dem Kopf. Und dass sie im echten Leben nie über eine Fleecemütze hinausgekommen wäre. Renate fand, Inge habe ein absolutes Hutgesicht. Außerdem sei ein Hut eine Lebenseinstellung, und Inge sei jetzt lange genug Frau Müller mit der Mütze gewesen, es sei Zeit, zu neuen Ufern aufzubrechen. Inge war beeindruckt. Am nächsten Tag waren sie bei einer Modistin gewesen, die nach Renates exakten Anweisungen diesen roten Hut für Inge fertigte. Er war ein Geschenk von

Renate für ihre neue Freundin. Und gleichzeitig ein Versprechen ans Leben.

Inge schloss den Reißverschluss ihres gelben Kleids. Sie hätte sich ja gern ein schwarzes gekauft, Renate hatte ihr aber abgeraten. »In deinem Alter trägt man schwarz nur noch auf Beerdigungen. Zieh was Helles an.«

Vorsichtig setzte sie den Hut auf, sie wollte ihre Frisur ja nicht ruinieren. Es war ein Glückshut, da war sie sich sicher. Der Lippenstift hatte dieselbe Farbe, sie zog ihre Lippen nach, warf einen abschließenden Blick in den Spiegel und griff nach ihrer Handtasche.

»Also dann, Inge, jetzt geht es los.«

Sie musste kichern, weil sie laut gesprochen hatte. Und weil sie sich freute.

Zwei Stunden später stand sie auf der Boysenstraße und drehte sich zu dem Haus um, aus dem sie gerade gekommen war. Am oberen Fenster stand er und hob langsam die Hand. Inge lächelte und winkte zurück. Er sah wirklich gut aus, sein grünes Hemd betonte seine Augen. Eigentlich mochte Inge keine bunten Hemden, Walter trug ausschließlich weiße oder blauweiß gestreifte. Ein grünes Hemd wäre ihm nie in den Schrank gekommen. Inge hörte im Geist seine Stimme: *Ich bin doch kein Papagei.*

Mark war da ein ganz anderer Typ. Sehr modisch, sehr gepflegt. Und er roch so gut. Er hatte bestimmt eine Menge bunter Hemden im Schrank. Gut, er war auch fünfzehn Jahre jünger als Walter. Wobei der auch mit Anfang fünfzig nie ein grünes Hemd getragen hätte. Aber das war jetzt auch egal.

Inge schüttelte den Gedanken an ihren Ehemann ab und machte sich nach einem letzten Blick hoch zum Fenster auf den Weg in die Friedrichstraße. Bevor sie nach Kampen zurückfuhr, wollte sie noch einen Blick in die Boutique an der Strandpromenade werfen. Vielleicht sollte sie sich noch ein gelbes

Teil kaufen. Anscheinend war sie doch so ein Farbtyp, auch wenn sie das die letzten Jahre nicht gedacht hätte. Mark hatte sie bewundernd angesehen und gesagt, sie sähe in diesem Kleid um Jahre jünger aus. Er könne es kaum fassen, dieses Gelb würde ihr hervorragend stehen. Inge hatte ihren Hut lässig abgenommen, ihre Beine übereinandergeschlagen und sich sehr attraktiv gefühlt. Und danach war alles ganz wunderbar gewesen ...

Bei »Gosch« saßen Massen von Menschen vor Scampi, Fischbrötchen und Wein. Die Gläser klangen beim Anstoßen, unaufhörlich, Inge wunderte sich, bis sie merkte, dass das Geräusch nicht von den Tischen, sondern aus ihrer Handtasche kam. Ihr Handy klingelte. Sie blieb stehen, kramte es hervor und sah die Anzeige.

»Hallo Walter. Ich kann dich nicht vom Festnetz zurückrufen, ich bin unterwegs.«

Sie ging langsam weiter und erwartete eigentlich, dass er das Gespräch gleich beendete.

»Na, Inge, das musst du auch nicht. Ich wollte nur mal hören, wie es dir so geht.«

»Das ist dir doch sonst zu teuer, vom Festnetz aufs Handy. Ist was passiert?«

Walters Stimme klang beruhigend. »Nein, alles in Ordnung. Pia hat gefragt, wie lange du noch auf Sylt bleibst und warum ich nicht mitdurfte.«

Inge setzte sich auf eine gemauerte Beetumrandung etwas abseits vom Trubel. »Und was hast du ihr gesagt?« Sie sah förmlich sein angestrengtes Gesicht vor sich.

»Was ich ihr gesagt habe? Na ja, dass ihre Mutter ein bisschen gestresst war, nach der Fastenkur, und dass ich da einen kleinen Fehler gemacht habe, wegen dieses Diabetikerabends, und dass du noch mal ein paar Tage Urlaub machen wolltest. Und ich hätte zu viel zu tun. Das habe ich gesagt, damit sich das Kind nicht beunruhigt.«

»Walter! Das Kind ist vierzig. Das beunruhigt sich nicht so schnell.«

Walter schnappte nach Luft. »Aber Inge, was soll ich denn sagen? Du kommst vom Fasten und bist komisch, hast lauter bunte neue Sachen, kochst so ein Sprossenzeug und telefonierst ständig mit dieser Renate, die mich behandelt, als wenn ich nicht bei Verstand wäre.«

»Wann hat sie denn mit dir geredet?«

»Wenn ich ans Telefon gegangen bin. Dann hat sie mit Grabesstimme gesagt: ›Renate hier. Inge bitte.‹ Das ist doch keine Art.«

Das war typisch Walter. Er regte sich schon wieder über Kleinigkeiten auf.

»Also, Walter, und was wolltest du jetzt?«

»Wieso?«

»Du hast mich angerufen.«

»Ach … ja … was wollte ich eigentlich von dir? … Ich wollte wissen, wann du nach Hause kommst. Das ist hier irgendwie langweilig ohne dich.«

Inge verbiss sich ein Lächeln. »Walter Müller, das ist seit Jahren das Netteste, das du zu mir gesagt hast.«

»Dummes Zeug. Was soll ich denn machen. Ich bin ja nicht so geübt in, wie sagt man, Süßholzraspeln.«

»Darüber solltest du mal nachdenken.« Inge stand auf und ging ein paar Schritte. »Ich habe dir gesagt, ich will was ändern. Unser Leben kann doch so nicht weitergehen. Irgendwann fallen wir vor Langeweile um.«

»Aber Inge! Es ist doch gar nicht so …«

»Doch, Walter, ist es. Ich lege jetzt auf, ich stehe nämlich mitten in der Einkaufsstraße und habe keine Lust, hier stundenlang zu diskutieren.«

»Aber du kommst doch … Ich meine, du machst doch jetzt keinen Blödsinn, oder?«

»Was ist schon Blödsinn? Hauptsache, ich mache überhaupt

mal was. Wir werden in Ruhe darüber sprechen. Wenn alles etwas klarer ist. Und jetzt mach's gut und pass auf dich auf. Bis dann.«

»Inge?«

»Ja?«

»Hast du Geheimnisse vor mir?«

Inges Gedanken wirbelten durcheinander. Sie hasste es, zu lügen, es half jetzt aber nichts. »Sagen wir mal so: Ich habe einen kleinen Wissensvorsprung. Ich werde dir alles zu gegebener Zeit mitteilen. Mehr kann ich dir nicht sagen. Tut mir leid.«

Am anderen Ende war ein langer Seufzer zu hören. Dann noch einer. Stille.

»Walter?«

»Ich habe gerade so einen Druck. So im Magen. Also leicht oberhalb.«

»Du hast keinen Druck im Magen. Und du kriegst auch keinen Herzinfarkt. Deine Werte waren alle in Ordnung. Lass mich ein paar Tage in Ruhe, dann sehen wir weiter. Wir telefonieren. Und iss anständig, nicht immer nur Currywurst.«

Warum sagte sie das jetzt? Sie hatte selbst Schuld, dass Walter sich immer so anstellte. Er war 65, mit guter Rente und einträglichen Nebenjobs. Und er hatte sich während ihrer Kur wunderbar versorgen lassen. Inge räusperte sich.

»Ich muss jetzt weiter. Also dann, tschüss.«

Bevor er antworten konnte, hatte Inge den roten Knopf gedrückt und ihr Handy in die Tiefen ihrer Handtasche versenkt.

Christine parkte das Auto vor dem Kampener Campingplatz. Johann sah sich um.

»Was willst du hier? Wollen wir für den Rest des Urlaubs zelten? So schlimm finde ich deine Familie nun auch wieder nicht. Komm, Christine, gib ihnen noch eine Chance. Außerdem hasse ich es, auf Luftmatratzen zu schlafen. Und ich habe Angst vor Krabbeltieren im Zelt.«

Christine war schon ausgestiegen und nahm ihre Jacke von der Rückbank. »Los, komm. Wir machen einen Spaziergang über das Rote Kliff, an der Uwe-Düne vorbei bis zur ›Sturmhaube‹. Dort kannst du mich zum Essen einladen, wir gucken uns einen grandiosen Sonnenuntergang an und haben es furchtbar romantisch.«

Drei Minuten später gingen sie langsam auf dem Dünenweg entlang. Johann ließ den Blick über das Dünental schweifen und sah Christine von der Seite an.

»Schön hier. Aber man sieht gar kein Meer.«

»Dafür Dünen, mein Lieber, und wie viele! Und alle anders. Und Heide.«

»Ich finde es, offen gestanden, ein bisschen langweilig.«

Christine guckte sich um. »Du hast keine Ahnung. Alle Dramen, Geheimnisse und Morde auf dieser Insel fanden zum großen Teil in diesen Dünen statt. Das hier ist Geschichte. Und sieh mal, da hinten, da am Ende, da kommen wir ans Wasser.«

Sie überquerten die letzte Düne und sahen plötzlich die Weite des Wassers. Johann blieb stehen und legte den Arm um Christine.

»Es ist doch wirklich großartig, dass wir jetzt hier sind, oder?«

Sie legte den Kopf an seine Schulter. »Ja.«

Etwas später saßen sie auf einer Bank dicht an der Kliffkante. Die Abendsonne schien und tauchte das Kliff in rotgoldenes Licht. Johann schwieg, er schien völlig fasziniert von diesem Lichtspiel. Schließlich räusperte er sich.

»Sag mal, wir haben doch vor ein paar Wochen darüber gesprochen, wie lange wir diese Fahrerei noch machen wollen. Hast du dir darüber mal Gedanken gemacht?«

»Welche Fahrerei?« Christine bemühte sich um einen harmlosen Gesichtsausdruck.

»Ach komm, dieses Hin und Her zwischen Hamburg und Bremen. Das machen wir jetzt bald ein Jahr lang und …«

»Neun Monate.« Ihre Korrektur kam zwar leise, dafür war seine Reaktion aber heftig.

»Christine, meine Güte, du weichst aber auch jedes Mal aus! Was soll das? Es ist doch egal, ob es neun oder zwölf Monate sind. Mir geht diese Wochenendbeziehung auf die Nerven, ich will auch mal dienstags oder mittwochs was mit dir machen. Hängst du so an deiner Wohnung? An Hamburg? Am Alleinleben? An deinem Job? Oder willst du dich einfach nicht festlegen?«

Ihr Job! Christine bekam sofort Magenschmerzen. Sechzehn Jahre arbeitete sie schon für den Verlag, der vor einem Jahr von einem Konzern übernommen worden war. Sie hatte immer gern dort gearbeitet, bis im letzten Jahr das neue Zauberwort gekürt worden war: Umstrukturierung. Inzwischen war kaum noch etwas wie früher, zwei Kollegen hatten gekündigt, ihre eigene Arbeit hatte sich komplett verändert, der neue Chef war ein 34-jähriger Betriebswirt, der keine Ahnung von Büchern hatte und alles anders machen wollte. Er dachte wirtschaftlich. Und innovativ. Und überhaupt war er ein Idiot. Christine schüttelte sich schon beim Gedanken an ihn. Als sie im letzten Sommer nach Norderney fuhr, hatte die Umwandlung bereits begonnen. Ein paar Tage hatte sie damals darüber nachgedacht, ob sie den ganzen Kram hinschmeißen und bei Marleen anheuern sollte. Sie hätte gut in deren Pension arbeiten können, es gab wirklich schlechtere Plätze auf der Welt. Aber sie hatte es ziemlich schnell wieder verworfen. Und dann war ja auch Johann in ihrem Leben aufgetaucht, was alles leichter machte und sie den Stress immer wieder vergessen ließ.

»Christine?«

Sie zuckte zusammen und riss ihren Blick vom Roten Kliff los. »Entschuldigung. Ich war in Gedanken. Was hast du gesagt?«

Johann sah sie irritiert an und seufzte. »Schon gut. Wir können das Thema auch erst mal lassen. Vielleicht ist es wirklich Blödsinn. Also, wollen wir weiter? Ich muss langsam mal was essen.«

Er stand auf und stellte sich vor sie in die Sonne. Christine hätte sich selbst ohrfeigen können, irgendwie ließ sie keine Gelegenheit aus, alles zu verkomplizieren.

»Komm, noch mal von Anfang an, ich höre dir jetzt auch zu. Irgendwie stehe ich im Moment neben mir.«

»Ich weiß.«

Christine hatte keine Ahnung, ob diese Antwort ironisch gemeint war. Sie stand auf und schob ihre Hand durch seinen Arm. Und sie war froh, dass Johann sich das gefallen ließ.

Inge versuchte sich vor dem riesigen Spiegel von hinten zu mustern.

»Also, ich weiß nicht ...«

Die Verkäuferin legte den Kopf schief. »Doch.« Sie nickte bekräftigend. »Es steht Ihnen hervorragend. Wie für Sie gemacht. Die Rocklänge ist wunderbar, Sie haben wirklich sehr schöne Beine, es sitzt perfekt in der Taille, fällt schön, also ich könnte jetzt keiner anderen Kundin dieses Kleid verkaufen.«

Inge hatte ein bisschen gelächelt, an der Stelle mit den Beinen, wurde aber schnell wieder ernst.

»Aber es ist lila. Ein lila Kleid hatte ich noch nie. Man sagt doch immer, das ist der letzte Versuch.« Über den Preis mochte sie gar nicht nachdenken.

»Mauve«, korrigierte die Verkäuferin, »es ist mauve. Eine absolute Trendfarbe.«

Sie hatte *moow* gesagt, trotzdem war es für Inge lila. Unauffällig versuchte sie, das Preisschildchen zu entziffern. Ohne Brille war das unmöglich.

»Frau Andresen?«

»Ich komme sofort. Wie gesagt: mauve.« Die Verkäuferin nahm einen Schal aus einem Regal und legte ihn Inge um. Dann trat sie einen Schritt zurück und nickte zufrieden. »Das ist das i-Tüpfelchen, damit ...«

»Frau Andresen!«

»Ja, doch, ich komme ja. Lassen Sie das Kleid mit dem Schal wirken und entschuldigen Sie mich für eine Minute, ich bin gleich wieder für Sie da.«

Ihre Absätze klackten durch den Laden.

Inge wandte sich wieder ihrem Spiegelbild zu. Der Schal war aus sehr feinem silbrigen Material, wirklich sehr elegant. Aber lila? Auch wenn es mauve hieß?

Dass es Frau Andresen gefiel, war ja klar, schließlich wollte sie es verkaufen. Apropos: Inge nutzte die Gelegenheit und suchte in der Handtasche nach ihrer Brille. Sie blickte auf das Preisschild: 429 Euro. Sie hielt die Luft an. Walter würde Stiche kriegen. Andererseits hatte er sich vor zwei Monaten einen neuen Computer gekauft. Weil er ins Internet wollte. Wegen der Aktienmärkte. In Wirklichkeit guckte er sich aber nur die Sportmeldungen an und übte ab und zu Doppelkopf. Weil Günther immer gewann. Entschlossen nahm Inge die Brille ab und steckte sie ins Etui, genau in dem Moment, in dem ihr Handy klingelte. Zwei Kundinnen drehten sich nach ihr um, schnell ging Inge in Richtung Umkleidekabine und nahm das Gespräch an.

»Ja?« Sie hatte etwas verschämt geflüstert.

»Hallo? Wer?«

»Inge Müller.« Sie flüsterte immer noch.

»Inge? Hier ist Renate. Ich kann dich kaum verstehen.«

»Renate!« Das brach so laut aus ihr heraus, dass sich Frau Andresen erschrocken umdrehte. Inge hob beschwichtigend die Hand, ging in die Umkleide und schloss den Vorhang hinter sich.

»Renate, stell dir vor, ich stehe in einer Westerländer Boutique, habe ein lila Kleid an und weiß nicht, ob ich es nehmen soll. Die Verkäuferin ist ganz begeistert.«

»Das ist ja auch ihr Job. Lila ist aber eine Altweiberfarbe. Du kennst doch den Spruch: ›Lila ist der letzte Versuch.‹« Renate hatte eine Stimme wie ein Reibeisen. »Da gibt es jetzt eine neue Farbe. Mauve. Hat mir meine Schwester geschenkt, eine Bluse, todschick. Frag mal nach dem Ton, der steht dir bestimmt. Aber weswegen ich anrufe: Rate mal, wo ich bin.«

»Keine Ahnung. Wo?«

»Im ›Ulenhof‹.«

Inge ließ sich auf den kleinen Samthocker sinken. »In Wenningstedt? Wirklich?«

Ein sattes Lachen kam aus dem Hörer. »Genau. Da staunst du, was? Ich habe mir gesagt, was soll der Geiz? Ich mache mir einfach ein paar flotte Tage auf der Königin aller Inseln und kümmere mich um meine Freundin Inge. Nicht, dass du vor lauter Familie wieder zur kleinen Dortmunder Hausfrau wirst. Ist das nicht gut?«

»Ja«, Inge stand vorsichtig auf, um das Kleid nicht zu zerknittern. »das ist eine Überraschung. Aber schön, ich kann es noch gar nicht glauben. Es gibt nur ein Problem … ach was, das erzähle ich dir später. Pass auf, ich komme gleich zu dir, in einer Viertelstunde bin ich da, ich nehme ein Taxi. Bis gleich.«

Als sie mit dem Kleid über dem Arm zur Kasse ging, stellte sie sich die nächsten Tage in Renates Gesellschaft vor. Das würde spannend werden. Sie lächelte Frau Andresen an.

»Und die Farbe heißt wirklich mauve?«

Christine versuchte mit geschlossenen Augen herauszufinden, woher das Geräusch kam. Im Traum hatte sie auf einem Brettersteg gesessen und zugesehen, wie Onkel Walter und Tante Inge eine riesengroße Schwimmente aufpusteten. Onkel Walter trat wie ein Verrückter auf den Blasebalg, und Tante Inge ließ die Luft wieder aus dem Schnabel raus. Pfpfpfpfpfptt ...

Der Wecker auf dem Nachttisch zeigte 5.30 Uhr. Johann lag neben ihr auf dem Rücken, mit leicht geöffnetem Mund. Pfpfpfpfpfptt ... Von wegen Schwimmente.

Vorsichtig, um ihn nicht zu wecken, setzte sich Christine auf und strich ihm leicht über die Wange. Er drehte sich auf die Seite. Sofort verstummte das Geräusch. Trotzdem war sie jetzt wach. Und ihr Rücken tat weh. Früher konnte sie überall schlafen, seit ein paar Jahren bekam sie in jedem fremden Bett Rückenschmerzen. Nur in ihrem nicht. Selbst bei Johann quälte sie sich morgens wie eine alte Frau in den Tag, die ersten Schritte lief sie vermutlich schon gebückt, sie sah sich ja nicht selbst dabei. Vielleicht war das ein Zeichen, dass man mit Mitte vierzig einfach zu Hause bleiben sollte.

Christine legte sich wieder hin. Starrte mit offenen Augen an die Decke und dachte an das Gespräch in der »Sturmhaube«. Jetzt war sie ganz wach. Johann drehte sich wieder auf den Rücken und atmete tief durch. Leise fing es wieder an: pfpfpfpf ... Sie hatte ihn vorher noch nie schnarchen hören. Das war es ja. Sie schliefen eben nicht jede Nacht in einem Bett. Wer weiß, vielleicht würde er immer schnarchen, wenn sie zusammenleben würden, jede Nacht, erst ein bisschen, dann immer mehr, und irgendwann würde sie es hassen und …

Entschlossen stand sie auf und zog sich leise eine Jeans und einen Pulli an. Bliebe sie jetzt liegen, käme ein unsinniger Gedanke nach dem anderen. Stattdessen wollte sie sich einen Tee kochen, sich ins Gartenhaus setzen und auf den Sonnenaufgang warten. Lange konnte das nicht mehr dauern.

Im Haus war es ruhig, als Christine mit dem Teebecher in der Hand leise die Tür ins Schloss fallen ließ. Die ersten Vögel zwitscherten, der Himmel wurde schon heller, sie setzte sich in den Strandkorb vor das Gartenhaus und umfasste den dampfenden Teebecher mit beiden Händen.

Johann hatte auf dem Höhenweg vom Roten Kliff nicht viel gesprochen. Sie waren an der Uwe-Düne vorbeigelaufen, Johann wollte unbedingt auf die Aussichtsplattform. Also waren sie, immer noch schweigend, die gefühlten 50 000 Holzstufen hochgestiegen, um zehn Minuten lang über Kampen zu starren. Christine hatte ihm das schönste Haus am schönsten Platz gezeigt: das »Kliffende«. Johann war beeindruckt gewesen und hatte ihre Hand in seiner gehalten.

In der »Sturmhaube« bekamen sie einen Platz auf der Terrasse und bestellten Weißwein, Wasser und die Karte. Das gab wieder einen Aufschub. Aber nachdem die Getränke gekommen und das Essen bestellt war, lehnte sich Johann zurück.

»Und nun möchte ich gern, dass du mir erzählst, was dich eigentlich im Moment alles so umtreibt. Und rede jetzt nicht von deiner Tante Inge oder deinem Vater. Also?«

Christine hatte Johann schon mehrere Male von den Schwierigkeiten im Verlag berichtet, schließlich sahen sie sich jedes Wochenende und telefonierten fast jeden Tag. Ihr Problem war nur, dass Johann ebenfalls Betriebswirt war, so wie ihr Chef, und auch er gerade eine Firma umstrukturierte und ihr alle Argumente nannte, die sie sich schon jeden Tag von ihrem eigenen Arbeitgeber anhören musste. Dabei wollte sie eigentlich nur bemitleidet werden und den alten Zeiten nachtrauern. Trotzdem begann sie jetzt, die Atmosphäre im Verlag zu schildern, zählte die Veränderungen auf, lästerte über ihren überheblichen Chef und seine Umstrukturierungen, beschwerte sich über die eingeführten Neuerungen und musste nach einem zehnminütigen Monolog erschöpft erst mal einen großen Schluck Wein trinken.

»Der Verlag hätte in der alten Form gar nicht überleben können« – Johann zerkrümelte sein Brot, während er redete, Christine wartete darauf, dass er dieselben Schlagworte benutzte wie ihr momentaner Lieblingsfeind – »gerade in Zeiten, in denen das Internet immer wichtiger wird und wir diese Konsumflaute haben.«

Bingo. Sie konnte es nicht mehr hören. »Das mag ja alles sein, es macht nur wirklich überhaupt keinen Spaß, mit Leuten zusammenzuarbeiten, denen sowohl der Sinn für Bücher als auch für Mitarbeiter fehlt.«

»Dann mach was anderes.«

»Tolle Idee. Ich bin 46, da wartet die ganze Welt auf mich. Zumal ich so viel kann. Bücher verkaufen, Bücher lesen, Bücher verschicken, Bücher bestellen, das ist eine geniale Mischung, die Firmen werden sich um mich prügeln.«

»Werd doch nicht gleich sarkastisch. Du hast dich noch nicht einmal umgehört. Du kannst doch nicht sagen, du findest nichts Neues, wenn du es noch gar nicht versucht hast.«

»Ich will nicht aus Hamburg weg.«

»Aha.« Sie hörte den ironischen Unterton, schwieg aber dazu. »Und warum nicht?«

»Weil ich nicht woanders leben will.«

Johann stützte sein Kinn auf die Hand und betrachtete sie nachdenklich. »Dabei hast du mir mal erzählt, dass du kurz davor warst, Marleen zu fragen, ob du als ihre Partnerin in ihrer Pension auf Norderney einsteigen könntest. Und als wir Silvester bei meiner Tante auf Norderney waren und die erzählt hat, dass der ›Seesteg‹ eine Hausdame sucht, hast du gesagt, du hättest durch die Pension deiner Großmutter auf Sylt und Marleens Kneipe massig Erfahrung, und hättest dich fast beworben.«

Christine dachte daran, dass sie vor lauter Aufregung beinahe kollabiert war und sich am liebsten sofort und auf der Stelle in dem Hotel beworben hätte, wenn nicht …

Ja, warum eigentlich nicht?

Johann konnte anscheinend ihre Gedanken lesen. »Warum hast du das nicht gemacht?«

Sie antwortete schneller, als sie eigentlich wollte: »Das hatte mit dir zu tun. Ich hätte dann auch am Wochenende Dienst gehabt, wir hätten uns nur selten gesehen …«

Ihr Essen kam, so dass Christine einen Moment Zeit hatte, über das zuletzt Gesagte nachzudenken. Gut, Johann war ein Grund, es gab aber noch genug andere. Ihr graute vor einem Umzug, einer neuen Umgebung, neuen Kollegen, neuen Wegen. Sie war wirklich unfassbar feige.

Geschickt hatte Johann begonnen, seine Scholle zu entgräten. »Du hasst Veränderungen, nicht wahr?«

»Die meisten.«

»Und deswegen schiebst du auch die Entscheidung, was wir mit unserer Fernbeziehung machen sollen, immer weiter auf, stimmt's?«

»Ach, nein, das ist im Moment nur schwierig zu planen, mit meinem Job und so. Ich muss da ein bisschen abwarten. Und wo sollten wir auch zusammenleben? In Bremen finde ich doch keinen Job.«

Natürlich könnte er jetzt fragen, ob sie es schon versucht hatte. Zum Glück tat er es nicht, sondern widmete sich weiter konzentriert seinem Fisch. Er wirkte entspannt, vielleicht konnte sie das Thema erst mal umschiffen.

»Hast du Lust, morgen in die Strandsauna nach List zu fahren? Das ist einer meiner Lieblingsplätze.«

»Können wir.« Seine Stimme war sehr ruhig. Dann sah er hoch und fragte lächelnd: »Kann es eigentlich sein, dass du dir so viele Gedanken um deine Tante Inge machst, weil sie in ihrem Alter was tut, was du dich einfach nicht traust?«

Christine verschluckte eine winzige Gräte, musste husten und zwei Gläser Wasser trinken.

»Unsinn. Und überhaupt wissen wir ja gar nicht, was sie vorhat. Vielleicht fährt sie nächste Woche wieder zurück nach Dortmund und bringt Onkel Walter eingeschweißten Aal als Entschuldigung mit.«

»Das hoffst du.« Johann hatte wieder diese ruhige, milde Stimme. Eigentlich konnte es Christine nicht leiden, wenn man in dem Ton mit ihr sprach. Als wäre sie nicht ganz bei Trost. Ihre Antwort fiel deshalb schnippischer aus, als sie es wollte.

»Wieso soll ich das hoffen?«

Es ging tatsächlich noch milder. »Weil du, mein Schatz, im Moment einen Haufen Probleme an der Hacke hast, die gelöst werden müssten. Dein Job, wir beide, hast du nicht auch erzählt, dass das Haus, in dem du wohnst, verkauft werden soll? Und dass dann jede Menge Baulärm und Dreck auf dich zukommt? Und sicher auch eine Mieterhöhung?«

Christine nickte beklommen, die Sache mit ihrer Wohnung verdrängte sie seit Wochen. Das kam ja auch noch auf sie zu.

»Siehst du. Und du sagst bloß, ich kriege keinen Job, ich will nicht aus Hamburg weg, und alles ist schwierig. Und deshalb muss das mit uns beiden erst mal zurückstehen. Nur nichts überstürzen. Und dann kommt Tante Inge mit ihren 64 Jahren, die sich nie beklagt hat, und verändert plötzlich ihr Leben. Sie macht es einfach. Das muss für dich doch wie ein Schlag in die Magengrube sein. Sie kann es und du nicht. Und deshalb hoffst du, dass es sich nur um eine vorübergehende Spinnerei handelt und alles beim Alten bleibt.«

Christines Bein war eingeschlafen. Sie streckte es aus, mittlerweile war auch der restliche Tee kalt geworden. Es war inzwischen hell. Sie hatte keine Ahnung, wie spät es war. Sie saß bestimmt schon über eine Stunde hier, im Haus hatte sich immer noch nichts gerührt.

Es war nur Johann zu verdanken, dass der Abend nicht im Streit geendet hatte. Natürlich war sie nach seiner Schnellanalyse in Hausfrauenpsychologie beleidigt gewesen. Wobei sie insgeheim zugeben musste, dass er in einigen Punkten recht hatte. Nur nicht in allen. Und so einfach, wie er es darstellte, war das Ganze auch wieder nicht.

Auf dem Rückweg hatte er aber versöhnlich gesagt, dass es ihm egal war, ob er ihr den Schubs gebe oder Tante Inge. Christine hatte einfach geschwiegen.

Im Haus klingelte das Telefon. Christine zuckte zusammen, so frühe Anrufe bedeuteten meistens schlechte Nachrichten. Sie stand auf und setzte sich sofort wieder, als sie hörte, dass sich ihr Vater meldete. Das Fenster war gekippt, außerdem hörte ihr Vater nicht besonders gut, weshalb er selbst ebenfalls laut redete.

»Ah, Walter, du bist das. Es ist aber noch sehr früh … Du, das kenne ich, senile Bettflucht, und die Vögel sind ja auch so furchtbar laut. Wie? … Das Wetter ist schön. Gestern hatten wir 25 Grad … ja, denk mal, und wir haben erst Mai … Das Wasser? … Nein, das hat so 15 Grad … Ist nicht warm, nein, aber ich war schon drin … ja.«

Christine schüttelte den Kopf. Wann kam Walter endlich zum Thema?

»Du, der läuft noch, gerade habe ich ihn in der Inspektion gehabt … Ja … Was war das? 256 Euro … Das ist eben Sylt … Ehrlich? Zwanzig Euro weniger? … Ja, aber ich kann ja nicht nach Dortmund zu deiner Werkstatt fahren, bei den horrenden Benzinpreisen … Stimmt, aber da steckt man ja nicht drin … Habe ich gesehen … Ja, vor allen Dingen das letzte

Tor. Du, den hätte er halten müssen, das ging ganz klar auf seine Kappe ... Genau.«

Christine biss sich auf die Fingerknöchel, um nicht ins Haus zu stürmen und ihrem Vater den Hörer zu entreißen. Als ob Onkel Walter sich im Moment ernsthaft mit Autoinspektionen, Wassertemperaturen oder der Bundesliga beschäftigen würde.

»Inge?«

Na also. Blieb zu hoffen, dass Heinz nicht fragte, welche Inge.

»Nein, sie war gestern hier, zum Kaffee ... Rhabarberkuchen mit Streusel ... Ja. Nö, Sodbrennen kriege ich da nicht so von. Nur, wenn zu viel Sahne drauf ist.«

Christine sah ihre Beherrschung schwinden.

»Nein, es geht ihr gut.« Jetzt schlug Heinz einen sehr harmlosen Ton an: »Sag mal, wann kommst du mal wieder? Inge meint, du hast so viel zu tun ... Aber macht Spaß, oder? ... Aha ... Sag bloß ... Sonst ist hier nichts Besonderes ... Bei euch auch nicht, oder, ähm, bei dir, meine ich. Soll ich Inge was ausrichten? ... Du hast mit ihr telefoniert, das ist ja gut. Und was sagt sie? ... Ich meine, nur so. War noch was? ... Gut, also dann, danke für den Anruf und bis bald mal, tschüss, Walter.«

Der Hörer wurde aufgelegt. Kurze Zeit später hörte Christine die Haustür und Schritte auf dem Gartenweg. Sie beugte sich vor und sah ihrem Vater entgegen, der mit gesenktem Kopf langsam auf sie zukam.

»Erschrick nicht, ich sitze hier.«

Heinz machte fast einen Satz nach vorn. »Himmel, willst du mich umbringen? Was machst du so früh auf?«

»Ich konnte nicht mehr schlafen. Willst du auch einen Tee?«

Christine rutschte zur Seite, er setzte sich neben sie und schaute in ihre Tasse. »Die ist leer.«

»Ja, ich kann aber noch einen kochen.«

»Lass mal. Dann weckst du noch das ganze Haus.«

»Wenn die nicht vom Telefonklingeln wach geworden sind, dann macht der Wasserkocher auch nichts.« Christine wollte aufstehen, Heinz zog sie am Arm zurück.

»Hast du das gehört?«

»Natürlich, ich saß ja hier. Und das Fenster ist offen. Was wollte Onkel Walter denn?«

»Tja«, Heinz kratzte sich am Knie, »er wollte sich wohl nur unterhalten. Er schläft nicht gut, hat er gesagt, er hat es so im Rücken. Na ja, er ist auch schon 65, da ist der Lack ab.«

»Papa! Hat er denn was gesagt, wegen Tante Inge? Hatten sie Streit?«

»Er hat nur gefragt, ob sie schon hier war.«

»Und?«

»Und was für einen Kuchen es gab, wollte er wissen. Habe ich ihm gesagt. Rhabarber.«

Christine zog ihr Bein hoch, es fing schon wieder an, einzuschlafen. »Hat er denn irgendwas davon erzählt, dass Tante Inge ihn verlassen hat?«

Ungehalten fuhr ihr Vater hoch. »Sie hat ihn doch gar nicht verlassen. Sie hat doch mit ihm telefoniert, hat er gesagt, das klang alles ganz normal. Na, wie auch immer, das wird schon wieder. Sie ist im Moment nur ein bisschen komisch. Das war sie schon mal.«

»Wann?«

»Als Fiffi starb. Da wollte sie nie wieder ein Tier haben. Und ein halbes Jahr später hat sie sich Henri aus dem Tierheim geholt.«

»Da war sie zwölf.«

»Na und? So, das reicht jetzt. Lass uns über etwas anderes reden. Du bist im Moment ja auch komisch.«

Verblüfft über den abrupten Themenwechsel setzte Christine sich gerade hin. »Ich? Wieso das denn?«

Ihr Vater klaubte einen unsichtbaren Fussel von ihrem Bein.

»Na ja, dafür, dass du verliebt bist und Urlaub hast und das Wetter so schön ist, guckst du nicht so richtig fröhlich.«

»Ich mache mir Sorgen um Tante Inge.«

»Glaube ich dir nicht. Du hast was.« Letzteres sagte er in einem Ton, der keine Widerrede zuließ. »Ich bin dein Vater. Ich merke das. Also? Wo drückt der Schuh?«

Ob es an der frühen Uhrzeit oder der morgendlichen Stimmung lag, wusste Christine nicht, jedenfalls fing sie an, unsortiert alles zu erzählen, was ihr im Moment auf der Seele lag: der Job, die Wohnung, Johanns Wunsch, etwas zu verändern, dass sie mit Mitte vierzig Rückenschmerzen in fremden Betten bekam, eben alles.

Als sie anschließend das Gesicht ihres Vaters sah, bekam sie ein schlechtes Gewissen.

Völlig entsetzt sah er sie an, öffnete den Mund, schloss ihn wieder, um dann ein leises »Oha!« rauszupressen. Nach einer kurzen Pause räusperte er sich. »Das ist ja ganz schön viel Durcheinander. Wie soll ich dir da helfen? Vielleicht solltest du einfach mal abwarten.«

Unleugbar hatten sie dieselben Gene. Christine musste lächeln und strich ihrem Vater beruhigend über den Arm.

»Genau. Mehr kann ich gar nicht tun. Aber so schlimm ist das alles nicht. Johann ist wirklich toll, beim Job stelle ich mich vielleicht wirklich ein bisschen an, das Haus ist noch gar nicht verkauft ... das wird alles schon wieder.«

»Siehst du, das sehe ich auch so.« Seine Erleichterung war nicht zu überhören. »Da hast du doch schon viel schwierigere Situationen gemeistert. Unternehmt doch heute mal was Schönes. Johann kennt ja nur Norderney, der hat doch noch gar keine Ahnung, was hier auf Sylt alles los ist.«

»Wir fahren nachher in die Strandsauna.«

Heinz nickte zufrieden. »Das macht mal. Das gibt es auf Norderney nicht.«

»Doch«, Christine war gerecht, »die haben auch eine.«

»Unsere ist aber schöner. Und jetzt gehe ich gucken, ob Mama schon wach ist.«

Christine sah ihm nach, seine Schritte waren jetzt beschwingter. Sie ärgerte sich ein bisschen darüber, ihm alles erzählt zu haben. Hoffentlich dachte er jetzt nicht über eine Lösung ihrer Probleme nach. Das würde alles noch schwieriger machen.

»Sehr schön. Also dann, bis morgen früh um acht Uhr ... Ja, ich auch, tschüss.«

Lächelnd legte Inge das Handy auf den Tisch und atmete tief durch.

Jetzt blieb nur die Frage, was sie anziehen sollte. Mark hatte gesagt, sie würden anschließend noch sehr schick essen gehen. Da war ihr neues Kleid genau richtig. In mauve. Sie hängte es an die Schranktür, es sollte keine Falten bekommen, ihre eigenen reichten. Inge kicherte. Als ob sie das jetzt noch störte, es kam doch auf ganz andere Dinge an. Mut, Neugier und Lebenslust. Waren das nicht sogar Marks Worte gewesen? Oder hatte sie das gesagt? Egal, es stimmte trotzdem. Sie fühlte sich großartig. Es war nur schade, dass sie mit keinem darüber reden konnte. Am liebsten würde sie es in die Welt hinausposaunen. Aber auch da hatte Mark recht. Geduld war die Mutter der Porzellankiste. Erst musste alles in trockenen Tüchern sein, bevor ...

Als sie gestern Nachmittag im »Ulenhof« ankam, hatte Renate an der Rezeption gestanden und mit dem netten Hotelinhaber diskutiert. Irgendetwas war mit den Handtüchern und dem Bett nicht in Ordnung gewesen. Inge hatte keine Ahnung, um was es ging, und sich nur über Renates Ton und die Geduld des Direktors gewundert. Renate bekam schließlich ein anderes Zimmer. Triumphierend hatte sie Inge auf die Terrasse gezogen, nachdem sie im Gehen mit lauter Stimme noch zwei Gläschen Schampus bestellt hatte.

»Das Bett stand falsch. Man muss Richtung Westen schlafen. Anscheinend wissen die das hier nicht, na ja, man muss nur klarstellen, wer hier der Gast ist.« Sie beugte sich vor, ihre großen Kreolen funkelten in der Sonne. »Und außerdem hasse ich farbige Handtücher, ich benutze nur weiße. Ansonsten ist es hier aber gar nicht übel. So, und nun erzähl, was ist passiert?«

Inge war ihr ausgewichen, hatte nur gesagt: »Ach, ich will endlich mein Leben verändern, das weißt du doch, schließlich hast du mich in Bad Oeynhausen ja darin sehr bestärkt.«

Renate hatte die junge Frau, die die beiden Gläser auf den Tisch stellte, keines Blickes gewürdigt. »Du hast mir von einem Treffen mit einem netten Herrn geschrieben. Und? Wie heißt er?«

Inge drehte sich zu der jungen Kellnerin um und rief ihr ein »Danke« hinterher, was von Renate ignoriert wurde.

»Also?«

»Was habe ich dir denn genau geschrieben?«

»Ach, Inge«, kopfschüttelnd griff Renate nach ihrem Glas, »dass du dich in einem Lokal an der Westerländer Promenade mit einem sehr netten Herrn getroffen hast und mir die Einzelheiten in Ruhe erzählen würdest. Hast du eine Kontaktanzeige aufgegeben? Oder ihn einfach angesprochen? Oder er dich?«

»Ähm, nein, ich meine, wir haben uns da einfach getroffen, eher zufällig.«

Sie war eine schlechte Lügnerin, aber Mark hatte ihr geraten, es im Moment noch geheim zu halten, da es ja doch die Möglichkeit gab, dass alles nicht so klappte, wie sie es sich vorstellte. Aber sie konnte ja wenigstens ein bisschen was verraten.

»Er heißt Mark. Und er trägt schöne bunte Hemden.«

Inge lächelte. Renate sah sie verständnislos an.

»Und?«

»Nichts und.« Inge nahm ihr Glas und probierte. War das Champagner? So richtig gut konnte sie es nicht unterscheiden.

Vielleicht war es doch nur Sekt. »Es war ein nettes Essen. Und Mark ein sehr kultivierter und charmanter Mann.«

»Wohlhabend?«

Inge hob die Schultern. »Keine Ahnung, ich habe ihn nicht danach gefragt.«

Die junge Frau kam zurück und fragte nach weiteren Wünschen. Renate sah auf ihre Armbanduhr und verlangte die Rechnung. Den Betrag ließ sie auf ihr Zimmer schreiben. Beim Unterzeichnen erhaschte Inge einen Blick auf die Summe. Doch Champagner. Sie trank den Rest langsam aus. Schmeckte großartig.

»Leider muss ich los.« Renate stellte ihr Glas schwungvoll auf den Tisch. »Ich habe jetzt gleich einen Kosmetiktermin, den habe ich schon von zu Hause aus gebucht, man muss ja was für sich tun, nicht wahr? Danach gehe ich zum Friseur, und anschließend könnten wir ja was essen gehen. Ich habe an den ›Rauchfang‹ am Strön-Wai gedacht.«

Sie meinte die bekannteste Straße in Kampen, ein Promi-Lokal neben dem anderen, Luxuskarossen und blasierte Gäste. Inge zuckte zusammen.

»Das ist ein ziemlich teures Restaurant, und ich habe mir gerade so ein …«

»Ich bitte dich«, Renate winkte ab, »ich lade dich natürlich ein. Wir treffen uns da, gegen acht. Also, dann bis später.«

Sie warf ihren Schal lässig über die Schultern und ließ Inge einfach sitzen. Sie hatte nicht mal auf eine Antwort gewartet.

Zumindest war das Essen sehr gut gewesen. Ansonsten war Renate im Lauf des Abends zunehmend ungehaltener geworden, weil Inge trotz hartnäckigem Nachbohren immer noch nicht mit der Sprache herausrückte. Später fand sie das Publikum nicht passend. Sie hatte sich zu allen Seiten gedreht, ihre verspielte Hochsteckfrisur löste sich bereits auf und wurde nur noch von der Sonnenbrille gehalten, als sie plötzlich unvermittelt Inge auf den Arm schlug und aufgeregt wisperte: »Dreh dich jetzt nicht um, o Gott o Gott, da steht Fernando Porto! Den finde ich so umwerfend! Was für ein Mann, nicht umdrehen, Inge, er guckt gerade her. Mir wird ganz warm.«

»Wer ist Fernando Porto?« Inge hörte den Namen zum ersten Mal.

Renates Gesichtsfarbe wechselte von blass zu rot und wieder zurück.

»Du hast auch wirklich überhaupt keine Ahnung! Er hat letztes Jahr in ›Gegen den Sturm‹ die Hauptrolle gespielt, diesen tollen südamerikanischen Winzer, der gegen die ganze Welt kämpft. Der sieht ja in echt noch besser aus als im Fernsehen. Ein richtiger Latin Lover.«

Auch diesen Begriff hatte Inge noch nie gehört. Sie drehte sich unauffällig um. An der Bar stand ein dunkelhaariger Mann in einem hellen Anzug. Er sah ganz normal aus.

»Der im hellen Anzug?«

Renate nickte verzückt. »Ist er nicht großartig?«

»Na ja, ich weiß nicht …«, Inge saugte am Strohhalm ihres alkoholfreien Cocktails, »wenn du meinst.«

Renate war im Begriff, aufzustehen. »Ich gehe jetzt zu ihm hin. In der ›Bunten‹ habe ich gelesen, dass seine Frau ihn verlassen hat. Das ist jetzt die Gelegenheit.«

Mit entsetztem Blick sah Inge sie an. »Renate, du kannst doch nicht …!«

Aber Renate konnte. Mit schnellen Schritten ging sie auf ihn zu. »Herr Porto, was ich Ihnen schon immer sagen wollte: Ich fand Sie in ›Gegen den Sturm‹ fabelhaft! Sie sind der Beste. Ach je, ich habe mich ja noch gar nicht vorgestellt, Renate von Graf, ich freue mich, Sie endlich kennenzulernen.«

Das Objekt ihres Begehrens hatte zuerst freundlich, dann unsicher und schließlich verwirrt geguckt. »Gnädige Frau, ich glaube, da liegt ein Missverständnis vor, ich …«

Renate ließ sich nicht beirren und trat noch näher an ihn heran. »Und bevor ich es vergesse: Es tut mir leid, das mit Ihrer Frau, aber es ist bestimmt besser so ...«

In diesem Moment humpelte eine blonde Frau mit Krücken auf die beiden zu. Sie hatte Renates letzten Satz gehört und lächelte sie mühsam an. »Danke, aber es geht mir schon wieder viel besser. Es war ja ein glatter Bruch, zum Glück gab's keine Komplikationen. Nur der Gips ist natürlich blöd. Entschuldigung, aber ich weiß jetzt gar nicht, wer ...«

Renate starrte sie stumm an. Der Latin Lover streckte die Hand aus. »Günther Koller, Wurst- und Fleischproduktion Koller aus Bremen. Und das ist meine Frau Gisela. Ich fürchte, Sie haben mich verwechselt.«

»Glaube ich auch.« Renate winkte lässig ab. »Na ja, nichts für ungut. Und gute Besserung.«

Hoch erhobenen Hauptes kam sie zurück an den Tisch, wo Inge die Hand sofort runternahm, in deren Knöchel sie gebissen hatte.

»Wenn man dicht vor ihm steht, sieht er nicht so doll aus wie Fernando«, sagte Renate und griff zu ihrem Glas. »Nur aus der Ferne sieht er ihm ähnlich. Schade. Aber was sonst an Männern hier herumsitzt, ist nicht gerade aufregend. Lauter spießige Langeweiler. Und die Hälfte von ihnen könnten meine Söhne sein. Ich war vor Jahren schon mal hier, da hatte Kampen mehr Stil.«

Da warst du auch noch jünger, fügte Inge im Geist hinzu, und wahrscheinlich auch noch in Begleitung. Sie bemühte sich um einen geduldigen Ton.

»Ach, Renate, es verändert sich ja so viel in ein paar Jahren ... Aber um noch mal auf das Thema von vorhin zurückzukommen: Ich werde dir in den nächsten Tagen alles erzählen, aber weißt du, ich bin auch ein wenig abergläubisch. Und nachher wird da gar nichts draus. Ich verspreche dir, du wirst die Erste sein, die alles erfährt.«

Beleidigt nestelte Renate an ihrer weiten silbergrauen Bluse.

»Das musst du selbst wissen. Ich hatte nur mehr Offenheit und Vertrauen erwartet, schließlich bin ich extra nach Sylt gefahren, um dir beizustehen. Gerade im Streit mit deiner Familie, die ganzen Auseinandersetzungen, ich weiß, wovon ich rede, Veränderungen werden nie akzeptiert. Ich mache aus meinem Herzen keine Mördergrube; anscheinend gehst du anders mit Freundinnen um, die es gut mit dir meinen.«

Für einen kurzen Moment war Inge versucht zu sagen, dass es ihr lieber gewesen wäre, wenn sie nicht alle Details über Renates Exmann und dessen neue Frau hätte erfahren müssen, aber sie verbot es sich. Renate war ihr wirklich eine große Hilfe, sie hatte nie enge Kontakte zu Frauen dieser Art und lernte wirklich viel. Versöhnlich legte sie ihre Hand auf Renates.

»Also gut. Pass auf, ich fahre übermorgen aufs Festland, abends bin ich wieder hier, dann werde ich dir alles berichten. Versprochen.«

»Was machst du denn auf dem Festland? Wo fährst du hin? Allein?«

»Renate. Bitte. Ich erzähle es dir am Freitag.«

»Entschuldigen Sie bitte, sind hier noch zwei Plätze frei?«

Die beiden Herren, die plötzlich vor ihnen standen, waren Mitte sechzig, trugen Jeans, sportliche Hemden und hatten Pullover über den Schultern. Renate knipste ein strahlendes Lächeln an und wies auf die beiden freien Stühle.

»Mit Vergnügen, wir waren mit unseren Frauengesprächen sowieso gerade fertig.«

Inge war nicht so richtig begeistert gewesen. Die beiden Herren waren aus Düsseldorf, sie hatten auf der Insel Geschäfte zu erledigen, wohnten im »Miramar« in Westerland und mussten wenigstes einmal am Tag zu »Gosch«, um Scampi zu essen. Und dieses Reizklima wäre ja so prima. An dieser Stelle hatte Inge die Augen verdreht. Was für Angeber, hätte Walter jetzt erklärt und sich erst mal nach der Art der Geschäfte erkundigt. Inge hatte interessiert Renate beobachtet, deren schlechte Laune verflogen schien und die nun ihren ganzen Charme aufbot. Aus Höflichkeit hatte Inge noch die Einladung zu einer weiteren Weinschorle angenommen, sich danach aber verabschiedet und war zu Fuß zurück zu Petras Pension gegangen. Renate hatte nicht protestiert, allerdings hatte Inge es noch viel schlimmer gefunden, dass keiner der beiden Herren angeboten hatte, sie zu begleiten. Richtige Flegel, hatte Inge beim Zähneputzen gedacht, flegelhafte Angeber.

Sie hatte sich inzwischen die Kleidung, die sie am nächsten Tag anziehen wollte, zurechtgelegt. Petra hatte ihr einen Tee hochgebracht, sie war wirklich rührend. »Ich muss morgen aufs Festland«, hatte sie zu ihr gesagt, »nach Niebüll. Es gibt noch eine Kleinigkeit, die ich für Frau Nissen klären muss, das soll ja alles seine Ordnung haben. Anschließend treffe ich dort noch einen alten Freund.«

Es war nicht ganz gelogen, Petra, gerade mal dreißig, würde den fast fünfzigjährigen Mark bestimmt als alt bezeichnen. Sie war auch gar nicht irritiert gewesen, hatte nur gefragt, ob sie sie zum Bahnhof fahren sollte, was Inge dankend abgelehnt hatte.

Sie sah hinunter auf die Straße. Es war jetzt kurz vor elf Uhr, beim Verabschieden am Abend zuvor hatte Renate angekündigt, sie käme am Vormittag vorbei.

Genau in diesem Moment fuhr ein dunkelblauer Porsche in die Auffahrt. Kurz bevor er richtig eingeparkt hatte, machte er einen kleinen Satz, der Fahrer hatte das gute Stück auf dem letzten Meter abgewürgt. Inge liebte solche Szenen. Schadenfroh schob sie die Gardine ein Stück zurück, um den Meisterfahrer erkennen zu können. Die Tür ging auf, und es entstieg – Renate. Sie trug eine sehr weite weiße Leinenhose, darüber eine orangerote Tunika, deren Farben sich im Haarband wiederholten, sie flatterte richtig im Wind. Mit schnellen Schritten lief sie auf die Haustür zu. Inge beschloss, ihr entgegenzugehen.

»Guten Morgen, Inge«, Renate stand bereits im Flur, als Inge die Treppe herunterkam, »die Tür war offen, meine Liebe, pack ein Täschchen, wir fahren zum Strand.«

»Willst du eine Strandwanderung machen? Dafür muss ich doch nichts mitnehmen.«

Renate lachte. »Ich und wandern! Bist du verrückt? Nein, Horst und Peter, weißt du, meine neuen Bekannten von gestern Abend, ach wir hatten noch so viel Spaß, erzähle ich dir später, jedenfalls, die haben mir einen ganz heißen Tipp gegeben. Wir fahren in die Strandsauna nach List. Also, hol deine Sachen, Handtücher und Bademäntel kannst du dort leihen, nur Kosmetik, Wäsche und was zu lesen solltest du einpacken.«

»Ich weiß nicht ...« Nervös kaute Inge auf ihrer Unterlippe. Sie war seit Jahren nicht mehr in der Sauna gewesen. Nicht mehr, seit die kleine Sauna bei ihnen um die Ecke geschlossen hatte. Sie war alle vierzehn Tage mit drei Freundinnen hingegangen. Immer mittwochs, Damensauna. Und nur im Winter.

»Was ist jetzt?« Renate sah sie ungeduldig an. »Ich wollte hier eigentlich nicht festwachsen.«

»Ist das eine gemischte Sauna?«

»Na hoffentlich«, antwortete Renate, »ich hasse diese Frauencliquen. Außerdem will ich was erleben. Und ich denke, du bist auf Sylt aufgewachsen? Du bist doch wohl nicht prüde!«

Inge kam sich selbst blöd vor. »Nein, nein, schon gut. Ich war nur so lange nicht mehr in der Sauna. Ich hole meine Sachen.«

Wenig später stieg Inge zum ersten Mal in ihrem Leben in einen Porsche. Nachdem sie vorsichtig die Tür hatte zufallen lassen, sah sie sich beeindruckt um. »Schöner Wagen. Ich wusste gar nicht, dass du so was besitzt.«

Renate rammte den Schlüssel ins Zündschloss und drehte ihn um. Der Wagen machte einen Satz und ging gleich wieder aus. Zum Glück hatte Renate nicht direkt vor der Mauer geparkt. Sie startete wieder und dachte diesmal ans Kuppeln.

»Das ist nicht meiner. Ich habe ihn für eine Woche geliehen.«

»Ach ja?« Inge strich ehrfürchtig über die blanke Konsole. »Wer verleiht denn so ein schönes Auto?«

Renate warf ihr einen ungeduldigen Blick zu. »Autoverleihfirmen. Wer sonst.«

»Ach so. Du musst das bezahlen.«

»Natürlich. Das kostet auch einiges, aber was soll's.«

Inge drehte sich um und musterte die Rückbank aus feinstem Leder. Mitten drauf stand eine riesige Strandtasche. Leopardenmuster.

»Und was kostet eine Woche?«

Renate bog ohne zu gucken auf die Straße. Ein Radfahrer, der im letzten Moment ausgewichen war, drohte ihnen mit der Faust und brüllte irgendetwas Unfreundliches.

»Das ist mir egal. Die Rechnung geht an meinen Exmann, bislang hat er meine Leihwagen immer bezahlt. Ich glaube, der merkt das gar nicht. Und ich kann ja wohl nicht mit einem Golf nach Sylt fahren.«

»Nein?«

»Ach Inge, du bist manchmal wirklich erstaunlich hausbacken.«

Sie fuhren schweigend am Ortsschild vorbei. Inges Blick fiel auf das Quermarkenfeuer mitten in den Dünen, hier hatte sie ihren ersten Kuss bekommen. Von Lothar. Sie hatte seit Jahren nicht mehr an ihn gedacht. Hinter dem Backsteinturm blitzte das Meer. Bevor sie Renate darauf aufmerksam machen konnte, waren sie schon vorbei.

»Du fährst ja sehr flott.«

»Inge, das ist ein Porsche. Die fahren so schnell.«

Renate drehte am Radio, sie suchte sich durch alle Sender und blieb bei einem hängen, der Jazz spielte.

»Mein Exmann hasst Jazz.« Mit einem zufriedenen Lächeln drehte sie lauter. »Er wird im Oktober 60 und feiert in einem Hotel, mit deren Inhaber wir befreundet sind. Ich habe eine Jazzband bestellt und gesagt, sie sollen es ihm nicht verraten, es sei eine Überraschung.«

»Und das machen deine Freunde?«

»Natürlich. Sie waren ganz gerührt, dass ich mir so was für ihn ausdenke. Es wäre so selten, dass man nach einer Scheidung nett miteinander umgehe.«

»Aber er braucht die Band doch gar nicht spielen lassen. Das ist doch dann auch für dich peinlich.«

Renate lachte. »Das kann er leider nicht, weil der Bruder von seiner neuen Ische da mitspielt. Der fand die Idee übrigens auch süß, die haben nämlich ganz wenige Auftritte, weil sie ziemlich schlecht sind. Aber ich habe ihn zum Stillschweigen verdonnert, sonst würde ich sie nicht bezahlen. Das Leben kann doch wunderbar sein, oder?«

Inge fand das auch, weil sie in diesem Moment auf Westerheide zufuhren und sich auf Inges Seite die Blitselbucht ausbreitete. »Guck mal, schön, oder?«

Renate warf einen flüchtigen Blick nach rechts und nickte. »Wasser. Wo muss ich eigentlich abbiegen?«

»Noch ein kleines Stück und dann links. Da steht auch ein Schild, zum Weststrand, Ellenbogen.«

Renate beklagte sich zwar über den Zustand der alten Straße, die durch die Dünenlandschaft führte, fuhr aber trotzdem nicht langsamer. Als sie endlich auf den Parkplatz einbogen, tat Inge der Hintern weh.

»So«, Renate nahm ihre Leopardentasche vom Rücksitz, »wo ist denn jetzt die Sauna?«

Inge kannte sich aus. »Wir müssen den Weg da hoch, die Sauna ist fast am Strand«, und wunderte sich über Renates große Tasche. »Was hast du denn da alles mit? Ich denke, Waschzeug und Wäsche reicht, man könne sich alles leihen?«

Renate schloss etwas umständlich den Porsche ab. »Ich bitte dich, wie sehe ich denn im geliehenen Frotteebademantel aus? Ich habe immer alles dabei. Dir ist das doch egal.«

»Ist es auch.« Inge überlegte, ob sie beleidigt sein sollte. Gut, Renate war bestimmt zehn Jahre jünger als sie, dafür hatte Inge aber die schöneren Beine. Und im Übrigen musste Renate nicht immer so tun, als wäre Inge die unscheinbare Dortmunder Hausfrau und sie die Femme fatale. Irgendwie war sie in Bad Oeynhausen netter gewesen. Aber das war nun auch egal. Inge nahm sich vor, die Sauna schön zu finden, und war ganz froh, Renate nicht alles erzählt zu haben.

Johann und Christine hatten die Küche zum Glück für sich. Nach dem Gespräch mit ihrem Vater hatte Christine sich noch mal ins Bett gelegt, Johann war ganz warm und etwas verschlafen gewesen und hatte keine Lust zum Joggen gehabt. Anscheinend hatte er das etwas anstrengende Gespräch vom Abend zuvor völlig verdrängt. Erst gegen elf Uhr waren sie in die Küche gekommen. Charlotte hatte einen Zettel hingelegt, dass sie zum Einkaufen nach Westerland gefahren sei, Heinz hatte daruntergekritzelt: »Ich auch.«

Nach dem Frühstück räumten sie den Tisch ab und nahmen den restlichen Kaffee mit in den Garten. Johann sah hoch in den Himmel.

»Das wird ein richtig toller Tag. Wir wollten doch in die Strandsauna, oder?«

Christine nickte. »Wenn du Lust hast? Es ist wirklich schön da. Keine nervigen Leute und ganz viel Ruhe. Du wirst begeistert sein.«

»Das klingt doch sehr gut. Los, dann lass uns unsere Sachen packen. Es ist gleich halb zwölf, nicht, dass Heinz zurückkommt und mitwill.«

Christine war schon auf dem Weg ins Haus. »Um Himmels willen! Er geht so furchtbar gern hin und würde das für eine gute Idee halten. Wir müssen sofort los.«

Renate schnaubte wie ein Pferd und wurde immer langsamer, bis Inge endlich stehen blieb.

»Meine Güte, wie weit ist es denn noch?« Die Leopardentasche wurde über die andere Schulter gehängt, anschließend tupfte sich Renate vorsichtig mit zwei Fingern den Schweiß von den Schläfen. »Bis wir da ankommen, bin ich total verschwitzt. Ist mein Augen-Make-up schon verschmiert?«

Sie hielt Inge mit aufgerissenen Augen das Gesicht hin, Inge schüttelte den Kopf.

»Geht noch.«

»Was heißt: geht noch? Bin ich verschmiert oder nicht? Kannst du nicht mal einen Henkel von meiner Tasche nehmen? Du hast doch nichts zum Tragen.«

Inge atmete unauffällig, aber tief durch, nahm ihre Basttasche in die andere Hand und griff nach dem Leopardenriemen. War Renate während der Kur eigentlich auch so anstrengend gewesen? Wahrscheinlich, Inge hatte nur nicht richtig darauf geachtet. Sie musterte das letzte Stück des Dünenwegs, der zur Strandsauna führte. Es waren nur noch ein paar Meter, bis hinter die Kuppe.

»Wir sind gleich da.« Sie setzte sich langsam wieder in Bewegung. »Nur noch ein kleines Stück. Und du bist nicht verschmiert. Wieso hast du dich überhaupt geschminkt? Du schwitzt doch auch gleich in der Sauna.«

»Mit nackten Augen gehe ich noch nicht mal zum Briefkasten.« Renate folgte einen Schritt hinter ihr. »Wer weiß, wen man so trifft.«

Also würden ihre neuen Bekannten Horst und Peter wohl auch da sein. Inge hatte es schon befürchtet.

Die Strandsauna lag in einem Dünental und bestand aus mehreren Holzhäusern, die in U-Form aneinandergereiht waren. In der Mitte standen Strandkörbe, vor den Häusern Tische und Bänke.

Inge stellte erleichtert fest, dass viele der Saunagäste, die in Bademänteln oder mit umgewickelten Handtüchern an den Tischen lasen oder sich unterhielten, auch nicht mehr ganz jung waren. Sie war zwar noch ganz gut in Form, aber ihre größte

Leidenschaft war es nicht gerade, sich neben eine knackige, braungebrannte Größe 36 zu legen. Auch wenn sie solche Gedanken eigentlich albern finden sollte. Tat sie aber nicht.

Braungebrannt und mit Größe 36 war zwar auch die Frau, die ihnen entgegenkam, sie war aber angezogen – kurzer Jeansrock und orange Leinenbluse – und lief außer Konkurrenz, sie war die Inhaberin. Inge kannte sie vom Sehen, wie hieß sie noch mal? Gerda, Edith, Ela, Elke … nein, Gudrun, sie hieß Gudrun, zufrieden nickte Inge ihr zu. Gudrun grüßte zurück.

»Guten Morgen. Zweimal Sauna?«

»Ja«, Renate hatte sich suchend umgesehen, aber anscheinend nichts Aufregendes entdeckt, »kann man hier auch was essen und trinken?«

»Kann man. Sie waren noch nie hier?«

Inge schüttelte den Kopf, während Renate antwortete: »Ich habe Sie empfohlen bekommen, von zwei Freunden, Geschäftsleuten aus Düsseldorf, Stammgäste von Ihnen, Horst und Peter.«

»Aha.« Gudrun blieb unbeeindruckt. »Dann erkläre ich Ihnen kurz die Anlage. Also, wir haben hier drei finnische Trockensaunen angeheizt, sie befinden sich hier vorn, dort gegenüber und links davon. Warme Duschen und Umkleideräume finden Sie hier links und da drüben, die Kaltwasserdusche in der Mitte. Falls Sie Wertgegenstände haben, können Sie sie mir geben, ich schließe sie ein.«

»Sie haben nur Kaltwasserduschen?«

Inge verstand Renates Frage nicht, genauso wenig wie Gudrun.

»Wie? Nein, auch Warmwasser.«

»In unserer Therme gibt es so wunderbare Kaltwasserbecken. Ich dusche nicht gern.«

Gudrun lächelte milde. »Wenn Sie dort am Fahnenmast über die Düne gehen, haben Sie ein Kaltwasserbecken. Ein riesiges.«

Während Renate bezahlte – »Ich bitte dich, du bist eingeladen, du kannst die Getränke übernehmen« –, ging Inge zum Dünenübergang. Vor ihr lag der breite Strand und das glitzernde Meer. Sie kniff die Augen zusammen und entdeckte zwei Köpfe im Wasser. Es badeten tatsächlich Leute, vielleicht waren das auch Saunagäste. Es war doch eine gute Idee gewesen. Zufrieden drehte Inge sich um und ging zu Renate zurück.

Etwas fassungslos stand Inge eine Viertelstunde später neben dem Strandkorb, den sie sich gemietet hatten, und sah zu, wie Renate aus den Tiefen ihrer Tasche immer mehr Dinge hervorholte, die sie im Korb verteilte. Neben diversen Tüchern, Cremes, Illustrierten, Sonnenbrillen (drei), Massagehandschuhen und Badebekleidung legte sie zum Schluss noch ihren leuchtend gelben Bademantel und schlang dann ein knallrotes Saunatuch um ihren üppigen Busen.

»So«, sagte sie zufrieden, »dann können wir mal den ersten Gang machen. Was ist?«

»Da können wir doch gar nicht zu zweit sitzen.«

»Stimmt.« Renate wies auf die Stühle und Tische, die vor dem Holzhäuschen standen. »Wir setzen uns auch dort hin. Horst hat mir erzählt, dass man hier schnell ins Gespräch kommt, wenn man sich nicht im Strandkorb versteckt.«

»Und wozu hast du dann den Korb gemietet?«, fragte Inge, die sich auf die Ruhe gefreut hatte.

»Ich brauche Platz für meine Sachen.«

Inge schwieg, stellte ihre Basttasche neben den Korb und folgte Renate in die Sauna.

Die Sauna war leer. Renate breitete ihr Handtuch auf der obersten Bank aus und legte sich auf den Rücken. Sie schloss die Augen und atmete sehr tief ein und sehr laut aus. Inge setzte sich gerade hin und sah aus dem Fenster hinüber zum Fahnenmast. Es war sehr ruhig, bis auf die hechelnden Atemzüge über ihr.

»Kriegst du keine Luft?«

Das Hecheln hörte auf. »Das ist bewusste Atemtechnik. Ozeanische Atmung. Du musst dich auf die Entspannung einlassen.«

Sie hechelte weiter. So lange, bis die Tür geöffnet wurde.

»Hallo.« Der Mann warf einen Blick auf die Sanduhr, die Renate erst vor fünf Minuten umgedreht hatte, dann fragte er: »Können Sie mir da oben ein bisschen Platz machen?«

Renate schwang ihre Beine so schnell runter, dass sie Inge im Kreuz traf. »Ach, du sitzt da, Entschuldigung, ich habe dich gar nicht gesehen. Natürlich, setzen Sie sich doch.«

Inge rutschte ein Stück nach vorn, sonst hätte er sie auch noch mal getroffen. Schließlich saß er. Renate ließ ihm nicht sehr viel Zeit, sich auf die Entspannung einzulassen.

»Sind Sie öfter hier?«

»Ja. Wir kommen seit Jahren regelmäßig her. Ein sehr schöner Ort.«

»Ich bin das erste Mal hier. Sehr nett, wenn auch etwas einfach.«

Inge dachte, dass sie es nicht leiden konnte, wenn in der Sauna geredet wurde. Das ging wohl nicht allen so.

»Finden Sie? Ich mag es ja so, das ist so naturnah.«

»Genau, ich bin ja auch sehr für Natur«, beeilte sich Renate zu sagen, während Inge schnell wieder den Kopf zum Fenster drehte und sich auf den Ausblick konzentrierte. »Ich war lange nicht mehr auf Sylt, die Insel hat sich ja sehr verändert. Aber, Gottchen, das ist wohl der Lauf der Dinge. Ich wohne übrigens im ›Ulenhof‹ in Wenningstedt, kann ich nur empfehlen. Und Sie?«

Inge räusperte sich, was aber niemanden störte.

»Wir haben eine Ferienwohnung in Kampen, also, die gehört uns. Wir sind oft hier. Meine Frau stammt von der Insel. Wir leben in Hamburg, das ist ja nur ein Katzensprung. Und die Kinder nutzen die Wohnung auch, jetzt sogar schon mit ihren eigenen Kindern.«

»Nein, das hätte ich ja nicht gedacht, dass Sie schon Enkelkinder haben. Sie wirken noch so jugendlich. Ist Ihre Frau nicht mit?«

Er beugte sich vor, so dass Inge schon wieder ausweichen musste, und klopfte mit dem Knöchel an die Fensterscheibe. Eine grauhaarige, schlanke Frau im weißen Bademantel drehte sich um. Sie kam Inge irgendwie bekannt vor.

»Das ist meine Frau«, sagte der Mann stolz, während er sich wieder zurücklehnte, »sie kommt sicher auch gleich rein.«

»Ach so«, Renates Ton war sofort zehn Grad kühler, »dann sollten wir schon mal rutschen. Inge, lass mich mal neben dich, hier oben ist es so heiß.«

Während sie sich umständlich setzte, ging die Tür wieder auf.

»Guten Tag. Wieso hast du geklopft?« Der weiße Bademantel war durch ein graues Saunatuch ersetzt worden. Sie setzte sich neben ihren Mann.

»Ich habe mich mit den Damen hier unterhalten und erzählt, dass du Sylterin bist.«

»Das ist meine Freundin hier auch.« Renate klang pampig. Vielleicht machte ihr die Hitze zu schaffen. Inge drehte sich um und nickte dem Ehepaar freundlich zu.

»Inge? Inge Müller?«

»Ja? Also, ich weiß jetzt nicht …« Die Beleuchtung war nicht sehr gut. »Tut mir leid, ich weiß wirklich nicht …«

»Anke. Anke Petersen, jetzt Anke Meisner. Dann warst du es gestern doch! Ich habe dich in Westerland gesehen, als du bei Kampmann rausgekommen bist. Ich habe noch überlegt, ob du es tatsächlich bist, aber bevor ich rufen konnte, warst du schon um die Ecke. Das ist ja toll, wie geht es dir denn?«

»Anke. Das gibt es nicht! Deine Haare sind ja kurz. Und du bist so schlank geworden, ich habe dich gar nicht erkannt. Wir haben uns mindestens fünfzehn Jahre nicht gesehen!«

Renate warf einen kurzen Seitenblick auf Anke und starrte dann demonstrativ auf die Sanduhr.

Inge freute sich, mit Anke war sie damals zur Tanzschule gegangen. Sie waren befreundet gewesen, bis sie die Insel mit Mitte zwanzig verließen, danach war der Kontakt spärlich geworden.

Ihr Mann hatte Inge freundlich zugenickt und fragte nun: »Wer ist denn Kampmann?«

»Der Anwalt in der Boysenstraße. Wie lange bist du hier, Inge?«

»Wie? Anwalt?«, zischte Renate Inge zu, die aber darüber hinwegging.

»Weiß ich noch nicht. Ich wohne in Kampen, bei Hannes Tochter.«

»Bei Petra? Ach, das ist ja nett. Dann können wir uns doch mal zum Essen treffen. Mit deinem Mann. Oder ist der gar nicht hier?«

»Ha!«, Renate schnaubte und stand auf. »Mir reicht es, ich gehe raus. Viel Spaß noch.«

Sie knallte die Tür hinter sich zu, verharrte kurz, holte tief Luft und rannte wie aufgezogen aufs Meer zu. Gebannt verfolgten die drei durch das Saunafenster den etwas schwerfällig aussehenden Hoffnungslauf durch den weichen Sand.

Johann war begeistert. Christine und er hatten sofort nach Ankunft in der Sauna einen Gang gemacht, waren dann zum Strand gelaufen und gleich in die Wellen gesprungen. Das Wasser war noch kalt, es hatte nicht viel mehr als sechzehn Grad, was nach dem Schwitzen zwar Überwindung kostete, sich aber sensationell anfühlte. Danach waren sie mit den Füßen im Wasser am Strand entlanggelaufen, immer der Sonne entgegen. Nach einer halben Stunde drehten sie um und gingen zurück. Kurz vor dem Aufgang zur Sauna ließ Johann sich in den Sand sinken.

»Es ist toll hier. Willst du wieder hoch, was trinken, oder wollen wir noch einen Moment aufs Wasser gucken?«

»Was du willst«, Christine setzte sich neben ihn, »wir haben den ganzen Tag Zeit, lass uns ruhig gucken.«

Sie schwiegen eine Zeitlang vor sich hin. Christine grub ihre Zehen in den Sand und wieder aus, Johann malte mit seinen Fingern Kreise.

»Hast du ...«

»Wollen wir ...«

»Du zuerst.« Er drehte sich auf die Seite und strich mit einem Dünengrashalm über ihre Hüfte. »Ich wollte nichts Wichtiges.«

»Wollen wir heute Abend mal nach Keitum? Ich zeige dir den Ort, und anschließend gehen wir zu ›Fisch-Fiete‹ Scholle essen?«

»Können wir machen. Du musst mir aber nicht jeden Tag ein Programm bieten. Ich finde es sehr schön, dass wir mal zwei Wochen Zeit für uns haben, mir wird das schon nicht langweilig. Dir?«

Christine schüttelte den Kopf. »Nein, natürlich nicht. Ich möchte nur lieber mit dir allein nach Keitum, statt mit meinen Eltern und Inge zu ›Gosch‹ zu gehen. Das ist alles.«

Johann drehte sich auf den Rücken. »Das ist überzeugend. Gibt es eigentlich an der Tante-Inge-Front was Neues?«

»Nein«, Christine zog ihre Füße aus dem Sand, »ich glaube, es beruhigt sich alles. Wollen wir jetzt bei Gudrun einen Kaffee trinken?«

Johann stand schon und wischte sich den Sand von den Beinen, als er unvermittelt innehielt und ungläubig zum Dünenübergang hinüberblickte. Christine drehte sich in dieselbe Richtung. Eine Frau mit wildem roten Haar, eingewickelt in ein rotes Handtuch, das sie krampfhaft mit einer Hand festhielt, rannte in Zickzacklinien dem Meer entgegen. Alles an ihr wogte, eine Abfolge von kurzen, spitzen Schreien war zu hören, sie fuchtelte mit dem freien Arm, ihre Schritte wurden schwerer, langsamer, gebremst durch den weichen Sand, bis sie endlich am Flutsaum stand, das Handtuch fallen ließ, beide Arme zum Himmel streckte, ihren Kopf zurückwarf, einen letzten Schrei ausstieß und sich wie ein Nilpferd nach kilometerlangem Marsch durch die Steppe in die Fluten warf.

Johann wandte seinen Blick zu Christine. »Wow!«

Auch sie war beeindruckt.

»Bestell mir doch bitte einen Kaffee und ein Stück Nusskuchen, ich gehe schnell aufs Klo.«

»Mach ich.«

Johann sah Christine nach und ging zu Gudrun, um den Kaffee zu ordern, dann holte er Christines und seinen Bademantel aus dem Umkleideraum. Kurz danach saßen sie nebeneinander auf einer Bank vor einem der Häuschen, lehnten sich an die warme Holzwand und hielten ihre Gesichter mit geschlossenen Augen in die Sonne. Gudrun brachte ihre Bestellung und setzte sich kurz neben Christine.

»Und? Wie geht es dir?«

»Gut. Ein bisschen viel Stress im Job, aber sonst sehr gut. Und hier?«

Gudrun zuckte mit den Schultern. »Du, wie immer. Viel zu tun. Aber das ist ja gut. Und wir haben eine ganze Menge neuer Gäste, die noch nie hier waren, das ist ganz schön. Na ja«, sie beugte sich vor und lächelte Johann an, »du bist ja auch neu.«

Er nickte. »Ich war vorher noch nie in einer Strandsauna. Das ist schon eine tolle Erfindung.«

Gudrun hob plötzlich den Kopf und starrte irritiert nach vorn. »Was um Himmels willen macht die da?«

In dem schmalen Durchgang von der Düne zum Strand stand die rothaarige Walküre auf einem Bein mit dem Rücken zu ihnen und reckte ihren Körper gen Himmel.

»Ich glaube, das wird der Sonnengruß«, Christine hob träge den Kopf, »passt doch.«

»Na, wenigstens schreit sie nicht dabei«, meinte Johann.

»Warum macht sie das nicht am Strand?« Stirnrunzelnd stand Gudrun auf. »So kommt doch keiner an ihr vorbei. Und wieso sollte sie schreien?«

»Sie schrie vorhin«, antwortete Johann, »bei der Eroberung der Meere.«

»Wenn's hilft. Trotzdem könnte sie dazu runter an den Strand gehen, da kommen gerade Leute hoch.«

Tatsächlich gab es einen kleinen Stau am Durchgang, weil wirklich niemand an der Dame vorbeikam. Christine hatte ihre Sonnenbrille vergessen, sie legte ihre Hand über die Augen, um etwas zu erkennen, aber im Gegenlicht war das schwer und sowieso unwichtig. Sie lehnte ihren Kopf wieder an die Wand, schreckte aber sofort hoch, als sie die Stimme erkannte:

»Renate, du stehst hier aber wirklich ungünstig.«

Eine halbe Stunde später saß Christine mit gequältem Gesichtsausdruck neben Johann, dessen andere Nachbarin Renate war. Inge hatte ihr gegenüber Platz genommen, neben ihr die nette Anke und ihr Mann Heiner. Renate redete. Ununterbrochen. Über die Einflüsse von Sonne und Wasser, über salzige Luft und sich selbst. Johann war so dicht an Christine rangerutscht, dass ihr schon das Bein von dem Druck einschlief. Das schien Renate nicht zu stören, sie rückte einfach nach. In etwa fünf Minuten würde Christine von der Bank stürzen, sie war sich sicher, dass das von Renate unbemerkt bleiben würde.

»Ja, wie gesagt, ich war damals mit meinem Exmann hier. Ihm war die Natur ja total egal, er wollte seinen neuen Porsche zeigen, Austern essen und Prominenz sehen. Und natürlich auch selbst gesehen werden. Gott, war das nervig, Männer eben. Man lebt wirklich besser ohne sie. Die Erfahrung habe ich wirklich gemacht.«

Ohne auf die betretenen Mienen von Anke, Heiner und Inge zu achten, wandte sie sich Johann zu und legte ihm ihre beringte Hand auf sein nacktes Knie. Johann rutschte noch ein Stück näher zu Christine, wobei er entsetzt auf die knallroten Nägel starrte. Christine verlor das Gleichgewicht, stützte sich mit einer Hand am Boden ab, klammerte sich mit der anderen an den Tisch und wagte sich nicht mehr zu bewegen.

»Aber Sie wohnen nicht mit Inges Nichte zusammen, oder? Mit Christiane?« Renate drückte kurz Johanns Knie.

Christine stöhnte auf.

»Wie hängst du da eigentlich so komisch am Tisch?«, sagte Inge und dann zu Renate gewandt, »sie heißt übrigens Christine und nicht Christiane. Kind, setz dich doch hierher, wenn du da so wenig Platz hast.«

Wie erwartet nahm Renate keinerlei Notiz von Christines Lage. Wenn sie jetzt den Tisch losließ, würde sie von der Bank fallen. Und Johann ließ sich anbaggern und dachte nicht daran, ihr zu helfen. Christine stöhnte wieder, diesmal lauter. Keine Reaktion.

»Lassen Sie es lieber«, fuhr Renate unbekümmert fort, »dieses Zusammenleben ist nämlich das reine Gift. Ich sage immer, Männer und Frauen passen einfach nicht zusammen. Einige begreifen das leider erst viel zu spät, da haben sie schon vierzig Jahre verplempert. Und dann werden sie plötzlich hektisch und rennen zum Anwalt, anstatt das erst mal in Ruhe mit ihren Freundinnen zu besprechen, die damit Erfahrung …«

»Johann!« Noch konnte Christine balancieren und gleichzeitig reden, lange ging das nicht mehr.

Er schreckte hoch. »Was machst du da, Christine?«

Im selben Moment fiel sie von der Bank. Renate schüttelte missbilligend den Kopf. Tante Inge guckte komisch.

Erst im Auto endete Johanns Selbstdisziplin. Christine hatte sich noch nicht einmal angeschnallt, als es ihn förmlich zerriss. Es hatte mit einem feinen Lächeln angefangen, woraus ein etwas dämliches Grinsen wurde, und auf Christines Frage, was ihn denn so amüsiere, bekam er einen dermaßen unkontrollierten Lachkrampf, dass sie den Motor wieder abstellte. Nach zehn Minuten beruhigte er sich langsam und sah sie mit tränenden Augen an.

»Himmel, ich habe gedacht, ich überlebe sie nicht. Hast du mitbekommen, dass sie ... Brühe ...?« Er prustete schon wieder los.

Renate hatte Gudrun nach dem dritten Saunagang um eine Brühe gebeten. Kein Wasser, keine Apfelsaftschorle, weder Weiß- noch Rotwein oder Bier, nein, die Dame verlangte eine Brühe. Hühnerbrühe, wegen des Salzverlusts. Gudrun hatte sie so lange angestarrt, bis Renate sich mit dem Satz: »Schon sehr einfach hier, sie kennt keine Brühe«, wieder an den Tisch gesetzt hatte. Gudrun starrte immer noch.

Danach hatte Renate sich auf Johann gestürzt. Ziemlich massiv, fand zumindest Christine, die langsam bedauerte, dass die neue Freundin von Tante Inge mit diesem mageren Cayenne-Huhn aber auch gar nichts gemeinsam hatte. Die hatte wenigstens nicht so viel gesprochen. Und kaum gegessen. Ganz anders als Renate.

Johann holte tief Luft und rieb sich mit einem Stofftaschentuch die Augen. »Was für eine Strafe. Da kann Werner, oder, wie sie sagt, ›Wernerdasschwein‹, doch eigentlich jeden Tag eine Party feiern, dass er diesen Tornado überlebt hat. Meine Güte ...«

»Was hat sie dir denn erzählt?«

Gequält stöhnte er auf. »Alles. Ihre Ehe, ihre Finanzen, ihre Bekanntschaft mit Inge, der sie endlich die Augen geöffnet hat, einfach alles. Du hast dich ja verdrückt und bist mit deiner Tante in die Sauna gegangen. Du hast mich der Dame einfach ausgeliefert.«

Christine hatte nach Renates drittem Stück Kuchen Inge gefragt, ob sie noch einen Gang mit ihr machen würde, ihre Tante schien sogar erleichtert.

Drinnen hatten sie sich nebeneinandergesetzt und durch das Fenster die wild gestikulierende Renate beobachtet.

»Weißt du, Christine, Renate hat gerade eine anstrengende Zeit. Sie ist sehr nett, wir haben uns in Bad Oeynhausen so gut verstanden. Und sie ist sehr großzügig, sie hat mir meinen roten Hut geschenkt, der ist extra für mich angefertigt worden.«

»Mit dem Geld von ihrem ›Wernerdasschwein‹, wie sie mehrfach erwähnt hat.«

Inge sah sie an. »Christine. Das musst du nicht in diesem Ton sagen. Er hat sich ja auch nicht gerade anständig verhalten.«

»Sagt Renate. Na egal. Wieso warst du eigentlich bei einem Anwalt?«

»Ach«, Inge war bei der Frage leicht zusammengezuckt, »das war nur so eine kleine Auskunft, die ich brauchte. Wegen, ähm, Anika und Till. Ich wollte ihnen einen Gefallen tun.«

»Wieso, was …«

In diesem Moment betraten zwei Frauen die Sauna, grüßten und setzten sich. Inge hatte Christine zugeflüstert: »Ich mag es auch nicht, wenn man in der Sauna redet.«

Mehr hatte Christine leider nicht in Erfahrung bringen können. Renate dominierte den Tag, Johann wehrte sich nicht, Gudrun war wie paralysiert nach der Brühe, und Tante Inge hütete immer noch ihre Geheimnisse. Christine hatte wirklich schon bessere Tage in der Strandsauna erlebt.

Inge schmiss ihre Tasche aufs Bett und setzte sich daneben. Was dachte sich Renate eigentlich? Gut, sie hatten sich angefreundet, aber sie konnte deshalb doch nicht sagen, was sie wollte. Schließlich war Inge nicht irgendeine dumme Landschnecke, die nach vierzig Jahren das erste Mal aus ihrem Beet kroch. Und außerdem kannte Renate Walter doch gar nicht.

»Kennst du einen, kennst du alle«, hatte sie gesagt, »das ist völlig richtig, dass du ihm gleich den Anwalt auf den Hals schickst, bluten soll er, richtig bluten. Aber du hättest mir Bescheid sagen können, ich hätte dir einen Termin bei Dr. Karla Wagner verschafft, die ist auf Zack und hat eine solche Wut auf die Kerle, die macht jeden platt. Sie war mit einem Architekten verheiratet, und als sie nach einem Gerichtstermin früher nach Hause kam, da …«

Schon wieder eine dieser furchtbaren Ehegeschichten, die Renate so gern erzählte. Inge konnte sie nicht mehr hören. Und dann hatte sie sich auch noch über Christine ausgelassen. »Die hat auch schon so einen Weibchenblick drauf. Dieser Johann ist doch auch nicht treu, hast du gemerkt, wie der mich angestarrt hat? Ich hätte doch nur mit dem Finger schnipsen müssen.«

Darauf war Inge aber sauer geworden! »Renate, ich bitte dich, Christines Freund ist mindestens zehn Jahre jünger als du. Und ich sehe ja wohl, wie verliebt er in meine Nichte ist. Richtig rührend.«

»Pah!« Renate verschaltete sich zweimal, bevor sie den richtigen Gang fand, Inge überlegte, was das Getriebe eines Porsches wohl kostete. »Was bist du nur für eine Familienglucke. Nur, weil sie deine Nichte ist. Sie ist schon mindestens Ende vierzig.«

»Mitte.«

»Was?«

»Sie ist erst Mitte vierzig. Und du hast ihn …« Inge hatte jedoch das Gift verschluckt. Sie hatte überhaupt keine Lust, sich mit Renate wegen solcher Albernheiten zu streiten. Sie hatte sich um ganz andere Dinge zu kümmern. Unter anderem darum, dass sie am nächsten Tag mit Mark eine kleine Reise machte. Sie hatte gelächelt, was Renate zu einem zufriedenen Kopfnicken veranlasst hatte.

»Na also, ich dachte schon, du wirst jetzt komisch. Es ist nur schade, dass Horst und Peter heute keine Zeit hatten. Vielleicht sind ihnen wichtige Geschäfte dazwischengekommen, egal, sie werden sich schon melden, wir hatten ja gestern so viel Spaß …«

Inge hatte sich gehütet, nach Details zu fragen, was Renate sichtlich enttäuschte. Dann war ihr aber etwas anderes eingefallen.

»Erzähl doch mal von dem Anwalt. Hast du die Scheidung beantragt?«

»Nein«, Inge hatte erleichtert die Auffahrt von Petras Haus erblickt, »habe ich nicht.«

»Noch nicht«, korrigierte Renate, »ich hatte aber auch erst ein Vorgespräch. Gehen wir noch zusammen essen?«

Sie hatte den Porsche einigermaßen zivil geparkt, und Inge hatte ihr kurz die Hand auf den Arm gelegt.

»Nein, Renate, ich bin total kaputt. Ich sehe noch ein bisschen fern und gehe dann ins Bett. Sei nicht böse, vielen Dank fürs Herbringen.«

Sie hatte sich um ein verbindliches Lächeln bemüht und die Tür geöffnet.

»Das ist doch nicht dein Ernst!« Renate war konsterniert gewesen. »Es ist noch nicht mal sieben.«

»Doch.« Inge hatte schon ein Bein außerhalb des Autos gehabt. »Gute Nacht.«

»Deine Familie zieht dich wirklich völlig runter. Du mutierst wieder zur langweiligen Hausfrau.«

»Du irrst«, Inges Stimme war freundlich geblieben, »du irrst sogar gewaltig. Ich muss morgen früh aufstehen. Morgen Abend gehen wir in Ruhe essen, und ich erzähle dir ein paar Neuigkeiten.« Vielleicht, hatte sie in Gedanken hinzugefügt, und dabei das Gefühl gehabt, es ruhig auf einen Streit und den folgenden Bruch mit Renate anlegen zu können. Die hatte kurz in die Hände geklatscht und Inge angestrahlt.

»Du machst es aber auch spannend! Ja dann, toi, toi, toi und Waidmannsheil oder so. Melde dich, sobald du zurück bist. Tschüssi.«

Inge hatte dem Porsche hinterhergesehen. Sie kannte keine Frau, die auch nur ein bisschen wie Renate war.

Und jetzt saß sie hier auf dem Bett und regte sich langsam wieder ab. In Bad Oeynhausen war sie so glücklich gewesen, jemanden wie Renate kennenzulernen. Sie kannte das Leben, fand Inge, und zwar in- und auswendig. Inge hatte in den Wochen ganz viel über ihr eigenes Leben nachgedacht, das war ganz neu für sie. Eigentlich hatte sie immer geglaubt, es gehörte alles so, wie es war. Aber es hatte doch immer wieder die Tage gegeben, an denen sie schlechte Laune hatte. Walter mit seinen eingebildeten Krankheiten, die furchtbaren neuen Nachbarn von gegenüber, die vertrauten Geschäfte, die alle schlossen, ihre beste Freundin Hermine, die plötzlich zu ihrer Tochter nach Berlin zog, ihre eigene Tochter, die kaum noch nach Hause kam, weil sie Dortmund neuerdings so piefig fand, es war alles nicht mehr so leicht wie früher. Vielleicht erfand Walter deshalb seine Krankheiten. Weil das Leben so furchtbar langweilig geworden war.

Inge hob den Kopf und sah aus dem Fenster. Zwei Paare saßen im Garten und tranken Rotwein. Der Himmel war immer noch strahlend blau. Das würde sich jetzt ändern, dieses langweilige Leben. Wenn nicht jetzt, wann dann? Der Anfang war schon gemacht.

Walter trug einen schrillgrünen Turban. Denselben hatte Renate in der Sauna getragen, um ihre Haare zu schonen. Warum sie ihn wohl verliehen hatte? Walters Haare waren doch gar nicht so empfindlich. Er hatte ein rotes Tuch um seinen Bauch geschlungen, vorn war es kürzer als hinten. Mit einem Taschenrechner in der Hand schritt er das Gelände der Strandsauna ab und rief: »Hier könnte man 1478 Strandkörbe unterbringen. Sie müssen nur enger stehen. So erhöhst du den Profit.«

Gudrun nickte ihm ernst zu und trank Brühe.

Renate hockte vor dem Fahnenmast. Sie hatte eine Nagelfeile in der Hand und sägte mit hektischen Bewegungen am Metallfuß. Das Geräusch ging Inge auf die Nerven. Sie wollte Renate bitten, damit aufzuhören, aber ihr Mund war so trocken. Sie musste husten. Das Geräusch hörte auf. Na bitte. Ihr Nacken tat weh. Und irgendwas war komisch. Sie öffnete die Augen.

Inge lag seitlich auf dem Bett, unter ihrem Kopf die Basttasche. Ihr Blick fiel auf den Wecker neben ihr. 21.14 Uhr. Sie war einfach eingeschlafen. Walter würde auch nie einen Turban tragen. Sie bewegte langsam den Kopf und wollte sich aufsetzen, als Renate wieder mit der Nagelfeile anfing. Aber der Traum war doch vorbei. Schlaftrunken begriff Inge langsam, dass das Geräusch aus dem anliegenden Wohnzimmer kam. Vom Fenster. Irgendjemand sägte. Aber sie wohnte im ersten Stock. Ihr Puls begann zu jagen, dann hörte sie, wie das Fenster vorsichtig aufgestemmt wurde. Jetzt wurde ihr übel. Sie guckte jeden Sonntag ›Tatort‹, wegen Walter, aber sie hatte keine Ahnung, was sie jetzt tun sollte. Weglaufen? Das ging schlecht, sie musste durch das Wohnzimmer, um zur Tür zu gelangen. Sie fing an zu zittern, wieso hörte niemand anderes die Geräusche? Ihr fiel ein, dass Petra an diesem Abend Chorprobe hatte und die Gäste im Apartment nebenan am Morgen abgereist waren. Niemand konnte ihr helfen. Sie würde sich schlafend stellen und warten, bis es vorbei war. Was immer es auch war. Vorsichtig drehte sie sich zur Seite, mit dem Gesicht zur Wand. Jetzt war sie hellwach. Und wurde langsam wütend. Walter hätte sich schon lange aufgesetzt und bestimmt »Obacht!« gerufen, zur Abschreckung. An das, was Renate in ihrer Situation unternehmen würde, mochte sie gar nicht denken. Auf jeden Fall würde Renate aber heldenhafter sein. Entschlossen setzte Inge sich auf, schwang die Beine aus dem Bett, nahm leise ihr Handy aus der Tasche und wählte die Nummer von Heinz. Für alle Fälle. Mit dem Handy am Ohr stand sie auf und schlich ins Wohnzimmer. Das Fenster war nur noch am unteren Scharnier fest. Inge sah sich überrascht um, niemand war zu sehen. Da spürte sie einen Stoß, und alles wurde dunkel.

Der Mann unterdrückte einen Fluch und kniete sich neben Inge. Ihre Augenlider flackerten, ihr Atem ging aber gleichmäßig. Er starrte ihr einen Moment ins Gesicht, dann schaute er sich hektisch um, entdeckte plötzlich die Handtasche auf dem Sofa, griff danach, durchsuchte sie und ließ sie enttäuscht wieder fallen. Er riss zwei Schubladen auf, öffnete den Schrank, fand eine leere Reisetasche, zog die Reißverschlüsse auf, tastete die Seitentaschen ab. Plötzlich ertönte von draußen ein Pfiff, kurz darauf hörte er ein Auto, dann klappte die Tür, und eine Stimme rief:

»Inge? Inge, wo bist du? Ich bin es.«

Nervös warf er einen letzten Blick auf Inge und kletterte auf die Fensterbank. Sekunden später war er verschwunden.

»Frau Müller?« Die sonore Männerstimme klang mitfühlend und freundlich, aber gänzlich fremd. »Können Sie mich hören?«

Eine warme Hand klopfte sanft auf ihre Wange. Es fühlte sich gut an. Warm und weich. Inge schlug die Augen auf und sah – Heinz. Ihr Bruder schob sich mit besorgtem Blick an einem Mann im weißen Hemd und orangefarbener Jacke vorbei.

»Inge, was machst du denn für Sachen? Kannst du dich bewegen?«

»Ich glaube …«, vorsichtig versuchte sich Inge aufzurichten, der nette Mann stützte sie.

»Langsam, Frau Müller, ganz langsam hochkommen. So. Geht es?«

Stöhnend fasste sich Inge an den Kopf und fühlte ein dickes Pflaster. »Was ist denn passiert?«

Sie saß auf dem Boden in Petras Ferienwohnung, das begriff sie noch. Aber wieso auf dem Boden? Und wie kamen Heinz und der Arzt hierher? Ihr Kopf war kurz vor dem Platzen.

»Du bist gegen die Tür gerannt.« Heinz kniete vor ihr und tippte kurz auf das Pflaster, was eine neue Schmerzwelle verursachte. »Aber zum Glück hattest du mich gerade angerufen. Ich bin drangegangen, sage, ›Ja, Inge‹, höre einen Knall und zack, vorbei.«

»Zack, vorbei?«

»Ja. Ich habe den Sturz förmlich mitgehört. Ein Rums, ein Stöhnen, dann war Ruhe. Ich bin sofort hierhergerast, und durch die Hintertür rein, die war zum Glück offen, und da lagst du schon. Ich habe mich vielleicht erschrocken. Und da ist sogar Blut an der Tür. Aber Dr. Keller war sofort hier. Keine acht Minuten. Respekt.« Er lächelte den Arzt zufrieden an. »Aber sag mal, du musst ja mit viel Schmackes gegen die Tür gedonnert sein. Wieso rennst du denn so durchs Zimmer?«

»Ich bin nicht gerannt.« Inge beobachtete Dr. Keller, der eine Spritze aufzog. »Ich bin gestoßen worden. Was ist das für eine Spritze?«

Der Arzt tippte kurz an die Kanüle. »Ich gebe Ihnen was gegen die Schmerzen. Sie sind so heftig gegen die Tür gerannt, dass ... Was haben Sie gerade gesagt? Es hat sie jemand gestoßen?«

»Blödsinn. Hier war keiner.« Heinz streichelte seiner Schwester beruhigend die Hand. »Du lagst allein hier. Es war niemand zu sehen.«

Dr. Keller hielt immer noch abwartend die Spritze in der Hand. Inge versuchte sich zu erinnern, ihr fiel nur der Stoß ein. Und noch etwas. »Das Fenster.«

Dann wurde ihr wieder übel. Sie schloss die Augen. »Mir tut mein Kopf so weh.«

Der Einstich war kaum zu spüren, den Knall hinterher bekam sie dafür umso deutlicher mit. Inge hob den Kopf und sah ihren ohnmächtigen Bruder vor dem Fenster liegen. Aber Dr. Keller war ja da.

Christine legte ihr Besteck auf den Teller und schob ihn zurück. »Ich platze gleich. Und ich hätte mir das Kleid eine Nummer größer kaufen sollen.«

»Wieso?« Johann sah sie kauend an. »Das sitzt doch wunderbar.«

»Aber es kneift.«

Unauffällig versuchte Christine, den Gürtel in der Taille zu lockern. Es ging nicht. Sie hatte das Kleid einen Tag zuvor im Fenster einer Westerländer Boutique gesehen und es sofort anprobiert. Die Verkäuferin hatte sie angelächelt und begeistert genickt.

»Sehr weiblich, sehr körperbetont, es steht Ihnen hervorragend.«

Körperbetont, dachte Christine, so kann man es auch nennen, sie fand es zu klein. Sie sah ein bisschen aus wie Wurst in der Pelle.

»Ist es hier nicht zu eng?« Unsicher strich Christine über den strammen Stoff an der Hüfte. Die Verkäuferin schob sich energisch vor den Spiegel.

»Aber nein, das ist ein Etuikleid, das muss genauso sitzen.«

»Kann ich es mal eine Nummer größer anprobieren?«

»Leider ist dieses Modell unser letztes. Aber glauben Sie mir, es sitzt perfekt, Sie haben doch so eine hübsche Figur.«

Natürlich war das ein Totschlag-Argument, trotzdem fiel Christine darauf rein. Beim Bezahlen war sie immer noch unsicher, dafür wurde das teure Stück erst in Seidenpapier und dann in eine umwerfend schöne Tüte gepackt.

Und jetzt kniff es nach der Scholle.

Johann lehnte sich zufrieden zurück und legte die Serviette auf den Tisch.

»Großartig. Die beste Scholle, die ich je gegessen habe.« Er sah aus dem Fenster. »Guck mal, ist das nicht diese Fernsehmoderatorin, die da aussteigt? Die du so doof findest?«

Christine folgte seinem Blick. Tatsächlich, es war die blonde Ansagerin, die sie noch nie leiden konnte. Sie war so glatt, so mädchenhaft, so süß. Grauenvoll.

Zusammen mit ihrem gutaussehenden Begleiter betrat sie das Restaurant. An der Garderobe half er ihr galant aus dem dünnen, vermutlich brandteuren Sommermantel und ... Christine schluckte. Diese Tina Sowieso war nicht nur viel hübscher als im Fernsehen, nein, sie war auch schätzungsweise fünfzehn Jahre jünger und ungefähr fünfzehn Kilo leichter als Christine und trug – dasselbe Kleid. Nur, dass es ihr passte. Da kniff nichts.

Johann sah von ihr zu Christine und verbiss sich ein Grinsen. »Da habt ihr doch tatsächlich den gleichen Geschmack. Hättest du das gedacht?«

»Sehr witzig.« Von wegen, das Kleid musste so sitzen. Auf Tinas Hüften lag der Stoff locker. Und die Querfalte auf dem Bauch gab es auch nicht. »Morgen gehe ich zurück in die Boutique und bringe diese Verkäuferin um. Ganz langsam. Damit sie schön leidet.«

»Wieso das denn? Du siehst in diesem Kleid toll aus. Es wirkt bei diesem jungen Huhn doch ganz anders.«

Ja, klar, dachte Christine, der passt es ja auch. Trotzdem lächelte sie Johann an, er konnte schließlich nichts dafür. Aber es war ärgerlich. Ausgerechnet diese dünne Tina. Und dann war die auch noch so jung. Und doof.

»Es ist doch ungerecht, dass diese Mäuse beim Fernsehen so viel Kohle verdienen, nur weil sie jung und blond sind. Dafür sind die mit Mitte dreißig fertig, da will sie dann niemand mehr sehen.«

Johann grinste. »Ein bisschen was werden die schon können. Aber das ist auch in Ordnung, sie sind ein paar Jahre gut im Geschäft, danach machen sie was anderes.«

Tina und ihr Begleiter bestellten rosa Champagner. Das war klar. Hauptsache trendy.

»Was anderes? Irgendwann ist sie nicht mehr jung und hübsch. Was kann die dann noch machen?«

Johann hob sein Glas. »Tja, dann kannst du sie ja in deinen Verein aufnehmen. Du fängst ja auch nichts anderes mehr an. Dann seid ihr schon zu zweit.«

»Das kannst du ja wohl nicht miteinander vergleichen. In meinem Leben hat sich dauernd was verändert. Jobs, Wohnungen, neue Städte, ich habe garantiert schon mehr neue Dinge angefangen, als die Maus da Klamotten im Schrank hat.«

Etwas zu forsch trank Christine ihren Wein aus, so dass sie sich prompt verschluckte.

»Apropos«, Johann tat so, als wäre ihm gerade etwas eingefallen, »ich habe dir was mitgebracht.« Umständlich suchte er in seinen Jackentaschen, bis er eine zusammengefaltete Zeitungsseite hervorzog, die er ihr hinschob. »Lies mal.«

Christine überflog den Artikel, dann sah sie Johann verständnislos an und las laut vor: »Die Turnmädchen vom TuS Oberneuland hatten viel Spaß bei ihrem Ausflug auf die Insel Neuwerk. Sie grillten Würstchen und schliefen im Heuhotel, ihre Betreuer hatten alle Hände ...«

»Das doch nicht. Die andere Seite.«

»Ach so. Ich dachte, das wird unsere nächste Romantikreise. Warst du schon mal in einem Heuhotel?«

»Christine!«

Sie drehte die Seite um. Ihr Blick fiel sofort auf eine rot umkreiste Stellenanzeige: Verlag für maritime und regionale Literatur sucht Vertriebsassistentin.

»In Bremen?«

»Ja«, Johann lächelte sie entspannt an, »in Bremen. Direkt

an der Weser, mit dem Fahrrad zehn Minuten von meiner Wohnung entfernt. Du kannst am 1. August anfangen, da hast du noch über zwei Monate Zeit, alles zu organisieren. Und deine Kündigungsfrist kannst du auch einhalten, du hast doch sicher drei Monate. Mit deinem Resturlaub und all den Überstunden bekommst du das doch hin.«

Christine musste sich beherrschen, um nicht genau das zu sagen, was sie gerade dachte. Oder das zu tun, was sie am liebsten täte. Stattdessen fragte sie sehr ruhig: »Hast du dich auch schon in meinem Namen da vorgestellt und alle Formalitäten erledigt? Oder woher weißt du so genau, dass sie mich in jedem Fall einstellen?«

»Was meinst du?« Johann wirkte verblüfft.

»Du weißt doch gar nicht, ob ich den Job kriege. Vielleicht bewerben sich da hunderttausend Leute. Vielleicht wollen die mich gar nicht. Oder ich will dort gar nicht anfangen. Maritime Literatur! Ich kann noch nicht mal segeln.«

»Ach was«, Johann winkte ungeduldig ab, »du musst einfach eine tolle Bewerbung schreiben, und wenn du erst zum Vorstellungsgespräch eingeladen wirst, wickelst du sie sowieso um den Finger. Im Übrigen bin ich der festen Überzeugung, dass man alles hinbekommt, wenn man es nur will.«

Ihre erste Reaktion wäre die richtige gewesen. Zuschlagen. Warum neigte sie mit zunehmendem Alter eigentlich immer öfter zur Gewalttätigkeit? Aber das war im Moment ihr kleinstes Problem.

»Da irrst du dich gewaltig. Im Buchhandel gibt es nicht mehr so einfach Jobs. Es wird garantiert eine Menge anderer Bewerber geben, und ich bin keine dreißig mehr, und ...«

»Ach, Christine«, Johann unterbrach sie unwirsch, »langsam geht es mir auf die Nerven, dass du dauernd mit deinem Alter anfängst. Das ist doch nur vorgeschoben. Du bist keine dreißig mehr, das stimmt, aber du bist auch noch keine sechzig. Also, was soll das? Und außerdem, das wollte ich dir erst nicht sagen, aber nun ist es auch egal, der Verlagsleiter ist ein alter Freund von mir. Wir haben zusammen BWL studiert, ein ganz netter Typ. Ich habe ihn schon angerufen, du könntest nach dem Urlaub sofort einen Termin haben und ... Wieso guckst du denn jetzt so sauer?«

Christine musste aufpassen, dass sie nicht in eine Schnappatmung verfiel, ihr Puls hatte sich mindestens verdoppelt, und die Stelle des Handballens, in die sie ihre Fingernägel gedrückt hatte, fing an, weh zu tun.

»Sag mal ...« Sie brach ab, atmete ein paar Mal tief ein und aus und zwang sich, mit normaler Stimme zu sprechen, »spinnst du?«

»Was?«

»Du kannst doch nicht so einfach mein Leben umorganisieren. Du suchst mir einen neuen Job, natürlich in Bremen, du telefonierst für mich in der Gegend rum, wahrscheinlich hast du auch schon eine Schrankseite für meine Klamotten leer geräumt und meine Wohnung gekündigt. Oder? Habe ich noch etwas vergessen?«

Sie funkelte ihn wütend an. Er funkelte zurück.

»Ja. Du hast etwas vergessen. Nämlich, dass du mal behauptet hast, mit mir zusammenleben zu wollen. Das hast du anscheinend total vergessen. Weil du dann ja zu viel verändern müsstest. Und das ist natürlich eine Zumutung. Nein, mach das bloß nicht. Geh lieber weiterhin mit Magenschmerzen zur Arbeit und wohn die nächsten zwei Jahre auf einer Baustelle. Das kennst du ja alles. Und trau dich bloß nicht, irgendetwas Neues anzufangen, dafür bist du schon viel zu alt. Nicht auszudenken, wenn das Leben plötzlich schön wäre. Das wäre ja furchtbar. Das überlasse lieber den anderen. So wie deiner Tante Inge. Die traut sich nämlich.«

Christine war wie gelähmt. Sie hatten noch nie gestritten. Zumindest nicht so heftig. Und es fühlte sich nicht gut an, ganz und gar nicht.

»Johann, ich …«

Er gab der Bedienung ein Zeichen. »Ich möchte bitte zahlen.« Dann wandte er sich wieder zu Christine. »Ich finde es auch bescheuert, dass wir uns im Urlaub in die Haare kriegen, aber das musste mal gesagt werden. Du beschwerst dich seit Monaten über deinen Chef und deinen Job, bist kaputt und schlecht gelaunt und hast ständig Magen- oder Kopfschmerzen. Ich wollte dir nur helfen. Wenn es dir nicht passt, dann kümmere dich selbst drum. Oder lass es bleiben. Aber hör auf, dauernd herumzunörgeln.«

Die Bedienung kam mit der Rechnung, Christine betrachtete die Abdrücke, die ihre Fingernägel in der Hand hinterlassen hatten. Sie ärgerte sich. Über die Abdrücke, über Johann, über diese blöde Tina, die in diesem Kleid einfach viel besser aussah, und am meisten über sich selbst. Irgendwie lief dieser Tag völlig quer. Zum Glück war er fast vorbei.

Johann stand auf. »Lass uns gehen.«

Christine nickte, obwohl es keine Frage war, und griff nach ihrer Tasche. Auf dem Weg zum Ausgang mussten sie an dem Tisch der Moderatorin und ihres Begleiters vorbei. Tina hob gerade ihre Gabel zum Mund, als Christine in ihr Blickfeld lief. Vermutlich war es für eine aus Funk und Fernsehen bekannte Blondine eine weitaus größere Katastrophe, plötzlich ihr Kleid an einer älteren, dickeren und gänzlich Unbekannten zu sehen. Jedenfalls starrte sie sie entsetzt an und ließ dabei ihre Gabel sinken. Der Fall des öligen Scampi hinterließ eine Fettspur vom rechten Busen bis zum Rock.

Christine beschleunigte ihre Schritte und hörte hinter sich wütendes Gezeter und Rufe nach dem Kellner. Sie lächelte. Vielleicht war das Schlimmste an diesem Tag überstanden.

Johann fuhr schweigend. Er sah konzentriert auf die Fahrbahn und hatte keinen Blick für die schönen Häuser und Gärten, an denen er vorbeifuhr. Christine musterte ihn von der

Seite. Wenigstens wirkte er nicht schlecht gelaunt. Das Schweigen kam ihr dennoch endlos vor.

»Haben wir jetzt Streit?« Sie hoffte, dass sie nicht kläglich klang.

Er sah weiter geradeaus. »Was heißt Streit? Wir haben ein Problem, Christine. Ich will keine Wochenendbeziehung, und du willst nichts ändern. Wir müssen irgendwie eine Lösung finden. Ich bin gern bereit, darüber die nächsten zwei Wochen zu diskutieren, aber es muss auch etwas dabei herauskommen.«

Christine betrachtete sein Profil. Er war wirklich ein besonderer Mann, und sie benahm sich einfach nur bescheuert. Ganz plötzlich überfiel sie die Furcht, dass diese Diskussion ja auch das Ende ihrer Beziehung bedeuten könnte. Und das wollte sie nicht. Auf gar keinen Fall.

»Ich werde noch mal über die Stelle in Bremen ... Was ist denn da los?«

Es war fast Mitternacht, aber das Haus ihrer Eltern erstrahlte in voller Beleuchtung. Der Wagen von Heinz stand mitten in der Auffahrt, das war ungewöhnlich, Heinz fuhr ihn sonst immer sofort in die Garage. Der Schlüssel steckte von außen in der Haustür, die Gartenpforte stand sperrangelweit offen.

»Da ist was passiert.« Christine löste hektisch den Sicherheitsgurt. »Die schlafen doch sonst um diese Zeit.«

Sie war bereits aus dem Auto gesprungen, als Johann den Motor abstellte, und rannte nun auf die Haustür zu. Bevor sie mit etwas zittrigen Fingern aufgeschlossen hatte, stand Johann schon hinter ihr und legte beruhigend seine Hand auf ihren Rücken.

»Papa?« Sie stürmte in den Flur, »Mama? Wo seid ihr?«

»Küche.« Heinz' Stimme klang wie immer. Christine atmete tief durch und sah Johann an. Er nickte und schob sie weiter.

Heinz saß am Küchentisch, Charlotte ihm gegenüber, vor

ihnen eine Schnapsflasche und zwei Gläser. Sie sahen beide hoch, als Christine und Johann in die Küche kamen. Charlotte stand auf.

»Wollt ihr auch einen?«

»Was ist denn passiert?« Christine hatte das Bild von einem Unfall oder irgendeiner Katastrophe im Kopf gehabt und ließ sich erleichtert auf die Bank sinken.

»Bullenschluck.« Heinz hob den Kopf und schaute Johann an. »Gutes Zeug. Nur Kräuter. Setz dich hin, Johann, du machst mich nervös, wenn du die ganze Zeit stehst. Trinkt mal einen, es war ein schrecklicher Abend.«

Charlotte stellte zwei Gläser auf den Tisch und nahm wieder Platz. Heinz griff zur Flasche und schenkte ein. Danach schraubte er umständlich den Verschluss zu und blickte Johann und Christine theatralisch an.

»Inge ist fast ermordet worden.«

»Heinz.« Charlotte schob ihrer Tochter das Glas hin. »So schlimm war es ja nun auch nicht.«

»Nicht so schlimm?« Entrüstet kehrte er ihnen den Rücken zu. An seinem Hinterkopf klebte ein Pflaster.

»Papa!« Christine starrte erschrocken auf seinen Kopf. »Wo wart ihr denn? Was ist passiert? Seid ihr überfallen worden? Und ...«

»Christine.« Ihre Mutter schenkte sich selbst noch einen Schnaps ein. »Das ist nur eine Platzwunde, und die hat nichts mit Inge zu tun. Papa ist erst nach dem Überfall gestürzt.«

»Könnte ich auch einen Schnaps haben?« Johann schob Charlotte sein Glas entgegen.

»Nur eine Platzwunde. Ich hätte mir das Genick brechen können! Dann wäre ich tot gewesen.« Heinz trank sein Glas mit einem Schluck aus und schüttelte sich angewidert. »Das ist aber auch ein Zeug, dieser Bullenschluck.«

»Könntet ihr vielleicht mal genau erzählen, was passiert ist?« Langsam wurde Christine ungeduldig. Dankbar registrierte sie Johanns warme Hand an ihrem Rücken und lehnte sich dagegen.

»Ich bin umgefallen.« Heinz warf Charlotte einen wehleidigen Blick zu. »Einfach so. Aber es war zum Glück ein Arzt dabei. Dieser Dr. Keller aus Wenningstedt. Der hat mir dann was gegen den Kreislauf gegeben.«

»Für den Kreislauf«, korrigierte Christine automatisch, »und wieso bist du umgefallen? Und was ist mit Inge?«

»Ich bin wegen Inge umgefallen. Schock.«

»Papa!« Christine spürte Johanns Hand, die ihr beruhigend über den Rücken strich. »Kannst du nicht mal …«

»Ein Einbrecher ist in Inges Apartment eingestiegen, durch das Wohnzimmerfenster.« Charlotte hatte jetzt auch keine Geduld mehr, auf die Erklärungen ihres Mannes zu warten. »Inge hat etwas gehört und ist rübergegangen. Zum Glück hatte sie vorher Papa angerufen, aber bevor sie ihm was sagen konnte, ist sie – wahrscheinlich, weil es dunkel im Zimmer war – mit voller Wucht gegen die Tür gerannt. Und umgekippt. Gehirnerschütterung.«

Johanns Hand hörte auf, Christines Rücken zu streicheln. »Ist sie im Krankenhaus?«

»Ich habe diesen entsetzlichen Knall gehört und sofort gewusst, dass da irgendetwas nicht in Ordnung ist, man kennt das ja aus dem Fernsehen, man wird Zeuge durchs Telefon …«

Charlotte sah Heinz warnend an. Dann sagte sie zu Johann: »Ja. Sie wollen sie ein oder zwei Tage dabehalten. Ist auch besser, sie hat sich ziemlich erschrocken.«

»Und ich erst. Umgefallen bin ich. Eine Platzwunde am Hinterkopf. Musste aber zum Glück nicht genäht werden.« Heinz tastete vorsichtig sein Pflaster ab. »Ich glaube nicht, dass das ein normaler Einbrecher war. Da steckt mehr dahinter, glaubt mir. Außerdem ist Inge gestoßen worden. Das war ein Anschlag.«

»Du siehst zu viel Fernsehen.« Charlotte stand auf und holte sich ein Wasserglas aus dem Schrank. »Inge kann sich gar nicht genau erinnern, sie steht unter Schock. Und der Mann ist doch sofort geflüchtet, er hat nicht mal was geklaut. Dabei lag ihre Handtasche auf dem Sofa. Die hätte er leicht mitnehmen können.«

»Eben«, Heinz fuchtelte mit dem Zeigefinger vor seiner Frau herum, »der wollte nichts stehlen, da steckt was ganz anderes dahinter. Wenn das man nichts mit Inges komischen Einfällen zu tun hat. Vielleicht ist sie in gefährliche Kreise geraten. Was wissen wir denn schon? Sie benimmt sich seltsam genug. Wie schnell kann das gehen, du lernst jemanden kennen, und plötzlich hast du mit der russischen Mafia oder Drogen zu tun oder ...«

»Papa, jetzt ist gut. Das hört sich eher an wie ein gewöhnlicher Einbruch. Der Typ hat bestimmt gedacht, reiche Urlauber in Kampen, alles dunkel, da steige ich mal ein.«

»Und die Tasche? Wieso hat er die nicht geklaut?«

»Weil Inge ihn gestört hat. Er ist in Panik geraten und geflohen.«

Heinz schüttelte ungläubig den Kopf. »Glaubst du das, Johann?«

Johann nickte. »Aber das wird doch auch die Polizei ...«

»Ich glaube es nicht. Nie im Leben war das ein Zufall. Mein Instinkt sagt mir, Inge ist in Schwierigkeiten. Kennt eigentlich irgendjemand diese Renate?«

»Ja.« Johann und Christine antworteten im Chor. Heinz guckte alarmiert hoch.

»Ja? Und? Woher?«

»Aus der Strandsauna.« Johann hatte diesen wunderbar gelassenen Ton, Christine legte ihre Hand auf sein Knie. »Wir haben heute Nachmittag Inge und Renate da getroffen.«

»Und?« Heinz' Stimme vibrierte vor Spannung. »Erzähl schon, wie ist sie?«

Gleichmütig sagte Johann: »Sie wirkt nicht kriminell. Eher etwas ... extrovertiert.«

»Na bitte.«

Christine musterte ihren Vater. Er nickte triumphierend und presste seine Lippen entschlossen zusammen.

»Jedenfalls hat sie einen schlechten Einfluss auf Inge. Das habe ich schon geahnt.«

Charlotte erhob sich und stellte ihr Glas in die Spüle. »Ich gehe ins Bett. Und, Heinz, bevor du hier deine nächste Detektivaktion planst, erinnere ich dich an Norderney. Du hast dich da genug blamiert. Fang nicht wieder damit an. Geh lieber Zähne putzen.«

Sie lächelte ihrer Tochter und Johann müde zu und verschwand.

Christine legte ihre Hand auf den Arm ihres Vaters. »Johann hat gesagt, extrovertiert, nicht kriminell. Du siehst schon wieder Gespenster. Warte doch ab, was die Polizei sagt, und sei froh, dass Inge nichts Schlimmeres passiert ist. Johann und ich fahren morgen früh gleich mal ins Krankenhaus und gucken, wie es ihr geht. Vielleicht ist alles halb so wild.«

»Sicher. Du hast bestimmt recht.«

Sein Gesichtsausdruck sagte was ganz anderes. Johann beugte sich vor. »Ich glaube auch eher, dass es ein Junkie war, der schnell Geld brauchte. Der ganze Einbruch war ja nicht sehr professionell. Da steckt keine Organisation hinter. Sei beruhigt.«

Mit unergründlicher Miene sah Heinz beide an. Dann atmete er tief aus und fragte:

»Noch einen Bullenschluck?«

Johann schloss das Auto ab und musterte das Klinikgebäude. Dann sah er zu Christine.

»Sie hätten uns wenigstens die Station und die Zimmernummer aufschreiben können.«

»Wir können ja fragen. Ich weiß sowieso nicht, warum sie nicht auf uns gewartet haben.«

Als sie kurz vor Mittag in die Küche gekommen waren, hatte lediglich ein Zettel auf dem Küchentisch gelegen:

Wir sind in die Klinik gefahren (10 Uhr), ihr könnt ja nachkommen. Mama. *Wenn ihr endlich wach seid. P.*

Christine und Johann hatten den letzten Bullenschluck abgelehnt und waren nach oben gegangen. Während in Christine die Sorge um Inge und die Beklemmung über den Streit mit Johann durcheinanderflogen, hatte sich Johann auf das Sofa gesetzt und gesagt: »Ich danke dir, dass du dir den Satz ›Siehst du, da fängt man an, sich zu verändern, und dann bekommt man sofort eins auf die Rübe‹ verkniffen hast.«

Er hatte es noch nicht mal ironisch gemeint. Dafür hatten sie dann bis morgens um drei versucht, einen Kompromiss zu finden. Christine hatte versprochen, in den nächsten Tagen ernsthaft über seine Vorschläge nachzudenken, und Johann im Gegenzug, sie währenddessen in Ruhe zu lassen. Beim Aufwachen waren sie versöhnt gewesen.

Der Pförtner nannte ihnen die Station und das Zimmer. Nachdem sie sich zweimal verlaufen hatten, standen sie mit Blumen kurz danach vor der Tür und klopften.

Inge lag in einem Einzelzimmer. Sie hob kurz den Kopf, als Johann und Christine eintraten, und ließ ihn dann mit geschlossenen Augen wieder sinken.

»Ach, Gott sei Dank, ihr seid es.«

»Was machst du denn für einen Blödsinn?« Christine legte die Blumen neben zwei Vasen mit anderen Sträußen und setzte sich auf einen Stuhl. »Wir haben uns vielleicht erschrocken.«

Johann setzte sich auf den anderen Stuhl. Inge reichte ihm die Hand.

»Hallo Johann, hallo Christine. Ich habe mich auch erschrocken. Aber heute ist es noch schlimmer als gestern.«

Christine rutschte näher. »Wieso? Hast du so schlimme Schmerzen? Dagegen können sie dir doch was geben.«

Inge winkte ab. »Nein. Dagegen nicht.«

Sofort kamen Christine Berichte über posttraumatische Depressionen in den Sinn. Ihre Tante war überfallen worden, in einem fremden Apartment, mitten in einer Lebenskrise. Und sie war nur gerettet worden, weil sie ihren Bruder angerufen hatte. Es war grauenhaft.

»Hat die Polizei schon was gefunden?«

Christine zuckte bei Johanns unsensibler Frage zusammen und nahm tröstend Inges Hand, die ihr sofort wieder entzogen wurde.

»Was sollen die groß finden? Der Einbrecher hat ja nichts gestohlen, das wird wohl nie geklärt. Aber, Christine, wenn die Leiche deines Vaters hier im Klinikflur gefunden wird, dann war ich das. Falls sie dich fragen.«

»Jetzt bist du aber ungerecht. Wenn er nicht gekommen wäre, hättest du stundenlang bewusstlos in der Ferienwohnung gelegen.«

Inge sah sie stirnrunzelnd an. »Dummes Zeug! Ich habe keinen Schädelbruch, es ist eine leichte Gehirnerschütterung. Ich wäre auch allein wieder aufgewacht. Aber Heinz musste ja mal wieder so einen Aufstand machen. Und dann fällt er noch in Ohnmacht. Wie so ein altes Waschweib. Nur, damit er wieder im Mittelpunkt steht.«

Christine überlegte, ob das die Folgeschäden des Überfalls waren. Sie verstand überhaupt nicht, warum sich ihre Tante so aufregte. Es *mussten* Folgeschäden sein. Vorsichtig griff sie wieder nach Inges Hand. Auch dieses Mal ohne Erfolg.

»Dein Vater erzählt dem gesamten Personal, allen Patienten und jedem Besucher, wie spektakulär seine Rettungsaktion war. Unter Lebensgefahr, sagt er. Ich glaube, er will in die Zeitung. Alle zwei Minuten kommt jemand rein, der mich nur kurz angucken will. Und er steht dahinter und lächelt. Ich werde hier noch wahnsinnig. Und das mit meinen Kopfschmerzen.«

»Wo ist er denn jetzt?« Johann hatte sich leicht vorgebeugt. »Wir können ihn wieder mit nach Hause nehmen.«

»Das ist lieb von euch, aber Charlotte hat zum Glück noch Verstand. Sie hat ihn am Kragen gepackt und rausgeschleppt. Sie geht mit ihm einmal um den Block und kauft mir auf dem Rückweg Schokolade. Für die Nerven, hat sie gesagt und sich entschuldigt.«

In diesem Augenblick klopfte es an der Tür, die eine Sekunde später aufgerissen wurde. Hinter dem riesigen Blumenstrauß ertönte eine Stimme: »Inge, um Himmels willen, ich habe fast einen Herzinfarkt bekommen, als ich das gehört habe. Ich dachte, du bist auf dem Festland und … ach, guten Tag, du hast ja schon Besuch.«

Renate, ganz in Schwarz, drückte Christine den Strauß mit den Worten: »Hier, besorgen Sie doch mal eine Vase« in den Arm, bevor sie sich vor lauter Mitgefühl fast aufs Bett warf.

»Ich wollte dir noch eine Kleinigkeit vorbeibringen, bevor du abreist, da hat mir diese Petra die Schreckensnachricht mitgeteilt. Du, mir war ganz übel. Ich bekam zittrige Knie, Schweißausbrüche, also nein, was da alles hätte passieren können, du hättest tot sein können. Hattest du denn Wertgegenstände im Apartment? Ich schließe ja immer alles in den Tresor, anders geht es gar nicht, das siehst du ja jetzt. Die Welt ist schlecht, da denkt man, auf Sylt ist noch alles in Ordnung, und dann das. Ist dir irgendetwas aufgefallen? Hat die Polizei den Täter schon? Was ist denn gestohlen worden?«

Es klopfte schon wieder. Christine, die immer noch Renates Blumen im Arm hatte, schloss den Mund, während Renate sich zur Tür umdrehte. »Hallo. Wer sind Sie denn? Frau Müller hat schon Besuch.«

Inge stöhnte gequält.

»Hallo Mama, hallo Papa, ich hole nur schnell eine Vase.« Christine ging an ihren Eltern vorbei, nicht ohne einen Blick auf ihren Vater zu werfen, der Renate mit aufgerissenen Augen anstarrte.

»Tag. Sind Sie von der Polizei?«

Renate hielt kurz inne, dann warf sie mit Schwung ihr Haar zurück, wobei eine Strähne Charlotte im Gesicht streifte, und lachte laut auf.

»Polizei? Sehe ich wie eine Polizistin aus? Ich bitte Sie.« Zur Bekräftigung lehnte sie sich lasziv an Inges Bettgestell und streckte Heinz die Hand entgegen. »Sie müssen Inges Bruder sein. Ich bin Renate. Freut mich sehr.«

Heinz schüttelte ihr mit Inbrunst die Hand und antwortete mit seiner charmantesten Stimme. »Sehr angenehm. Wir haben ja schon viel Gutes von Ihnen gehört. Sind Sie das erste Mal auf Sylt?«

Christine kam mit einem Plastikeimer im Arm zurück, in den sie die Blumen gestopft hatte. Sie schob sich umständlich an Heinz und Renate vorbei und stellte den Eimer auf den Boden. »Für so einen Strauß gibt es hier keine Vasen.«

Renate musterte missbilligend das Arrangement. »Das kann ja wohl nicht sein. Ich werde gleich das Personal fragen.« Sie drehte sich mit Augenaufschlag zurück zu Heinz. »Nicht das erste Mal, aber es ist lange her. Zu lange.« Sie lächelte.

Inge hatte sich aufgesetzt. »Renate, darf ich dir auch noch meine Schwägerin Charlotte vorstellen, die Ehefrau meines Bruders? Charlotte, das ist Renate, wir haben uns in der Kur kennengelernt.«

Renate nickte knapp, dann sagte sie mit einem langen Blick auf Christine: »Ich werde mal eine richtige Vase organisieren. Für so einen Putzeimer waren die Blumen wirklich zu teuer.« Sie verschwand und hinterließ eine Parfümwolke. Heinz schnupperte ihr hinterher.

»Ach übrigens«, Johann war aufgestanden und setzte sich nun auf die Fensterbank, »hier sind Stühle. Wollt ihr euch nicht setzen?«

»Och, nein«, Heinz lehnte sich lässig an die Wand, »ich kann auch stehen. Vielleicht wollen Mama und die Renate sitzen. Oder, Charlotte?«

»Die Renate will bestimmt gleich tanzen.« Seine Frau nahm Platz und legte eine 500-Gramm-Tafel Schokolade auf den Nachttisch. »Komm, Inge, mach mal auf, ich brauche das jetzt auch.«

»Also, Inge«, Heinz ging überhaupt nicht auf seine Frau ein, »die habe ich mir ja ganz anders vorgestellt, deine Freundin. Die ist ja sehr nett.«

Mit einem brutalen Knacken brach Inge die Tafel in der Mitte durch und hielt sie Charlotte hin. »Nimm ordentlich«, sagte sie, »es hilft.«

Gleichzeitig stopften sie sich große Stücke in den Mund, als es schon wieder klopfte.

Till, an der Hand seiner Mutter, in der anderen Hand einen kleinen Blumenstrauß, schob sich ins Zimmer.

»Bist du doll krank?«

Christine setzte sich neben Johann auf die Fensterbank und sah Tante Inge erfreut die Arme ausstrecken. »Oh, wie schön, da ist mein kleiner Freund. Hallo Till, hallo Anika, woher wisst ihr denn, dass ich hier bin?«

»Wir haben dich ganz viel angerufen, aber da war immer eine andere Frau dran, und dann habe ich zu Mama gesagt, wir müssen zu dir fahren, da, wo du wohnst. Weil, ich habe doch Karten für das Aquarium. Und da musst du mit uns hingehen.«

Till hatte sich aufs Bett gesetzt und die Blumen vorsichtig auf die Decke gelegt.

Seine Mutter guckte Inge entschuldigend an. »Es war immer nur die Mailbox dran. Ich habe mir Sorgen gemacht.« Sie hatte etwas Forschendes in ihrem Blick. »Und ich musste vorhin sowieso nach Kampen, da bin ich schnell bei Petra vorbeigefahren, um zu hören, was los ist. Till wollte dann sofort hierher.«

»Sag doch mal, bist du doll krank?« Tills Stimme klang kläglich.

Inge strich ihm über den Kopf. »Nein, Till, ich darf auch bald nach Hause. Und dann komme ich sehr gern mit ins Aquarium.«

Er strahlte sie an. »Da sind nämlich ganz große …«

»Hallo, wen haben wir denn da?« Renate schleppte eine anscheinend tonnenschwere Bodenvase in den Raum, die sie ächzend absetzte. »Das wird ja ein richtiger Massenauflauf. Ich bin Inges Freundin, Renate.«

»Anika Jakob. Und das ist mein Sohn Till. Da fällt mir ein, ich habe ja noch gar nicht richtig Guten Tag gesagt.« Sie gab Heinz, Renate und Charlotte die Hand und nickte Christine und Johann lächelnd zu. »Vor lauter Aufregung vergisst man glatt das Benehmen.«

Heinz musterte Anika. »Waren Sie nicht dabei, als meine Schwester in Kampen so viel, na, wie soll ich sagen …?«

»So, Frau Müller.« Der Arzt versuchte vergeblich, die Tür ganz aufzudrücken. Renate stand davor. Charlotte nahm sich noch ein Stück Schokolade.

»Was ist denn hier los?« Er passte gerade noch in den

Raum. »Wir wollten Sie noch einmal untersuchen, da wäre es hilfreich, wenn Ihr Besuch vor die Tür ginge.«

»Alle?« Heinz stellte sich vor das Bett seiner Schwester. »Ich bin der Bruder.«

»Heinz, bitte!« Inge setzte sich aufrecht hin. »Rette doch einen Moment lang jemand anderen. Du kannst Till was zu trinken kaufen. Till, du hast doch bestimmt Durst.«

Er sah seine Mutter an. Die nickte. »Ja, geh ruhig mit, wir warten im Flur.«

Es gab ein kleines Geschiebe, bis alle aus dem Zimmer waren. Hinter ihnen wurde die Tür geschlossen. Heinz marschierte mit Till zum nächsten Getränkeautomaten, Renate fixierte die anderen, dann schloss sie sich den beiden an. Anika sah ihnen nach.

»Ich hoffe, wir haben jetzt nicht gestört, aber ich habe mir wirklich Sorgen gemacht. Wie geht es ihr denn?«

»Sie hat Kopfschmerzen. Und natürlich einen Schock.« Charlotte hatte mit ruhiger Stimme geantwortet. »Alles halb so wild.«

Anikas Gesichtsausdruck war unsicher. »Und die hatte sie schon länger?«

»Was?« Christine verstand die Frage überhaupt nicht.

»Die Kopfschmerzen. War sie deshalb bei all den Ärzten?«

»Bei welchen Ärzten?«

»Sie hat doch ...« Anika wurde von einem jungen Mann unterbrochen, der mit einem großen Blumenstrauß auf sie zukam. »Entschuldigung, ist das hier Zimmer 112? Wo Frau Müller liegt?«

»Da können Sie jetzt aber nicht rein.« Charlotte nahm die Blumen in Augenschein. »Meine Güte, Sträuße wie auf einer Beerdigung.« Sie wandte sich wieder an Anika. »Was für Ärzte?«

»Ich soll sie doch nur abgeben. Gehen Sie gleich zu Frau Müller?« Der Kurier sah sich unsicher um. »Ich muss weiter.«

Christine nahm ihm die Blumen ab. »Geben Sie her. Ist eine Karte dabei?«

»Ja«, beflissen nickte er, »wenn Sie mir das bitte noch hier quittieren würden. Danke. Tschüss und gute Besserung.«

Eine kleine Genesungskarte steckte zwischen den Blumen. Christine versuchte die Unterschrift zu entziffern, entdeckte aber nur den Stempel des Floristen. Sie begann vorsichtig, die Karte aus dem Strauß zu schütteln. Ihre Mutter blickte sie strafend an.

»Das geht dich gar nichts an. Du wirst schon wie Heinz. Also, Anika, was war jetzt mit den Ärzten?«

»So genau weiß ich das auch nicht.« Sie biss sich unsicher auf die Unterlippe. »Frau Müller hat mich gefragt, ob ich einen guten Internisten kenne. Und welchen Hausarzt wir haben. Und dann wollte sie noch die Adresse von einer Orthopädin, die ihr empfohlen wurde. Ich habe sie natürlich gefragt, was sie denn hätte, aber sie hat nur gemeint, es wäre nichts. Sie wolle die Adressen nur sicherheitshalber.«

»Sicherheitshalber?« Charlotte runzelte die Stirn. »Verstehe ich nicht. Sie sieht doch aus wie das blühende Leben.«

»Ja, das finde ich ja auch. Und dann habe ich sie gestern Vormittag aus der Praxis von Dr. Fiedler kommen sehen, das ist ein Internist in Keitum. Sie machte so ein ernstes Gesicht, sah irgendwie ... unsicher aus. Ich habe noch gerufen, aber sie stieg sofort in ein Taxi und war weg.«

Christine war plötzlich etwa eingefallen. »Wo hat euer Hausarzt seine Praxis?«

»In der Paulstraße. Dr. Christiansen«, antwortete Anika.

»Dann war sie das doch!« Christine wedelte mit den Blumen. »Ich war vorgestern doch in Westerland einkaufen und habe bei dem Italiener in der Paulstraße noch einen Kaffee getrunken. Die Praxis liegt gegenüber, oder?« Als Anika nickte, fuhr Christine fort: »Ich habe gelesen, und als ich kurz hochguckte, meinte ich, Tante Inge aus der Tür kommen zu sehen.

Sie war aber sofort weg, auch im Taxi, ich dachte, ich hätte sie verwechselt.«

Charlotte beugte sich vor. »Du hast die Karte aus dem Strauß geschüttelt. Pass doch ein bisschen auf. Nicht dass die aus der Folie rutscht. Ich verstehe das nicht: Wenn Inge hier mal was hat, geht sie doch immer zu unserem Arzt. Der ist bei uns um die Ecke, Inge kennt ihn gut.«

Johann zuckte mit den Achseln. »Ihr könnt sie gleich fragen. Es gibt bestimmt eine ganz simple Erklärung dafür.«

Unauffällig versuchte Christine erneut, durch die Folie die Unterschrift auf der Karte zu entziffern.

»Vielleicht hat Inge irgendetwas Ernstes und will nicht, dass wir es erfahren. Wer ist denn Mark Kampmann?« Die Karte hatte sich jetzt gedreht.

»Was?« Charlotte dachte noch über etwas anderes nach.

»Mark Kampmann. Müssen wir den kennen?«

»Nur, wenn ihr in Schwierigkeiten steckt.« Heinz' Stimme ließ alle vier zusammenzucken. »Das ist ein Anwalt in Westerland. Kenne ich vom Namen. Was ist mit ihm?«

»Nichts.« Christine und ihre Mutter antworteten im Chor. »Gar nichts.«

»Dann würdet ihr doch nicht über ihn reden.« Heinz beugte sich über die Blumen. »Donnerwetter. Da hat sich aber jemand in Unkosten gestürzt. Von wem sind die denn?«

»Kann man nicht erkennen.« Christine zog den Strauß weg. Ihr Vater zog ihn zurück.

»Du musst ein bisschen schütteln, dann fällt die Karte aus der Folie. Die ist doch nicht zugeklebt.«

»Papa.«

Sie zogen beide ein bisschen, und noch bevor Charlotte eingreifen konnte, fiel die Karte durch einen Schlitz in der Folie, genau vor Renates Füße. Sie bückte sich am schnellsten, stieß aber auf dem Weg nach unten mit Christines Kopf zusammen.

»Aua«, mit schmerzverzerrtem Gesicht sah sie Christine böse an und griff nach der Karte. Heinz half Renate beim Hochkommen. »Haben Sie sich wehgetan? Das tut mir leid. Kommen Sie.«

Christine kauerte noch am Boden und rieb sich die Schläfe, als die Tür aufging und der Arzt mit der Schwester herauskam.

»So. Sie können wieder ins Zimmer gehen. Wir sind fertig.«

»Und?« Heinz klammerte sich am Arm des Arztes fest, mit der anderen Hand hielt er noch Renates Ellenbogen. »Können Sie uns schon etwas sagen?«

»Alles in Ordnung.« Sanft befreite sich der Arzt aus der Umklammerung, im Gegensatz zu Renate, die mit derselben Dramatik guckte wie ihr neuer Galan. Charlotte dachte sehnsüchtig an die Schokolade.

»Wenn sie will, kann Frau Müller nach Hause gehen.«

»Und die ganzen Blumen?« Christine war immer wieder überrascht, was ihr Vater im Leben wichtig fand. »Die kann man doch nicht mitnehmen. Ich meine, das macht man nicht. Das heißt, man kommt wieder. Oder? Charlotte?«

Mit resigniertem Gesichtsausdruck sah die an die Decke. Renate nahm der überraschten Christine schnell die Blumen aus dem Arm, schob sich an allen vorbei und stürmte ins Zimmer. Sie wedelte mit der Karte.

»Das sind ja schöne Neuigkeiten, Inge, du kannst nach Hause. Und sieh mal, diesen wunderschönen Blumenstrauß hast du von Mark Kampmann bekommen. Ist das nicht derjenige …«

»Den kannst du den Schwestern geben, für die freundliche Betreuung.« Inge hatte bereits ihre Hose und Bluse an und hielt eine Strickjacke in der Hand. »Aber die Karte will ich haben. Ich nehme den Strauß von Till mit. Dass ihr auch alle solche Massen an Blumen herschleppt. Als wenn ihr zur Beerdigung wolltet.« Kopfschüttelnd packte sie ihre Utensilien in ihre Handtasche.

»Inge?« Die Stimme ihres Bruders klang sehr streng.

»Ja, Heinz, ich kann nach Hause. Es ist alles in Ordnung, du musst dir keine Sorgen machen.«

»Woher kennst du Mark Kampmann?«

Einen ganz kleinen Moment lang hielt Inge inne, dann zog sie ihre Jacke an.

»Zufall. Erzähl ich dir später mal. Jetzt will ich hier raus.«

Charlotte hatte vorgeschlagen, zunächst zu ihnen zu fahren und erst mal in Ruhe Kaffee zu trinken.

Sie hatte Inge überreden müssen, vor allen Dingen, nachdem Heinz verkündet hatte, er fahre danach zu Petra, um Inges Sachen zu holen und die Rechnung zu bezahlen. »Das ist mir dort einfach zu unsicher. Du bleibst jetzt bei uns, basta.«

Seine Frau beobachtete Inges Gesichtsausdruck im Rückspiegel. »Heinz, oben schlafen Christine und Johann. Inge kann ja wohl nicht im Lesesessel übernachten. Und unten ist kein Platz.«

»Wieso denn nicht? Das Wohnzimmer ist groß genug, und die Couch kann man ausklappen. Wir haben früher zu fünft in dem Zimmer geschlafen, dann kann sie das ja wohl jetzt auch allein machen.«

»Heinz«, Inge wirkte müde, »früher standen da zwei Etagenbetten, und wir waren Kinder. Ich bleibe bei Petra, ich brauche meine Ruhe, und zweimal hintereinander steigt kein Einbrecher irgendwo ein.«

»Ha!« Heinz drehte sich auf dem Beifahrersitz zu Inge um. »Als ob du dich mit Kriminalstatistiken auskennst. Dass ich nicht lache!«

Charlotte schaltete einen Gang zurück, als sie das Ortsschild passierte. »Kennst du dich etwa besser aus? Jetzt lass deine Schwester mal in Ruhe, du siehst doch, dass sie erschöpft ist.« Sie sah im Rückspiegel den dankbaren Blick ihrer Schwägerin. »Wir trinken jetzt in Ruhe Kaffee, und dann sehen wir weiter.«

»Charlotte, es geht mir gut, ich soll mich nur nicht aufregen. Lasst mich einfach ein paar Tage ungestört Ferien machen. Mehr will ich im Moment gar nicht. Höchstens noch ein kleines Stück Käsekuchen, wenn noch was da ist.«

Charlotte nickte lächelnd und beschloss, dass sie an diesem Tag nicht mehr nach den eigenartigen Arztterminen fragen würde. Dazu würde sich bald eine Gelegenheit ergeben. Vielleicht war es auch besser, wenn Heinz nicht dabei war.

Er schnaubte. »Ferien! Ungestört! Weißt du, was ich glaube? Du steckst in Schwierigkeiten. Ich sage nur Mark Kampmann. Ich bin 73 Jahre alt und habe noch nie einen Anwalt gebraucht. Und du bist fast zehn Jahre jünger und hast schon wieder einen. Da stimmt doch was nicht. Halte mich nicht für blöd.« Er drehte sich wieder um und musterte sie mit zusammengekniffenen Augen. »Ich kenne dich.«

»Heinz. Den letzten Anwalt habe ich gebraucht, als mir dieser Vertreter im Parkhaus in Essen-Herdecke in die Seite gefahren ist und Fahrerflucht begangen hat. Das ist jetzt zwanzig Jahre her.«

»Ich brauchte noch nie einen Anwalt.«

»Schön für dich.«

»Jetzt hört endlich auf.« Charlotte schlug ungeduldig aufs Lenkrad. »Wie alt seid ihr eigentlich?«

Sie fuhr in die Auffahrt und stellte den Motor aus. Vor ihr parkten Johann und Christine. »Die Kinder sind auch schon da, jetzt hört auf, euch zu streiten.«

»Ich streite nicht.« Heinz ließ den Sicherheitsgurt mit Schwung in die Halterung knallen. »Das ist Inge. Sie ist komisch.«

Seine Schwester antwortete nicht, sondern schlug die Autotür nur lauter als nötig zu.

»Und mein Auto ist kein Bus! Das geht auch leiser.« Heinz stieg aus und schob die Tür sanft ins Schloss. »Siehst du? Lass deine Launen nicht an meinem Auto aus.«

Christine und Johann sahen zu, wie Heinz mit beleidigten Schritten ins Haus ging.

»Was ist denn nun los?« Johann nahm Inge ihre Tasche ab. »Geschwisterkrieg?«

Sie winkte ab. »Ach, er kriegt sich schon wieder ein. Wenn er nicht über alles Bescheid weiß, macht ihn das unruhig. Aber wenn er mich so umsorgt, geht mir das auf die Nerven. Also, von daher ist er mir beleidigt im Moment sogar lieber.«

Johann ließ sie vor sich eintreten, während Christine auf ihre Mutter wartete.

»Und?« Sie sah Charlotte neugierig an. »Hast du sie gefragt, warum sie bei den Ärzten war?«

»Nein«, Charlotte sah Inge nach, »dein Vater wäre dann sicher restlos durchgedreht. Ich warte auf eine bessere Gelegenheit. Aber eigenartig finde ich es schon.«

Die Gelegenheit kam früher, als Charlotte erwartet hatte. Nach dem Kaffeetrinken, was in gespannter Atmosphäre verlief, weil er keinen Ton sagte und sich lediglich die Hand auf den Magen presste, war Heinz abrupt aufgestanden.

»Ich leg mich mal für eine Stunde aufs Ohr, ich bin völlig kaputt. Vielleicht sollten gewisse Leute hier am Tisch mal darüber nachdenken, dass ich kein junger Mann mehr bin, der solche Aufregungen und Geheimniskrämereien locker wegsteckt.«

Langsam schleppte er sich zur Tür und ging raus. Charlotte stand seufzend auf.

»Ich komme gleich wieder. Nehmt euch noch Kaffee.«

Inge atmete tief aus und lehnte sich zurück. »Johann, Sie müssen nicht glauben, dass es immer so ist. Eigentlich sind wir ganz friedlich.«

Er lachte. »Das hat Christine auch schon mehrfach betont. Ich kann das ab, in meiner Familie gibt es auch genug Verrückte … Entschuldigung«, er sah Inge und Christine betreten an, »so war das nicht gemeint.«

»Schon gut.« Inge stützte ihr Kinn auf die Hand und sah ihre Nichte an. »Hältst du mich für verrückt?«

»Nein«, Christine suchte nach einer geeigneten Formulierung, »nur für verändert. Also irgendwie bist du ganz anders als sonst. So ... wie soll ich das sagen? ... als ob du irgendwas vorhast, was für dich nicht gut ist ... also, ich meine ...«

Inge unterbrach sie sehr bestimmt. »Ob etwas gut für mich ist oder nicht, kannst du gar nicht beurteilen, Kind, weil du gar nicht weißt, was ich vorhabe. Habt doch mal ein bisschen Vertrauen zu mir, es hat doch überhaupt nichts mit euch zu tun, wenn ich mein, mit Verlaub, furchtbar langweiliges Leben verändern muss.«

Charlotte hatte beim Eintreten die letzten Worte gehört. »Du *musst* dein Leben verändern?«

»Ja«, sagte Inge mit ernster Miene, »viel Zeit habe ich ja auch nicht mehr.«

Mutter und Tochter zuckten zusammen, Johann veränderte nur leicht seine Sitzhaltung.

»Wieso?«

Christine hatte sich getraut zu fragen. Inge antwortete gleichmütig: »Ich bin 64. Mit Glück habe ich noch einige schöne Jahre, mit Sicherheit aber nicht mehr so viele wie mit dreißig.«

»Aber du fühlst dich doch gut, oder?« Charlotte sah ihre Schwägerin forschend an.

Die nickte erstaunt. »Sicher.«

»Und wieso machst du hier dann Termine bei verschiedenen Ärzten?«

Inge blinzelte kurz und zog die Stirn in Falten, dann holte sie Luft und fragte mit fester Stimme: »Und wieso spioniert ihr mir nach?«

Jetzt wurde es selbst dem gelassenen Johann zu viel. Er stand auf. »Ich gehe laufen. Bis später.«

Christine dachte kurz, dass es vielleicht besser wäre, ihm zu folgen, entschied sich dann aber dagegen. Sie wartete, bis sie ihn auf der Treppe hörte, und sagte dann: »Er glaubt mir nie im Leben, dass ich eine reizende und völlig normale Familie habe. Tante Inge, wir wollen jetzt endlich wissen, was mit dir los ist. Bist du krank? Hast du Onkel Walter deshalb verlassen? Hast du vor irgendetwas Angst? Rede doch endlich.«

»Nein, verdammt!«, Inge schlug mit der flachen Hand so auf den Tisch, dass die Tassen klirrten. »Ich will nicht reden. Noch nicht, das habe ich schon hundertmal gesagt. Und behandelt mich nicht, als wäre ich grenzdebil. Ich rufe mir gleich ein Taxi. Hört auf zu fragen.«

Christine war bei diesem Ausbruch zusammengezuckt, ihre Mutter war blass geworden. Sehr beherrscht sagte sie: »Das musst du wissen. Aber ich möchte dich daran erinnern, dass du einen Bruder hast, der sich wirklich Sorgen um dich macht.«

»Den vergesse ich nie, sei gewiss. Ich gehe noch zur Toilette, dann möchte ich los. Du kannst mich eigentlich auch fahren, Christine.«

Christine nickte und sah ihre Mutter an. Die schwieg, bis Inge draußen war. »Wenn ihr weg seid, rufe ich Onkel Walter an. Es langt. Ich will jetzt wissen, was los ist.«

Charlotte ließ die Gardine in der Küche zurückfallen, als Christines Auto nicht mehr zu sehen war. Sie nahm sich eine Tasse Kaffee mit ins Wohnzimmer und tippte die Nummer von Walter ins Telefon. Nach fünf Freizeichen meldete er sich.

»Müller.«

»Hallo Walter, hier ist Charlotte.«

»Na, das ist ja mal nett, Charlotte. Wir haben uns ja lange nicht gehört. Und? Wie geht es euch? Alles in Butter? Viel Arbeit im Garten?«

»Ja, ja, alles gut. Sag mal, Walter, wieso bist du eigentlich nicht mitgefahren?«

»Wohin?«

»Walter! Nach Sylt! Warum ist Inge allein hier? Was ist eigentlich los?«

Schweigen. Charlotte zählte bis fünf.

»Walter? Hast du aufgelegt?«

»Nein, ich bin noch dran. Ja, warum bin ich nicht mitgefahren? Ich hatte so viel zu tun. Pias Steuererklärung ist noch nicht fertig, weißt du, sie ist so dermaßen schlampig. Überall fliegen die Belege rum, die Hälfte ist weg, bei jedem zweiten Bewirtungsbeleg sind Kaffee- oder Weinflecken drauf, also ich kann so nicht arbeiten, von mir hat sie das nicht. Und dann muss ich noch die Umsatzsteuer von Gertrud machen, weißte, die Wirtin vom ›Elefanten‹, die kommt mit ihrem Zeug ja auch nicht rüber. Und dann ...«

»Walter, du bist Rentner. Und deine Frau hat eine Lebenskrise.«

»Inge? Blödsinn. Das hat sie noch nie gehabt. Da hast du irgendwas falsch verstanden.«

Charlotte zwang sich, ruhig zu bleiben. Einatmen, ausatmen, einatmen, ausatmen.

»Charlotte? Hast du jetzt aufgelegt?«

Einatmen. »Hat Inge denn gesagt, wann sie wiederkommt?«

Er zögerte mit der Antwort. »Nicht so direkt. Aber das muss sie auch nicht. Ich weiß ja, wo sie ist, wenn was passiert. Lass mal. Ich esse ja jeden Tag bei Neumanns, das haben die mir angeboten. Dafür gucke ich dann ihre Versicherungen durch.«

Im Vergleich mit ihrem Schwager war Heinz geradezu einfach.

»Walter, ich glaube, Inge hat ein paar Probleme. Ich finde es nicht gut, dass sie hier allein ist.«

»Probleme ... Was für Probleme? Das wüsste ich ja wohl. Und überhaupt ...«

»Mit wem telefonierst du?« Plötzlich stand Heinz neben ihr und beugte den Kopf zum Hörer. »Das ist ja Walter. Gib mal.«

Er hob den Hörer ans Ohr. »Walter, bist du das? Ja, Tag. Inge ist überfallen worden ... Wann? Gestern Abend ... Nein, aber sie war eine Nacht im Krankenhaus ... Schwere Gehirnerschütterung, Schock, mehr hat man so schnell nicht feststellen können, sie sieht sehr schlecht aus, und was innen alles kaputt ist, sieht man ja als Laie nicht ... Du weißt doch, wie das ist mit dieser Gesundheitsreform. Die Kassen wollen nicht zahlen, und deshalb schmeißen die Kliniken auch Schwerkranke nach einer Nacht raus. Inge hatte doch keine Chance, richtig ... Ach, ihr seid privat versichert? Aha ... Wo sie jetzt ist?«

»Übertreib doch nicht immer so«, zischte Charlotte und nahm ihm den Hörer weg. Dann fuhr sie mit normaler Stimme fort: »Walter, ich bin wieder dran.«

Seine Stimme klang jetzt ängstlich. »Wieso hast du mir das nicht gleich erzählt? Da redest du vom Garten und meine Frau wird fast totgeschlagen.«

»Walter, du hast vom Garten angefangen, und ich wollte dich nicht aufregen, du hast doch so einen hohen Blutdruck. Inge ist gestürzt, während irgendein Krimineller in das Apartment eingestiegen ist. Sie hat eine leichte Gehirnerschütterung, ansonsten ist sie in Ordnung. Sie wollte nicht bei uns bleiben, sondern ist zu Petra zurück. Sie will ihre Ruhe haben.«

»Ist denn was geklaut worden? Inge lässt doch ihren Schmuck immer überall herumliegen. Und ihr Geld.«

»Nein, ich glaube nicht. Aber es wäre besser, wenn du kommst. Sie ist irgendwie anders als sonst. Kennst du eigentlich ihre Freundin Renate?«

»O Gott, ja, wieso? Ist die auch da?«

»Ja. Du kennst sie also?«

Walter musste husten. »Tschuldigung, nein, nur vom Telefon, da ist die immer unmöglich zu mir.«

Heinz hing die ganze Zeit mit dem Ohr in der Nähe des Telefonhörers, jetzt mischte er sich ein: »Walter, die ist nett. War auch im Krankenhaus. Und sie ist sehr interessiert an Sylt.«

Charlotte zuckte zusammen. »Brüll doch nicht so. Also Walter, was ist jetzt? Setzt du dich in den Zug?«

»Ich muss mal nach einer Verbindung gucken. Einen Sparpreis kriege ich wohl nicht mehr, wenn ich so kurzfristig buche, oder?«

»Walter!« Langsam wurde Charlotte ärgerlich. »Es geht um deine Frau, und du redest vom Sparpreis. Jetzt pack deine Sachen und sieh zu, dass du zum Bahnhof kommst. Ruf an, wenn du die Ankunftszeit weißt, wir holen dich dann in Westerland ab.«

»Ja. Gut. Gib mir noch mal Heinz.«

Charlotte reichte den Hörer weiter und beobachtete ihren Mann, der konzentriert zuhörte. »Das geht bei ihr immer von selbst vorbei. Ist auch nicht oft … Da frage ich mal. Aber das geht auf jeden Fall. Also dann, tschüss und gute Fahrt.« Er drückte die rote Taste und legte den Hörer wieder auf die Station. Dann ging er wortlos raus.

»Heinz?«

In der Tür drehte er sich um. »Ja?«

»Was wollte Walter denn noch?«

»Er wollte wissen, ob es hier irgendwo Premiere-Fernsehen gibt, wegen Dortmund gegen Bayern übermorgen.«

»Wie? Walter kommt wegen Inge hierher und will dann Fußball gucken?«

»Ist doch gegen Bayern. Ganz wichtiges Spiel.«

Charlotte schüttelte fassungslos den Kopf. »Meine Güte! Und was geht immer von selbst vorbei?«

»Wenn du mal komisch bist. Das geht ja meistens von allein weg. So, ich gehe jetzt Rasen mähen.«

Charlotte wurde plötzlich unsicher, ob der Entschluss, Walter anzurufen, wirklich richtig gewesen war.

Inge sah schweigend nach vorn und knipste unaufhörlich mit dem Verschluss ihrer Handtasche. Christine räusperte sich.

Keine Reaktion. Nach weiteren fünf Minuten sagte sie: »Tante Inge! Du machst mich ganz kribbelig.«

»Womit?«

»Mit deiner Tasche.«

»Ach so.« Inge schloss die Tasche und verschränkte ihre Finger um den Riemen. »Du bist aber auch nervös. Läuft es nicht so gut mit Johann?«

»Was?«

»Er ist doch ein sehr angenehmer Mensch. Ich weiß gar nicht, warum du ein Problem mit ihm hast.«

Christine schaltete etwas zu ruppig in den fünften Gang. Inge sah sie tadelnd an. »Was denn? Hast du schlechte Laune?«

»Nein«, Christine nahm den Fuß vom Gas, sie fuhr fast hundert, obwohl hier nur siebzig erlaubt waren, »habe ich nicht. Und ich habe auch kein Problem mit Johann, ich habe eines mit meiner Familie. Er muss doch langsam glauben, dass wir alle geisteskrank sind. Dabei bin ich mit ihm zwei Wochen hierhergekommen, um ihm gerade das Gegenteil zu beweisen. Ich dachte, es geht gut.«

»Ja meinst du, ich habe mich extra überfallen lassen, damit mich dein neuer Freund für verrückt hält? Was glaubst du eigentlich?«

Inge knipste ihre Tasche wieder auf und zu. Sie war sauer. Christine bekam sofort ein schlechtes Gewissen.

»Nein, natürlich nicht. Ich finde es furchtbar, dass dir das passiert ist. Du kannst ja auch nichts dafür, dass Papa gleich wieder zur Hochform aufläuft. Und dann noch …«, sie verschluckte den Namen Renate, schließlich war das Inges Freundin, »dann noch dieser ganze Wirbel. Im Krankenhaus und so. Ach, ist auch egal. Ich kann das nur nicht gut ab, wenn gestritten wird.«

Inge sah ihre Nichte nachdenklich an. »Das hast du von deinem Vater. Als Kind ist er schon vor jeder Auseinandersetzung geflohen. Das konnte er noch nie, also vernünftig streiten, meine ich. Und genau deshalb gibt es auch immer wieder Missverständnisse. Er will, dass alles in Ordnung ist. Und er sucht ständig wilde Begründungen, wenn irgendwas nicht stimmt. Das kann ich nicht leiden.«

»Na ja«, Christine hatte überhaupt keine Lust, über ihren Vater zu diskutieren, »du hast aber gerade Mama und mich angebrüllt, nicht deinen Bruder.«

»Angebrüllt«, Inge schüttelte verständnislos den Kopf, »ich kann dich ja mal anbrüllen, damit du weißt, wie das ist. Vorhin habe ich nur sehr bestimmt meine Meinung gesagt. Kind, es ist doch ganz einfach: Ihr lasst mich in Ruhe einige Dinge erledigen, dann haben wir auch keinen Streit. Ich will den nämlich auch nicht.«

»Und wann erzählst du uns was?«

Inge lächelte. »Wenn es so weit ist. So, da sind wir ja schon.« Christine hatte neben Petras Auto geparkt. »Kommst du noch mit rein? Sag es keinem, aber irgendwie habe ich doch ein komisches Gefühl, wieder in das Apartment zu gehen.«

Christine überfiel eine Welle der Zuneigung und der Reue. Ihre Tante hatte etwas Schreckliches erlebt, und sie stritten über Kinderkram. Wirklich eine tolle Familie. Christine beugte sich schnell vor und küsste Inge auf die Wange.

»Entschuldigung«, sagte sie, »wir benehmen uns wirklich unmöglich. Natürlich komme ich noch mit rein.«

Petra stand an der Tür und erwartete sie. »Ich habe euch kommen sehen. Wie geht es dir, Inge? Tut dir der Kopf noch weh?« Sie war ganz besorgt und hakte Inge sofort unter. »Du sollst dich doch bestimmt noch ein bisschen schonen, oder? Ich habe deine Sachen übrigens ins andere Apartment gebracht. Das linke, das neben meiner Wohnung, da ist der Balkon auch schöner. Das ist dir doch recht, oder? Im anderen ist das Fenster noch nicht repariert, und es muss ja auch nicht sein, dass du wieder da wohnst.«

Inge warf Christine einen erleichterten Blick zu. »Ach, das wäre schon irgendwie gegangen. Ist ja nichts weiter passiert.«

»Von wegen«, protestierte Petra, »mir ist immer noch schlecht, wenn ich nur daran denke. Das ist doch gruselig. Die Polizei will übrigens noch mit dir sprechen, sie wollen wissen, ob dir irgendetwas aufgefallen ist. Ich habe ihnen schon gesagt, dass du heute wieder zurückkommst, sie kommen gegen Abend vorbei.«

»Das geht in Ordnung.« Inge nickte. »Ich kann ihnen nur leider nicht viel erzählen. Ich habe ja geschlafen und nur ein Geräusch gehört. Und danach bin ich gegen die Tür geknallt und weiß nichts mehr.«

Christine strich ihr über den Rücken. »Jetzt denk an was anderes. Wollen wir nachher zusammen essen gehen?«

»Nein«, antwortete ihre Tante entschlossen, »du gehst mit Johann essen, fernab von deiner verrückten Familie. Ich mache mir ein Brot und gucke schön den Film im Ersten. Mir geht es gut, jetzt schaut mich nicht so besorgt an. War noch etwas?«

»Ja«, Petra bemühte sich, den sorgenvollen Blick in einen neutralen zu verwandeln, »hier war noch eine Nachricht auf dem Anrufbeantworter für dich, willst du hören?«

»Natürlich.«

Petra spulte das Gerät auf dem kleinen Tisch ein Stück zurück, dann ertönte ein Piepton, und eine sonore Stimme sagte: »Das ist eine Nachricht für Inge Müller. Hallo, ich bin es. Leider springt auf dem Handy nur die Mobilbox an, deswegen versuche ich es so. Ich stehe morgen früh um acht Uhr wie verabredet vor dem Haus. Falls irgendetwas dazwischenkommt, bitte kurz eine Nachricht auf mein Handy sprechen, die Nummer ist ja bekannt. Also dann, einen schönen Abend mit der Freundin, bis morgen. Tschüss.«

Inge hatte sich die Ansage mit unbeteiligter Miene angehört. Petra und Christine hatten sie neugierig beobachtet.

»Wer war …?« Christine schluckte den Rest runter, als sie Inges hochgezogenen Augenbrauen sah. »Schon gut, Tante Inge, ich frage nichts mehr.«

»Danke.«

Petras Blick ging verständnislos von Tante zu Nichte. »Das hat sich wohl auch erledigt. Der Anruf war gestern Abend, und heute Morgen ist ja niemand vorbeigekommen. Zumindest habe ich nichts gesehen, und ich habe von halb acht bis neun Uhr meine Rosen vorm Haus entlaust.«

Inge nickte langsam. Dann griff sie nach ihrer Tasche und hielt Petra die Hand hin. »Gibst du mir den Schlüssel?«

»Der steckt.«

»Gut.« Sie wandte sich an ihre Nichte. »Danke fürs Herbringen und auch so. Ich melde mich bei euch. Hab einen schönen Abend. Bis dann.« Lächelnd drehte sie sich auf dem Absatz um und ging die Treppe hoch.

Petra sah Christine an. »Hast du eine Ahnung, wer das war?«

»Nein. Aber sie hat sich verbeten, dass wir uns in ihre Angelegenheit einmischen. Ab sofort halte ich mich dran.«

Petra grinste. »Na, das sag mal lieber deinem Vater. Der sieht das, glaube ich, ganz anders.«

Auf dem Rückweg fuhr Christine an der Wanderdüne vorbei, wo sie Johann entdeckte, der mit langen Schritten auf dem Fahrradweg joggte. Sie fuhr langsamer und hielt ein paar Meter vor ihm an. Als er das Auto erkannte, lächelte er und beschleunigte.

»Hallo«, sein Atem ging stoßweise, er stützte sich mit den Händen am Auto ab, »ich glaube, ich habe den Streckenrekord geknackt, dafür muss ich mich auch gleich übergeben.« Sein Kopf war knallrot, seine Haare verschwitzt. »Die ganze Zeit gegen den Wind. Da wirst du wahnsinnig.«

»Willst du mitfahren?«

Johann blickte sich um. »Das ist ja ein bisschen mädchenhaft – aber es sieht vielleicht niemand.«

Er drückte sich ab und ging um den Wagen herum. »In Wirklichkeit rettest du mir gerade das Leben«, sagte er, während er einstieg und sich anschnallte, »da vorn geht es nämlich noch mal bergauf. Ich wollte gar nicht so weit, da habe ich mich ein bisschen überschätzt.« Er beugte sich zu ihr, um sie zu küssen. »Ich rieche wie ein Iltis. Bring mich nach Haus und wasch mich.«

Christine lachte und startete den Motor. Johann wischte sich mit dem Ärmel den Schweiß von der Stirn.

»Und?«, fragte er. »Sind alle wieder versöhnt oder gab es Verletzte?«

»Weder noch. Ich habe Inge zu Petra gefahren. Wir hatten ein ganz gutes Gespräch im Auto. Sie hat gesagt, wir sollen sie in Ruhe ihre Dinge erledigen lassen, dann würde sie später auch mit uns reden.«

»Worüber?«

Christine hob die Schultern. »Über das, was sie gerade umtreibt, nehme ich an. Ich weiß immer noch nicht, was es ist, aber es geht ja eigentlich auch niemanden was an.«

Johann pfiff anerkennend. »Was für eine Einsicht. Kompliment.«

»Das brauchst du gar nicht so blöde zu kommentieren. Außerdem tut sie mir leid, weil sie diesen Überfall erleben musste. Und anstatt sie zu trösten, machen alle so ein Theater. Das ist wirklich unfair.«

»Sag ich doch.«

»Ja. Ich werde nachher mit meinen Eltern reden. Nicht, dass mein Vater mir zuhört, aber vielleicht kann er sich doch ein bisschen zurückhalten.«

»Das glaube ich kaum.« Johann zog sich umständlich seine Trainingsjacke aus. »So lange er das Gefühl hat, dass was nicht stimmt, wird er sich darum kümmern. Auf Norderney hat er sich bei seiner Detektivarbeit auch von nichts und niemandem aufhalten lassen.«

Christine hatte wieder das Bild vor Augen, wie ihr Vater, begleitet von seinem Jugendfreund Kalli, beide mit Sonnenbrillen getarnt, Johann über die ganze Insel verfolgten. Sie hatten sich regelrecht zum Affen gemacht. Trotzdem versuchte Christine die Vaterrettung.

»Alleine hätte er sich niemals so benommen. Kalli und Gisbert haben ihn ganz schön befeuert. Die haben sich doch alle gegenseitig verrückt gemacht.«

Zweifelnd sah Johann sie an. »Wenn du meinst. Hat dein Vater denn hier keine Freunde?«

Sie überlegte kurz. »Doch, schon, aber das sind alles so ganz ruhige und seriöse Rentner.«

»Toi, toi, toi«, Johann klopfte auf die Konsole, »auf dass du recht hast.«

Christine verzichtete darauf zu sagen, dass die Konsole nicht aus Holz war. Vielleicht ging es auch mal so.

Das Telefon klingelte in dem Moment, in dem Charlotte ihre Hände in eine weiche Masse aus Mehl, Milch, Zucker und Eiern versenkte. Walter war manchmal ein Stiesel, aber er aß so gerne Käsekuchen. Sie hielt inne. Heinz hatte den Rasenmäher ausgestellt.

»Heinz.«

Nichts. Nur das Telefon klingelte weiter. Charlotte schüttelte die Hände über der Schüssel ab und sah sich nach einem Lappen um. Er lag über dem Stuhl, weit weg.

»Heinz! Telefon!«

»Was?«

Der Anrufer hatte Kondition, es klingelte immer noch.

»Das Telefon!«

»Ja, dann geh doch ran.«

»Ich habe Teig an den Fingern.«

Das Klingeln verstummte.

»Schon gut.« Charlotte knetete weiter. Zehn Sekunden später klingelte es wieder.

»Telefon.« Heinz' Stimme klang fröhlich. »Ich habe Gras an den Fingern. Geh du mal.«

Der Teig war jetzt trockener und leichter abzustreifen. Charlotte ging ins Wohnzimmer und nahm den Hörer ab, ein kleiner Teigklumpen fiel auf die Konsole.

»Hallo, hier ist noch mal Walter. Wart ihr gerade eben nicht da?«

»Doch«, Charlotte schnipste die Krümel auf den Boden, »ich knete gerade Teig, und Heinz mäht Rasen. Wir waren nicht schnell genug.«

»Ach so. Dann kann ich Heinz ja nicht stören. Das geht wohl schlecht.«

Mich kannst du eigentlich auch nicht stören, dachte Charlotte. »Was wolltest du denn? Vielleicht kann ich dir ja auch helfen.«

Er überlegte kurz. »Du kannst ihn vielleicht mal fragen, ob ihm das was ausmacht, wenn er mich morgen Abend um 21.39 Uhr in Westerland abholt.«

»Wieso kommst du denn erst so spät? Der Zug fährt doch etwa sieben Stunden, da kannst du doch viel früher hier sein.«

»Fragst du Heinz bitte mal, ob es ihm was ausmacht?«

Charlotte atmete tief durch. »Moment.«

Sie öffnete das gekippte Fenster ganz und wollte gerade laut rufen, als sie sah, dass ihr Mann genau unter dem Fenster stand und zu ihr hochsah.

»Walter will wissen, ob es dir was ausmacht, ihn morgen Abend um 21.39 Uhr vom Bahnhof abzuholen.«

»Wieso denn so spät?«

Charlotte nahm das Telefon wieder ans Ohr. »Heinz will wissen, warum du erst so spät kommst.«

»Ich habe da so ein Ticket gekauft. Das ist mit Ermäßigung für Rentner und weil ich über einen Sonntag fahre und wegen noch irgendwas. Das kostet nur 54,50 Euro, stell dir vor, Dortmund bis Westerland. Ich kann da nur nicht Intercity fahren. Oder mit dem ICE.«

»Was sagt er?«, wollte Heinz von draußen wissen.

Charlotte nahm den Hörer vom Ohr. »Er hat so ein Sparticket. Ohne Intercity und ICE.«

»Aha. Und wann fährt er los?«

»Walter? Wann fährst du los?«

Walter raschelte am anderen Ende mit Papieren. »Um 8.20 Uhr. Ich muss aber siebenmal umsteigen.«

»Du spinnst doch. Heinz, er fährt um 8.20 Uhr und muss sieben Mal umsteigen.«

»Frag Walter mal, was er bezahlt.«

»Das habe ich gehört, Charlotte. Habe ich doch gesagt: 54,50 Euro.«

Charlotte nahm den Hörer wieder runter. »54,50 Euro.«

Heinz nickte zufrieden. »Das ist günstig. Walter, der alte Sparfuchs. Richtig so. An dem verdient nicht mal der Bahnchef was. Natürlich hole ich ihn ab. Wenn er noch mehr sparen kann, auch später.«

»Geht in Ordnung, Walter.« Ihre Stimme war emotionslos. »Dann schmier dir ordentlich Brote, damit du nicht für teures Geld im Zug was kaufen musst. Oder am Bahnhof.«

»Da bin ich gerade dabei«, antwortete Walter eifrig. »Meinst du, dass sechs Stullen reichen? Dann hätte ich nämlich noch eine für morgen Früh.«

Charlotte rieb mit ihren mehligen Fingern über die Konsole. »Bestimmt, Walter, bestimmt. Bis morgen dann.«

Kurz darauf kam Christine in die Küche. Ihre Mutter kratzte gerade die Teigschüssel aus und steckte sich anschließend den Löffel in den Mund.

»Was ist?« Christine bückte sich und guckte in den Backofen. »Du leckst doch nie die Schüssel aus, früher habe ich die immer bekommen.«

»Kohlenhydrate.« Charlottes Mund war teigverschmiert. »Für die Nerven.«

»Schon wieder? Was ist passiert?«

»Onkel Walter hat dem Bahnchef eins ausgewischt und fährt für 54,50 Euro dreizehn Stunden Zug. Mit siebenmal umsteigen. Jetzt sag nicht, dass er nicht gewieft ist.«

»Wann kommt er denn?«

»Morgen Abend um 21.39 Uhr. Papa holt ihn ab.«

»Aha.«

Nach dem Gespräch mit Tante Inge beschlich Christine ein wenig das schlechte Gewissen. Sie hätten Onkel Walter nicht anrufen sollen, auf der anderen Seite war ein Einbruch aber auch ein Notfall, das konnte man Walter doch nicht verschweigen. Sie nahm sich eine Flasche Wasser und zwei Gläser.

»Ich setze mich raus.«

Charlotte fuhr mit dem Zeigefinger durch die Schüssel und antwortete nicht.

Als Johann sich frisch geduscht und mit nassen Haaren neben Christine auf die Bank setzte, war sie noch ganz in Gedanken. Er nahm ihr die Flasche aus der Hand und goss sein Glas voll. »Heute Abend ist eine Lesung in der ›Rantum-Quelle‹. Drei Autoren, die aus ihren Krimis lesen. Wollen wir da hin?«

»Onkel Walter kommt mit Sparpreis morgen Abend.«

»Das ist ja erst morgen. Weiß deine Tante das?«

Christine sah ihn unsicher an. »Nein.«

»Oha. Aber du wolltest dich doch nicht mehr einmischen.«

»Meine Mutter hat Walter angerufen. Ich kann da gar nichts dafür.«

Johann trank und streckte seine Beine aus. »Na, wie auch immer. Wollen wir zu der Lesung? Zwei von den Krimis kenne ich, die fand ich sehr gut.«

»Johann?«

»Ja?«

»Ich habe vorhin bei Petra etwas gehört, das geht mir jetzt nicht mehr aus dem Kopf.«

»Was denn?«

»Auf Petras Anrufbeantworter war eine Nachricht für Tante Inge. Irgendein Mann, der sie eigentlich heute Morgen um acht Uhr abholen wollte. Es klang, als wären die beiden sehr vertraut. Inge hat nicht gesagt, wer es war. Petra fand es auch komisch.«

»Christine?«

»Ja?«

»Hatten wir uns nicht darauf geeinigt, dass es dich nichts

angeht? Und hat deine Tante nicht darum gebeten, dass man sie in Ruhe lässt?«

»Ja.«

Johann stützte sich auf der Lehne der Bank auf und lächelte sie an. »Dann halte dich daran.«

»Du hast ja recht.« Christine stand auf. »Ich rufe jetzt in der Rantum-Quelle an und frage, ob es noch Karten gibt.«

Als sie im Wohnzimmer das völlig verschmierte Telefon mit einem Lappen abwischte, sah sie draußen ihren Vater aus dem Gartenhaus kommen. Er ging an Johann vorbei und klopfte ihm kurz auf die Schulter. Christine hatte diesen Gesichtsausdruck schon mal gesehen, im letzten Sommer auf Norderney. Wenn er die ganze Zeit im Gartenhaus gewesen war, hatte er alles gehört. Wie auch immer, sie wollte sich nicht mehr einmischen. Stattdessen wählte sie entschlossen die Nummer der Rantum-Quelle und leckte sich den restlichen Kuchenteig vom Finger.

Am nächsten Morgen schlenderte Inge langsam durch den Normannenweg und besah sich dabei die Rhododendren, die in den Gärten blühten. Es gab sie in allen Farben und an jeder Ecke. Sie gehörten zu den Dingen, die Inge in Dortmund immer gefehlt hatten. Sie hatte in den letzten Jahren in ihrem Garten auch welche gepflanzt, an einer Seite gab es schon eine richtige Hecke, aber sie war die Einzige in der Straße. Auf Sylt blühten sie vor fast jedem Haus, genauso wie die kleine Sylter Rose und der blaue und weiße Flieder. Oder die bunten Stockrosen. Inge seufzte, sie würde nie einen Sylter Garten nach Dortmund exportieren können, allein schon deshalb, weil Walter so furchtbar gern Rasen mähte.

»Ingelein, ich kann so gut dabei denken. Aber nur, wenn ich in geraden Bahnen arbeite. Das mit den Kurven, da um die Beete rum, du, das ist nichts für mich.«

Sie hatte es anfangs ignoriert und lauter kleine runde Beete angelegt. Walter hatte Kanten reingemäht, später hatte sie sich auf den Vorgarten und die Blumenrabatte am Haus beschränkt. Ihr taten die abrasierten Blumenköpfe immer leid. Hinter dem Haus wuchsen nur noch Sträucher und Rasen.

Und jetzt bekam Inge wieder Sehnsucht nach genau so einem Sylter Garten. Unvermittelt stand sie vor dem »Ulenhof«. Sie sah auf die Uhr, Viertel vor elf, um elf hatte sie sich mit Renate verabredet. Vielleicht war sie ja auch schon fertig. An der Rezeption wurde sie von der netten Bedienung von neulich begrüßt.

»Guten Morgen. Sie wollen bestimmt Frau von Graf abholen. Soll ich sie anrufen?«

»Nein, nein«, Inge war beeindruckt, dass die junge Frau sie sofort erkannt hatte, »ich bin zu früh dran. Ich setze mich in den Garten, wenn ich darf.«

»Natürlich, möchten Sie vielleicht eine Tasse Kaffee?«

»Sehr gerne, vielen Dank.«

Inge lächelte ihr zu und ging zu einem Tisch, der schon in der Sonne stand. Sie hatte sich vorgenommen, mehr Zeit mit Renate zu verbringen. Sie hatten sich während der Kur so gut verstanden, und jetzt war Renate extra hergekommen, um ihr zu helfen. Das war schließlich nicht selbstverständlich. Auch wenn es nicht nötig gewesen war. Aber Renate konnte ja nicht wissen, dass Inge im Moment gar keine Hilfe brauchte. Trotzdem war es ein netter Zug von ihr, den Inge nicht einfach ignorieren konnte. Und wollte. Also hatte sie heute Morgen zum Telefon gegriffen und im »Ulenhof« angerufen.

»Hallo Renate. Was hast du denn heute vor?«

Renates Stimme hatte etwas verschnupft geklungen. »Wieso?«

Kurz angebunden hatte Inge sie auch noch nicht erlebt.

»Ich dachte, wir könnten vielleicht einen Spaziergang am Strand entlang machen, von Wenningstedt nach Westerland. Das dauert eine gute Stunde. Und danach gehen wir eine Kleinigkeit essen, ein bisschen bummeln und wieder zurück. Was meinst du?«

»Wie kommt das denn, dass du auf einmal Zeit für mich hast?«

Sie klang nicht verschnupft, sie klang beleidigt.

»Es tut mir leid, Renate, dass alles ein bisschen hektisch war. Also, was ist?«

»Wolltest du nicht einen kleinen Ausflug machen? Aufs Festland?«

Inge schluckte. »Das hat sich vorerst erledigt. Ich meine, ich muss noch mal zum Arzt, wegen meines Kopfes, da wollte ich jetzt nicht wegfahren.«

Es war nur eine ganz kleine Lüge. Dr. Keller hatte lediglich gesagt, wenn es ihr in den nächsten Tagen nicht gut ginge, sollte sie noch mal vorbeikommen.

»Aha«, Renate überlegte, »... na gut. Holst du mich ab? Ich habe den Porsche nicht getankt.«

Und ich habe gar kein Auto, hatte Inge gedacht, dann aber gesagt: »Ja, klar. Ich bin gegen elf Uhr bei dir, dann ist Ebbe, und man kann schön laufen.«

Schließlich wollte sie sich Mühe geben.

Renate kam mit klackernden Absätzen um die Ecke. »Da bist du ja. Wartest du schon lange?«

Inge sah auf die Uhr, halb zwölf, und schüttelte den Kopf. »Ein paar Minuten. Und ich habe einen Kaffee bekommen.«

Es war eigentlich eine Unart, immer und überall zu früh zu kommen. Walter betrieb das mit einem derartigen Ehrgeiz, dass Inge das mittlerweile automatisch ebenso machte.

»Ich habe gern den besten Platz«, pflegte er zu sagen, wenn sie viel zu früh zu einem Essen kamen und von der Hausfrau noch im Bademantel empfangen wurden oder wenn sie im Regen vor den verschlossenen Türen des Theaters standen. »Nachher bist du mir dankbar, Inge, und dieses Abhetzen ist doch auch nichts.«

Wieso dachte sie heute überhaupt so oft an Walter?

»Inge?« Renate hatte sich vor ihr aufgebaut. »Was ist? Wollen wir los, oder willst du noch ein bisschen träumen?«

»Nein«, sofort stand Inge auf, »wir können los.« Sie nahm Renate erst jetzt richtig wahr. »Hast du noch andere Schuhe dabei?«

»Wieso?« Renate streckte ihr Bein nach vorne und musterte zufrieden die schwarz-weiß gemusterten Pumps. »Die sind doch wunderbar.« Das Muster wiederholte sich in ihrem wallenden Oberteil, das sie zu einer weißen Bermudajeans trug.

Schon schick, dachte Inge, sagte aber: »Kannst du denn mit zehn Zentimeter Absatz im Sand laufen?«

»Wieso Sand?«

»Am Strand ist Sand. Und ich habe doch gesagt, wir machen eine schöne Strandwanderung nach Westerland.«

»Ja, ja«, Renate sah auf Inges bequeme Tunschuhe, »falls mir der Sand die Schuhe ruiniert, ziehe ich sie einfach aus und gehe barfuß. Dass du dich in diesen alten Tretern wohlfühlst, verstehe ich überhaupt nicht. Schöne Schuhe haben doch auch was Sinnliches. Deine sehen ja aus, als würdest du Einlagen tragen.«

»Tue ich auch.« Inge wippte kurz auf den Zehenspitzen. »Seitdem habe ich keine Rückenschmerzen mehr. Und im Übrigen bin ich zehn Jahre älter als du, warte mal ab, ob du in ein paar Jahren immer noch mit solchen Absätzen laufen kannst.«

»Darauf kannst du Gift nehmen«, Renate setzte sich entschlossen eine weiße Schirmmütze auf, »und wenn ich vorher Schmerztabletten einwerfe, solche Latschen kommen mir nicht ins Haus.« Sie schob sich noch die Sonnenbrille auf die Nase, dann machten sie sich auf den Weg.

Bereits auf der Treppe, die am »Kliffkieker« zum Strand führte, kam Renate ins Straucheln. Inge hielt sie gerade noch am Ellenbogen fest, bevor sie ganz ihr Gleichgewicht verlieren konnte.

»Gott, diese Holztreppen sind aber auch glatt.« Renate sah sich kurz um, vergewisserte sich, dass niemand ihren Beinahe-Sturz mitbekommen hatte. »Kurtaxe abzocken und die Leute dann auf den Strandübergängen umbringen. Das ist ja ganz clever. Du kannst mich loslassen, Inge, ich bin doch keine alte Frau. Hoffentlich ist dieses Geländer wenigstens nicht marode.«

Mit der Hand am Treppenlauf stakste sie etwas ungelenk zum Strand runter, der Wind fuhr unter ihre weite Bluse und ließ einen Traum in Spitze vorblitzen. Inge war beeindruckt und dachte an ihr altes T-Shirt, das sie statt eines Unterhemdes unter dem Pulli trug. Sie sollte sich auch mal schöne Wäsche kaufen. Von wegen zweckmäßig und waschbar bei sechzig Grad, damit war jetzt Schluss. In der Strandstraße gab es einen Dessousladen, da könnte sie nachher mal hingehen.

Unten angekommen atmete Renate tief durch und schaute sich um. »Das sieht doch schön aus. Nach rechts oder links?«

»Links.« Inge zeigte in die Richtung. »Dahinten ist die Westerländer Promenade. Kannst du denn hier laufen?«

Renate stand schon schief, die Absätze gruben sich langsam in den Sand. Sie machte einen vorsichtigen Schritt, dann noch einen, und der Schuh blieb stecken. Kurz entschlossen zog sie die Pumps aus, schlug die Sohlen gegeneinander und stopfte sie in ihre überdimensionale Handtasche. Ihre Fußnägel waren schwarz lackiert.

»Barfuß laufen ist sowieso gesund. Also los.«

Zehn Minuten liefen sie schweigend am Wasser entlang. Dann holte Renate tief Luft.

»Wolltest du mir nicht noch etwas erzählen?«

»Was denn?«

»Na, von deinem romantischen Kurzurlaub. Ich nehme ja an, dass der Blumenkavalier da etwas mit zu tun hat ...« Sie stupste Inge mit einem verschwörerischen Lächeln an. »Das muss man ihm lassen, knauserig ist der nicht, der Strauß hat ihn ganz schön was gekostet.«

»Meine Reise hab ich erst mal aufgeschoben, habe ich doch schon gesagt, ich weiß noch gar nicht, wann ich fahre. Vielleicht mache ich das auch allein.« Inge biss sich auf die Zunge, sie wollte doch gar nicht so viel erzählen.

»Du machst deine romantische Fahrt allein?« Renate war stehen geblieben. »Was soll das denn?«

Inge wartete, bis sie wieder zu ihr aufgeschlossen hatte. »Du redest immer von einer romantischen Reise, ich habe das nie so bezeichnet. Das ist eher etwas ... Geschäftliches. Und überhaupt nicht spektakulär.« Zumindest nicht für dich, fügte sie in Gedanken hinzu.

»Ja, aber ... das ist doch ein potentieller Liebhaber. Du hast dich mit ihm getroffen, außerdem hattest du so einen beseelten Blick, als du davon erzählt hast.«

Inge wurde rot.

»Siehst du, du wirst sogar rot. Ich kenne dich, meine Liebe, von wegen stilles Wasser. Und du kannst mir sagen, was du willst, ohne einen neuen Mann geht keine Frau zum Scheidungsanwalt, es sei denn, sie ist völlig verrückt. Und du warst bei einem.«

»Ja, aber ...«, Inge versuchte, ohne viel zu lügen, Renates Interpretation eine andere Richtung zu geben, »Mark ist ... wie soll ich dir das bloß erklären? Es ist so, dass ...«

Lächelnd hakte Renate sich bei Inge ein. »Liebchen, lass mal, ich bin eine erfahrene Frau und kenne das Leben. Wenn du im Moment noch nicht ins Detail gehen willst, weil das alles noch zu frisch ist, dann ist es ja in Ordnung. Weißt du, als ich dich in Bad Oeynhausen das erste Mal gesehen habe, da dachte ich, was ist das nur für eine unsichere Seele? Über vierzig Jahre verheiratet und nur noch ein Anhängsel ihres Mannes ...« Inge wollte empört widersprechen, Renate ließ ihr jedoch keine Chance. »Aber ich habe noch etwas in deinen Augen gesehen. Ja, habe ich gedacht, die Inge ist noch nicht fertig mit dem Leben, da kommt noch was nach. Und? Habe ich recht gehabt?«

Sie sah Inge triumphierend an. Inge hielt dem Blick stand. »Ja, irgendwie hast du schon recht gehabt. Aber ich war nie ein Anhängsel von Walter.«

»Nein, nein«, Renate tätschelte ihr den Arm, »sicher nicht. Aber ohne ihn ist es doch auch schön, oder?«

Plötzlich schoss ein kleiner schwarz-weißer Hund von hinten zwischen ihnen durch, bellte kurz und rannte wieder zurück. Renate schrie auf und taumelte, wieder griff Inge im letzten Moment nach ihrem Ellenbogen. Mit aufgerissenen Augen und ans Herz gepresster Hand blieb Renate stehen und sah sich um.

»Wem gehört diese gottverdammte Töle? Ich habe hier fast einen Herzinfarkt gekriegt.« Sie hatte gebrüllt.

Inge hielt immer noch ihren Arm. »Beruhige dich, es war nur ein kleiner Hund. Guck doch mal, der hat sogar zu deinen Schuhen gepasst.«

»Bloß ein Hund! Die sollen dieses Vieh anleinen. Das ist ja lebensgefährlich.«

»Ja, ja«, etwas ungeduldig zog Inge Renate weiter, »es ist doch nichts passiert. Jetzt komm, die Leute gucken schon.«

»Ja und?« Renate entzog ihr den Arm und sah sich um. »Sieh mal da vorn. Die alte Frau mit den beiden Kindern. Diese Misttöle gehört denen.« Sie beschleunigte ihre Schritte und marschierte auf die Gruppe zu. Inge beeilte sich, hinterherzukommen.

»Gehört Ihnen dieser Köter?«

Ein etwa zwölfjähriges Mädchen hob den Kopf. »Ja, das ist Oma Margrets Hund. Warum?«

»Er hat mich angefallen.«

»Renate. Bitte.« Inge lächelte die Frau, die unter einem Sonnenschirm saß und gelesen hatte, an. Sie waren ungefähr im selben Alter. »Entschuldigen Sie, aber meine Freundin hat sich furchtbar erschrocken, als das Tier so plötzlich von hinten angesaust kam.«

Margret musterte Renate, dann ihren Hund und fing an zu lachen.

»Angefallen?«, fragte sie. »Sagen Sie bloß. Das hat er noch nie hinbekommen. Das tut mir leid. Mädels, ihr wolltet doch auf Rosine achten.«

Der Hund hieß tatsächlich Rosine. Renate warf einen bösen Blick auf die Gruppe, drehte sich um, murmelte: »Man sollte dem Vieh den Hals umdrehen«, und stapfte zornig weiter.

»Sie meint es nicht so«, sagte Inge verlegen, »das war nur der Schreck.«

»Lassen Sie nur«, Margret kraulte dem Hund, der sich rücklings in den Sand geworfen hatte, den Bauch, »ich kann diese kleinen Kläffer eigentlich auch nicht leiden, aber er ist mir zugelaufen, und die Mädchen hängen jetzt so an ihm.«

»Sind das Ihre Enkelinnen?«

»Nein«, sie schaute kurz zu den beiden, »ich habe noch nicht mal Kinder. Wir wohnen nur im selben Haus. Wenn ihre Eltern arbeiten, kommen sie manchmal zu mir zum Essen. Ich bin so eine Art Ersatzoma.«

Inge musterte die beiden blonden Mädchen. »Ach, das hätte ich auch gern, endlich mal wieder Kinder im Haus. Man fühlt sich sonst schnell alt. Denke ich zumindest manchmal.«

»Ingeee!« Renate stand wieder am Flutsaum, ihre Stimme war röhrend. »Jetzt komm schon!«

Mehrere Strandspaziergänger drehten sich zu ihr um.

Inge winkte ihr zu und sagte bedauernd: »Ich muss weiter. Schönen Tag noch.«

»Ebenfalls. Tschüss.«

»Wenn Omas auf Enkel und Hund aufpassen, dann kann das ja nichts werden.« Renate guckte sich ein letztes Mal um, als Inge sie eingeholt hatte. »Das haben die nie im Griff.«

»Es war nicht die Oma. Und du hast sie als alte Frau tituliert, dabei ist sie nicht älter als ich.« Gespannt wartete Inge auf die Antwort, die prompt kam:

»Ich bitte dich! Die sah aber viel älter aus. Das ist doch gar kein Vergleich. Und woher weißt du, dass sie nicht die Oma ist?«

»Ich habe sie gefragt. Sie kümmert sich nur ab und zu um sie, es sind Nachbarskinder.«

»Das würde mir gerade noch fehlen.« Renate schnaubte durch die Nase. »Mich um fremde Blagen kümmern, schönen Dank auch.«

»Wenn man keine hat, ist das doch schön. Ich hätte gerne Enkelkinder, aber Pia denkt überhaupt nicht darüber nach.

Vor Kurzem hat sie ihren Freund verlassen, er war ihr zu spießig. Dabei war das so ein netter Kerl.«

Renate blieb abrupt stehen und sah sie fassungslos an. »Inge! Was erzählst du denn für einen Schwachsinn? Es reicht doch, dass *du* so lange gebraucht hast, um aufzuwachen. Soll deine Tochter jetzt die Fehler ihrer Mutter wiederholen?«

»So viele Fehler habe ich gar nicht gemacht. Alles in allem war mein Leben bislang absolut in Ordnung.« Inge erwiderte gelassen Renates Blick. »Nein, wirklich. Ich habe nie etwas anderes behauptet.«

»Und was war dann in Bad Oeynhausen? Wir haben doch nächtelang geredet. Du hast mir erklärt, dass ich dir die Augen geöffnet habe. Du warst Feuer und Flamme, du wolltest zu neuen Ufern aufbrechen, das habe ich doch nicht geträumt!«

»Ja, sicher«, Inge zog an Renates Arm, damit sie weiterging, »das stimmt. Aber ich habe nie gesagt, dass alles Bisherige ein Fehler war. Ich habe nur gesagt, dass mein Leben so nicht mehr in Ordnung ist. Dass da was falsch läuft. Und dass ich mir was überlegen muss. Ich habe nichts gegen Kinder. Und schon gar nichts gegen Enkelkinder.«

»Dummes Zeug! Werner hat eine Tochter aus erster Ehe, die musste vor sieben Jahren unbedingt so eine Blage in die Welt setzen. Und was ist passiert? Wir sind auf einem Geburtstag eingeladen, sehr elegant, sehr vornehm, ich im Silberlameekleid von Jil Sander, als Josi, also Werners Tochter, auf mich zukommt. ›Mäuschen, geh mal zu Oma‹, sagt sie, setzt mir dieses dicke Kind auf meinen Schoß, und alle gucken. Oma! Ich war noch keine fünfzig. Und dieses dicke Kind reiherte mir zum Dank auch noch aufs Kleid. Ich war um halb zehn zu Hause. Nein, besten Dank. Ich weiß schon, warum ich keine Kinder habe.«

Inge schwieg. Unvermittelt musste sie an Till denken. Der kleine Junge hatte manchmal schon so erwachsene Augen. Es war nicht einfach für Anika, als alleinerziehende Mutter ihr Leben zu organisieren. Da war kein Platz für ein Kleid von Jil Sander. Und eigentlich auch zu wenig Platz für ihren kleinen Sohn. Dabei gab es so viele ältere Menschen, die nicht wussten, was sie mit ihrer Zeit anfangen sollten. Das war doch nicht gerecht.

»Inge?« Renate war stehen geblieben. »Wo bist du eigentlich mit deinen Gedanken? Ich habe gedacht, wir unterhalten uns mal ein bisschen, stattdessen marschierst du stumm und mit einer Grabesmiene neben mir her. Das ist ziemlich langweilig.«

»Wieso Grabesmiene? Unsinn. Ich habe nur gerade an etwas gedacht. Entschuldige.«

»Ich will gar nicht wissen, woran du gedacht hast. Aber komm nicht auf die Idee, mich mit deiner schlechten Laune anzustecken. Außerdem habe ich kalte Füße. Dieser Sand ist richtig klamm, und ich renne barfuß durch die Gegend. Das ist wirklich zu blöd.«

»Renate, ich habe keine schlechte Laune. Und gegen deine kalten Füße kann ich auch nichts machen. Vielleicht sollten wir schneller gehen.«

Renate betrachtete ihre Zehen und grub sie in den Sand. »Sie sind schon ganz weiß. Wie abgestorben. Ich hole mir hier den Tod.«

»Sag mal, Renate«, Inge beobachtete die kleinen Sandhaufen, die Renates Zehen hinterließen, »hast du schon mal etwas über diese Mehrgenerationenhäuser gelesen?«

»Über was?«

»Diese Häuser, in denen mehrere Generationen zusammenleben, wie der Name schon sagt. Ich habe da mal einen Artikel darüber gelesen. Das klang alles sehr gut. Weißt du, man kann sich da gegenseitig helfen. Nimm als Beispiel die beiden Mädchen von eben. Vielleicht sind die Eltern berufstätig und haben wenig Zeit, dann kann doch so eine Ersatzoma mal einspringen. Auf der anderen Seite kommt ja die Zeit, wo uns Älteren gewisse Dinge immer schwerer fallen: Einkäufe, Gartenarbeiten, Reparaturen im Haus, dann können sich die Jüngeren revanchieren. Ein Mieter hilft dem anderen, das ist doch sehr schön.«

Renate sah Inge an, als wäre sie nicht ganz dicht. »Du hast vielleicht Ideen! Das ist nicht schön, das ist grauenhaft. Wir hatten jahrelang meine demente Großmutter im Haus. Sie hatte das größte Zimmer und alle unter ihrer Knute. Ich habe mich immer gefragt, warum mein Vater sie nicht einfach erschlagen hat, sie ist erst mit 101 vor einen Bus gelaufen. Da hat sie, glaube ich, gerade die Russen eingekesselt. Oder sonst was in der Art.«

»Aber für deine Großmutter war das doch schön. Also, dass sie nicht in einem Altenheim leben musste, sondern mit jungen Leuten zusammen.«

»Pah!« Renate ging langsam weiter. »Was heißt hier junge Leute? Mein Vater war damals siebzig. Uns Kinder hat sie frühzeitig aus dem Haus getrieben. Sie hat ihren Schwiegersohn, also meinen Vater, gehasst und meinen Bruder im Übrigen auch, weil der genauso aussah. Ich durfte keine laute Musik hören und keine Hosen tragen, und überhaupt wollte sie uns eigentlich nie sehen. Es war nur leider ihr Haus, meine Eltern konnten sich kein eigenes leisten. Also mussten wir springen und für sie einkaufen, ihre Möbel verschieben, Gardinen waschen, Briketts hochschleppen, dauernd was Neues. So viel zum Mehrgenerationenhaus. Ein einziger Albtraum.«

»Na ja, mit Familie ist es auch schwierig. Aber wenn man freiwillig zusammenzieht, also alte Leute mit jungen Eltern, die sich sympathisch finden, das wäre doch ganz was anderes.«

»Inge«, Renate seufzte, »vergiss es. Den ganzen Tag fremde Kinder um dich herum, die vermutlich hyperaktiv sind, deine Gartenrosen niederwalzen und dein Geld klauen, um sich davon Drogen zu kaufen. Eltern, die sich ankeifen und nie Rücksicht nehmen, und zum Dank kannst du dann dauernd auf die fremden Gören aufpassen, natürlich umsonst. Mein Leben stelle ich mir wirklich anders vor. Und jetzt wechseln wir bitte das Thema, allein von der Vorstellung kriege ich schon Aggressionen.«

Inge musterte sie nachdenklich. Vielleicht hatte sie es nur schlecht erklärt, Renate hatte überhaupt nicht verstanden, worauf sie eigentlich hinauswollte. Es hatte keinen Sinn, es ihr jetzt noch einmal zu erläutern. Sie schob ihre Gedanken beiseite und hakte Renate unter.

»Dann komm. Wir gehen gleich einen heißen Kakao trinken, dann kaufst du dir Socken und vernünftige Schuhe, und anschließend kannst du mich in ein Wäschegeschäft begleiten. Ich habe nämlich vorhin darüber nachgedacht, dass ich gerne schöne Wäsche kaufen möchte. Etwas in der Art, was du immer trägst, Spitze und so.«

Sofort guckte Renate erfreut. »Na also. Das ist sehr gut. Bis auf die Schnapsidee mit den vernünftigen Schuhen und natürlich dem Kakao. Ich bin doch keine zwölf mehr. Nein, wir trinken gleich Schampus. Zum Wäschekaufen geht man nämlich am besten ein bisschen angeschickert. Ja, das gefällt mir.«

Diese Aussicht wärmte ihr anscheinend sogar die Füße. Lächelnd und mit langen Schritten lief Renate der Westerländer Promenade entgegen.

Heinz legte das Telefon mit nachdenklichem Gesicht auf die Station zurück und setzte sich neben seine Tochter.

»Es meldet sich niemand.«

Christine tauschte mit Johann die Zeitung, fragte zerstreut: »Wo?«, und überflog den regionalen Teil der ›Sylter Rundschau‹. »Hast du gesehen? In der ›Alten Backstube‹ gibt es heute Jazz. Da könnten wir doch eigentlich hin.«

Johann nickte. »Bremen hat unentschieden gespielt. 3:3.«

»Schade.«

»Es meldet sich niemand.« Heinz schlug mit der flachen Hand auf den Tisch. »Hört ihr mir überhaupt zu? Niemand.«

»Wo denn?« Johann ließ die Zeitung sinken und sah ihn fragend an.

»Bei Petra. Und ihr Handy ist auch aus.«

»Was willst du denn von Petra?« Christine las weiter, guckte aber zwischendurch hoch. »Die Veranstaltung fängt um zwanzig Uhr an.«

»Herrgott, leg doch mal die Zeitung weg, wenn ich mit dir rede!« Jetzt hatte Heinz richtig schlechte Laune. »Das ist doch wohl nicht zu viel verlangt.«

Seine Tochter legte den Kopf schief. »Woher hast du überhaupt Petras Handynummer?«

»Nicht Petras. Ich rede von deiner Tante Inge. Sie geht nicht an ihr Handy, und bei Petra ist auch keiner zu erreichen. Nicht dass da schon wieder etwas passiert ist.«

Sorgfältig glättete Johann seinen Teil der Zeitung und legte ihn auf den Tisch. »Ich glaube nicht, dass diese Kleinkriminellen zweimal nacheinander ins selbe Haus einsteigen. Inge ist bestimmt spazieren gegangen. Und wenn sie am Wasser ist, hat sie keinen Empfang.«

»Von wegen Kleinkriminelle.« Ungläubig schüttelte Heinz den Kopf. »Du bist vielleicht naiv.«

»Papa!« Christine legte ihre Hand auf Johanns Oberschenkel. »Jetzt fang nicht wieder mit irgendwelchen Verschwörungstheorien an. Was wolltest du denn von Inge?«

»Ich wollte Walter ankündigen.«

»Ach.« Johann nickte zufrieden. »Das ist doch mal ein richtiger Ansatz.«

Heinz sah ihn fragend an. Christine war schneller. »Sie muss ja auch Petra Bescheid sagen, wegen der Bettwäsche und so.«

»Was meint er mit Ansatz?«

»Nichts, Papa, gar nichts. Hat Onkel Walter sie denn nicht selbst angerufen?«

»Wieso?«

»Na, weil er heute kommt. Das wird er ihr doch gesagt haben.«

»Nö, das glaube ich nicht. Er ist doch ihr Mann. Da braucht er sich doch nicht anzukündigen.«

Christine und Johann blickten verwirrt. Heinz stand auf. »Es wird wirklich Zeit, dass Walter kommt. Schließlich hat er sie geheiratet. Ich bin nur ihr Bruder und kann mich nicht ein Leben lang um meine kleine Schwester kümmern, das ist wirklich zu viel verlangt. Und sie macht es mir wirklich nicht leicht. Und Walter auch nicht. Da ist sie so alt geworden und wird plötzlich drollig. Das verstehe mal. Bin ich Psychologe oder was? Also, ich gehe jetzt zum Hafen und kaufe die neue Fernsehzeitschrift. Ihr könnt ja machen, was ihr wollt, ihr habt ja Urlaub. Also, bis später.«

Johann hob kurz die Hand und wartete, bis Heinz die Küche verlassen hatte. »Er hat ein richtig schlechtes Gewissen. Vielleicht hat er durch das Durcheinander, das er mit seinen Nachforschungen auf Norderney angerichtet hat, ja doch was gelernt und hält sich jetzt zurück.«

»Nie im Leben«, antwortete Christine und griff wieder nach der Zeitung, »er hat nur Schiss vor Inges Reaktion, wenn Walter nachher vor ihr steht.«

»Was glaubst du? Wie reagiert sie?«

Christine sah ihn über die Zeitung hinweg an. »Ich glaube nicht, dass sie vor lauter Wiedersehensfreude in Tränen ausbrechen wird. Jedenfalls möchte ich bei dieser Familienzusammenführung nicht unbedingt dabei sein.«

Dann beobachtete sie durch das Küchenfenster ihren Vater, der sich im Gehen seine Schirmmütze aufsetzte und die Richtung zum Hafen einschlug. Er ging mit hängenden Schultern. Christine hoffte, dass Inge Walter wenigstens eine kleine Chance gab.

Inge stand seitlich vor dem Spiegel und zog den Bauch ein. Wenigstens so gut es ging. Dann atmete sie verwundert wieder aus. Was doch neue Wäsche auslöste. Und sie trug sich sogar sehr angenehm. Natürlich war alles vernünftig geschnitten und entsprechend ihrem Alter ausgesucht. Das hatte die freundliche Verkäuferin extra betont, die Inges Verlegenheit bemerkte, als Renate ihr eine sehr modische Garnitur in die Umkleidekabine reichte. Sie war so ein Hauch, sah noch nicht mal aus wie Unterwäsche. Inge war ja wirklich nicht mehr jung. Aber jetzt trug sie hübschere Wäsche als je zuvor. Und sie fühlte sich ganz wohl damit. Trotz ihres kleinen Bauches und der runden Hüften. Sie wollte überhaupt nicht mehr dreißig sein. Oder gar zwanzig. Aber sie wollte noch Zeit haben. Zeit für Dinge, die sie in den letzten Jahren vergessen hatte. Obwohl … eigentlich hatte sie sie nicht vergessen, sie hatte nur gedacht, sie könnte sie ja immer noch irgendwann mal machen. Jetzt war sie 64, und für einige Dinge war es Zeit. Höchste Zeit. Weil sie sie sonst gar nicht mehr schaffen konnte. Und das machte ihr manchmal Sorge. Aber jetzt hatte sie ja zumindest schon einen Anfang gemacht.

Inge zog die neue Wäsche vorsichtig aus und legte sie sorgfältig zusammen. Dann schlüpfte sie in ihren Schlafanzug und den Bademantel. In einer halben Stunde gab es einen Spielfilm im Fernsehen, den wollte sie noch sehen.

Als sie das Fenster öffnete, fuhr gerade ein Auto auf den Parkplatz vor dem Haus. Inge sah auf die Uhr, es war schon kurz vor zehn, die neuen Gäste reisten ja wirklich spät an. Inge beugte sich vor und hielt die Luft an. Es war Heinz. Um diese Uhrzeit! Sie hatte überhaupt keine Lust, jetzt mit ihrem Bruder zu diskutieren. Sie wollte den Film sehen. In diesem Moment wurde die Beifahrertür geöffnet. Bitte nicht auch noch Charlotte! Dann wurde es noch komplizierter. Aber Charlotte war schlanker. Die Person, die ausstieg, war voluminös und bewegte sich schwerfällig. Vor Schreck blieb Inge der Mund offen stehen. Es war Walter. Mit einem riesigen Rucksack auf dem Rücken. Inge fragte sich, wie er damit gesessen hatte. Laufen konnte er jedenfalls kaum damit. Inge befürchtete, ohnmächtig zu werden.

Ohne Rücksicht auf bereits schlafende Gäste wurde jetzt auf den Klingelknopf gedrückt. Es war doch nicht zu fassen. Inge zog ihren Bademantelgürtel fester zusammen und hastete die Treppe hinunter, bevor Heinz oder Walter das ganze Haus weckten.

Sie riss die Haustür auf und starrte die beiden an.

»Überraschung!« Heinz lehnte sich lässig an den Türrahmen und lächelte. »Hast du etwa schon geschlafen?«

Mit seinem überdimensionalen, silberfarbenen Rucksack sah Walter ein bisschen aus wie Neil Armstrong beim Betreten des Mondes. Und so bewegte er sich auch. Er wankte zwei Schritte auf sie zu.

»Na, mein Inge, da guckst du, was? Ich habe mich sofort in den Zug gesetzt, als ich von dem Anschlag auf dich gehört habe. Das war ja wohl was. Ich sage dir, wir kriegen eine Revolution. Die Politik von denen da oben, die rächt sich irgendwann. Meine Rede: Zu viele Arme, zu viele Abgaben, alles wird teurer, da müssen doch einige ausflippen und ...«

»Walter.« Inges Stimme klang sehr schwach. Mittlerweile wünschte sie sich eine Ohnmacht geradezu herbei.

»Ja?«

»Was hast du denn da für ein Ding auf dem Rücken?«

»Das?« Walter versuchte seinen Kopf ein Stück zu drehen. »Das ist ein Rucksack. Damit kann man eine Weltreise machen. Zwanzig Innentaschen. Frostsicher. Ultraleichter Kunststoff. Ganz prima.«

»Aha. Zwanzig Innentaschen«, wiederholte Inge tonlos.

»Und wiegt fast nichts.« Heinz schlug begeistert auf das Monstrum, so dass Walter ein Stück vortaumelte. »Hat er geliehen. Von … wie heißt der noch?«

»Von Henning. Das ist der Sohn von meinem ehemaligen Kollegen Paul. Der macht öfter mal eine Weltreise und hat es auch so im Rücken. Da soll man ja keine Koffer tragen. Von wegen der ungleichen Belastung, das verschiebt die Wirbel. Deshalb hat er mir den Rucksack geliehen. Das fand ich sehr nett. Und er braucht ihn erst im Oktober zurück.«

»Im Oktober.« Inge fühlte sich wie ein traumatisierter Papagei. »Sag bloß.«

»Ja.« Walter nickte zufrieden. »Man kriegt ihn nur so schlecht allein runter.«

»Das machen wir gleich zusammen.« Heinz schob sich an Inge vorbei in den Flur. »Jetzt komm doch erst mal rein. Kleines Pils?«

Walter nickte. »Gerne. Das wird auch Zeit. Ich hatte mein Wasser schon in Münster ausgetrunken.«

»Inge, wo hast du denn Bier? In der Gaststube? Oder sollen wir bei Petra klopfen?«

Plötzlich erwachte Inge aus ihrer Starre. »Untersteh dich! Wir klopfen nicht bei Petra, und wir gehen auch unter gar keinen Umständen in die Gaststube. Es ist nach zehn Uhr abends. Was ist eigentlich in euch gefahren? Walter, wieso rufst du nicht an, bevor du dich mit so albernem Gepäck in den Zug setzt? Ich habe doch klar und deutlich gesagt, dass ich ein paar Tage Ruhe brauche. Spreche ich Bulgarisch, oder wieso hört mir keiner zu?«

»Nun reg dich doch nicht auf.« Ihr Bruder tätschelte ihr den Arm. »Wir schlafen da mal drüber, und morgen sehen wir weiter.«

Er zwinkerte seinem Schwager zu und begann umständlich, ihm das Trumm von Rucksack abzunehmen.

»Ihr könnt gern drüber schlafen, nur hier nicht.« Inges Stimme zitterte, sie wusste selbst nicht, ob vor Wut oder Kälte. »Ich habe ein Einzelbett. Walter, es tut mir leid, du hattest bestimmt eine anstrengende Fahrt, aber ich habe es dir gesagt: Ich will meine Ruhe. Und jetzt will ich meinen Film sehen. Also tschüss.«

Mit hängenden Armen und verblüfften Gesichtern standen Walter und Heinz vor ihr. Walter fand als Erster seine Sprache wieder. »Ja, wenn du meinst ...«

»Aber wo soll er denn hin?« Heinz hob theatralisch seine Hände. »Er kann ja wohl nicht in den Dünen schlafen!«

Inge musterte nachdenklich den Weltenbummler-Rucksack. »Wohl nicht. Aber bei euch ist doch Platz. Heute Nachmittag erst hast du zu mir gesagt, ich soll zu euch ziehen. Für eine Nacht kann Walter ja wohl auf der Couch schlafen. Und morgen fährst du wieder nach Hause, Walter. Mir geht es gut, das hast du jetzt gesehen, du kannst beruhigt zurück.«

Sie ignorierte die entsetzte Miene ihres Bruders und sah stattdessen Walter an. Er überlegte einen Moment, dann schüttelte er den Kopf.

»Das geht nicht. Da muss ein Sonntag dazwischen sein. Das ist schlecht.«

»Wie? Sonntag?« Inge verstand kein Wort.

»Sparpreis.« Walter tippte sich bedeutungsvoll an die Stirn. »Ich habe die Bahn ausgetrickst. Die normalen Fahrpreise sind ja eine Unverschämtheit. Jetzt habe ich was ausgetüftelt, das ist sensationell preiswert. Aber wenn ich morgen zurückfahre, ist mein ganzes System hinfällig.«

Bevor Inge antworten konnte, stellte sich Heinz wie ein Schutzschild vor seinen Schwager. »Inge, ich erkenne dich nicht wieder. Und ich schäme mich für dich. Walter, du kommst jetzt mit zu uns, es ist ja nicht so, dass die ganze Familie durchgedreht ist, einige von uns haben noch Anstand. Also, dann. Wiedersehen. Walter, du kriegst das Ding alleine hoch, oder?«

Ohne die Antwort abzuwarten, stürmte Heinz an seiner Schwester vorbei nach draußen. Walter bückte sich seufzend und schob mühsam seinen Arm in einen der Tragegurte. Inge fühlte plötzlich Mitleid, beugte sich vor und hielt den Gurt hoch. Walter lächelte sie dankbar an.

»Das ist ein bisschen unpraktisch, allein, weißt du, der Henning ist viel größer als ich, der kommt da irgendwie besser rein. Danke.« Er zog die Gurte zurecht und wippte ein paar Mal, bis alles richtig saß. »So. Dann gehe ich wohl mit deinem Bruder mit, was?«

Inge strich ihm kurz über die Wange. »Ja, Walter. Ich habe es dir extra gesagt, ich muss ein bisschen allein sein.«

»Sag mal, Inge …?«

»Was?«

»Aber du bist nicht sauer auf mich, oder?«

»Nein. Du hättest nur anrufen sollen.«

»Aber die Fahrkarte war wirklich günstig … Wie lange dauert das denn noch? Also, das mit dir, meine ich.«

»Ach Walter.« Er hatte mit diesem riesigen Rucksack eine frappierende Ähnlichkeit mit einer Comicfigur, die Pia als Kind gehabt hatte, Big Jim oder so ähnlich. »Du und ich, wir müssen aber was aus unserem Leben machen. Mal was wagen. Auch wenn wir schon in Rente sind.«

»Also wirklich«, Walter guckte entrüstet, »wenn das heute mal nichts war. Ich bin siebenmal umgestiegen, mit dem Ding hinten drauf. Du, und ich habe ein paar nette Leute kennengelernt, und das alles für 54,50 Euro.«

»Walter!«

Er ging einen Schritt auf die Tür zu und winkte Heinz, der mit verschränkten Armen laut nach ihm rief, beruhigend zu. »Ich komme.« Dann drehte er sich wieder zu Inge um.

»Ich muss los. Also, schlaf gut. Du sagst mir, wenn du mich brauchst, ja?«

»Mach ich. Gute Nacht.«

Inge sah ihm hinterher, wie er zu Heinz wankte. Sie bezweifelte, dass dieses Monstrum von Rucksack wirklich rückenfreundlich war.

Johann pfiff das letzte Stück, das die Jazzband gespielt hatte. Beeindruckt sah Christine ihn von der
Seite an, pfeifen konnte er also auch. Das Konzert
hatte fast drei Stunden gedauert, es war schon fast halb elf,
aber weder Johann noch Christine hatten Lust, gleich nach
Hause zu fahren.

»Wir können ins ›Hafendeck‹ gehen und einen Cocktail
trinken«, schlug Christine vor.

Das »Hafendeck« war nicht so voll, wie Christine befürchtet hatte. Direkt am Fenster stand ein freier Tisch. Christine
lehnte sich zufrieden zurück und griff nach der Cocktailkarte.

»Ich glaube, ich nehme so einen Tequila Sunrise, auch auf
die Gefahr hin, dass du mich danach nach Hause tragen
musst. Würdest du das tun?«

Es kam keine Antwort, Christine sah hoch. »Johann?«

Mit zusammengekniffenen Augen fixierte er einen Punkt
am Ende der Bar. Erst als Christine ihre Hand auf seinen Arm
legte, schreckte er hoch.

»Schau mal da, ist das nicht …?«

»Renate.« Christine war seinem Blick gefolgt und hatte die
rothaarige Lockenpracht im weißen Hosenanzug sofort erkannt. »Solche Anzüge trug früher mal John Travolta. Ist Tante Inge auch dabei?«

Suchend sah Johann sich um. »Ich sehe sie nicht. Ich glaube,
Renate ist mit dem Mann im roten Jackett da.«

Der Begleiter war für sein Alter vielleicht ein bisschen zu
bunt angezogen, wirkte aber trotzdem nicht unsympathisch.
Er lachte gerade laut auf, worauf Renate die Hand auf seine

Brust legte und ihm etwas ins Ohr flüsterte. Dann griff sie nach ihrem Champagnerglas und warf ihm einen langen und lasziven Blick zu.

»Die geht aber ran.« Johann grinste. »Also, was wolltest du jetzt trinken? Ich glaube, ich möchte einfach nur ein Bier.«

Während sie auf die Getränke warteten, musste Christine sich zwingen, das Turtelpaar nicht zu beobachten. Dabei wäre es so spannend gewesen. Sie versuchte sich auf Johann zu konzentrieren, der entspannt vor seinem Bier saß und aufs Wasser schaute. Bis der DJ die ersten Takte eines alten Schlagers spielte und laut Renates Stimme ertönte: »Du hast mich tausend Mal belogen …, o Horst, das ist mein Lieblingslied, du musst mit mir tanzen, komm!«

Johann und Christine konnten nicht anders, sie mussten sich jetzt umdrehen. Renate tänzelte vorneweg, wedelte kokett mit den Enden ihres Schals im Takt, bis sie auf der Tanzfläche ankam, wo sie wiegend auf Horst wartete. Der kam etwas verlegen hinterher, legte ihr steif die Hand auf den Rücken, wurde aber sofort von ihr umschlungen.

Johann hob die Augenbrauen. »Wer führt da eigentlich?«

»Renate natürlich. Sie hat alles gegeben, da überlässt sie doch jetzt nichts mehr dem Zufall. Und später wird sie zu ihm sagen: ›Du wolltest es doch auch.‹« Vorsichtig sog Christine an ihrem Strohhalm. »Der Cocktail ist aber eine heftige Mischung. Spätestens beim übernächsten Lied zerre ich dich auch auf die Tanzfläche.«

»Trink langsamer. Wer ist denn überhaupt Horst? Ich dachte, sie wäre allein hier.«

»Vielleicht eine Urlaubsbekanntschaft?« Das Glas war voller Eiswürfel, so dass Christine keine Ahnung hatte, wie viel sie schon getrunken hatte. »Ich glaube, Renate sucht einen Mann. Dass sie Inge besucht, ist nur ein Vorwand.«

»Wie kommst du denn darauf?«

»Sie hat so ein Glitzern in den Augen. Ich merke so was.

Aber so doll ist Horst nun auch nicht. Ich glaube, ich möchte noch so einen Cocktail.« Sie gab der Bedienung ein Zeichen.

Johann schüttelte nachsichtig den Kopf. »Ich tanze nicht. Habe ich das schon erwähnt? Egal, wie du zerrst. Und egal, wie viel von diesen Mischungen du trinkst.«

Am Rand der Tanzfläche entstand plötzlich Unruhe. Eine Frau Anfang sechzig in Jeans, Pulli, Windjacke und mit praktischer Kurzhaarfrisur drängte sich mit entschlossenem Gesichtsausdruck zu Horst und Renate durch, die sich mit geschlossenen Augen eng umklammert im Takt wiegten. Als sie Horst auf die Schulter tippte, öffnete er die Augen – und verlor alle Farbe im Gesicht. Es war leider nicht zu verstehen, was gesprochen wurde, Johann und Christine saßen zu weit weg, die Körpersprache der drei verhieß aber nichts Herzerwärmendes: Die praktische Kurzhaarfrisur knallte dem roten Jackett eine.

Johann zuckte zusammen. »Aua.«

Christine reckte den Hals, um nichts zu verpassen. »Armer Horst. Hoffentlich schlägt ihn Renate nicht auch noch.«

Renate stand da wie eine Königin, sagte keinen Ton, warf nur einen giftigen Blick auf die Kurzhaarfrisur und einen auffordernden auf Horst. Der Arme war anscheinend der Einzige, der mit der Situation total überfordert war, er sah nur zwischen den beiden Frauen hin und her. Nach einem heftigen Wortwechsel drehte sich die Kurzhaarfrisur auf dem Absatz um. Horst sagte etwas zu Renate, dann rannte er hinterher. Und die Königin? Mit der größten Verachtung, die Christine jemals in einem Blick gesehen hatte, nahm sie das Kinn hoch und tanzte einfach allein weiter.

Johann und Christine sahen sich an und nickten anerkennend.

»Die Nerven musst du erst mal haben«, sagte Johann, »Respekt.«

Vermutlich erzeugte seine Anerkennung Schwingungen. Johann hatte seinen Satz kaum beendet, da hatte Renate den Tisch am Fenster entdeckt und kam schnurstracks auf sie zu.

»Ach, hallo, ich habe Sie gar nicht gesehen, sind Sie schon länger hier?«

Höflich stand Johann auf und holte ihr einen Stuhl. »Setzen Sie sich doch, Frau von Graf. Möchten Sie etwas trinken?«

Renate lächelte ihn beseelt an. »Danke, wie reizend. Vielleicht ein Gläschen Schampus.«

»Ist Ihre Flasche dahinten schon leer?« Christine ignorierte Johanns strafenden Blick. Sie fand nicht, dass man Renate jetzt großartig trösten musste. »Sonst können wir die ja bringen lassen. Wäre doch schade um das teure Zeug.«

»Christine!«, zischte Johann.

Renate war nicht so empfindlich. »Stimmt. Zumal die schon bezahlt ist. Haben Sie diesen Auftritt gerade eben mitbekommen?«

»Ja«, übertönte Christine Johanns Antwort, die mit einem leisen »Welchen …« begonnen hatte. »Das war ja was. Kannten Sie die Frau?«

Renate warf den Kopf zurück. »Das fehlte gerade noch. Die war ja grauenhaft. Wie kann man nur mit Sportkleidung in eine Bar gehen? Und dann diese Haare! Einige Frauen laufen wirklich rum wie ihre eigenen Mütter. Wissen Sie, Horst hatte mir erklärt, dass er hier geschäftlich zu tun hat. Wie soll man da ahnen, dass Mutti auch noch auftaucht? Na gut, ein Verlust ist es nicht. Wie ein kleiner Junge ist er ihr sofort hinterhergewackelt. So eine Memme! Aber Schwamm drüber. Sollten wir uns nicht duzen? Ich bin Renate.«

Sie hob ihr Glas und strahlte Johann an. Sicher spitzte sie gleich die Lippen zum Bruderschaftskuss. Johann hatte selbst Schuld, was war er auch so gut erzogen. Als Renate ihn umfing, bestellte sich Christine einen neuen Cocktail. Auf Horst!

Nachdem sie Renate ins Taxi verfrachtet hatten, machten sich Christine und Johann einträchtig auf den Weg nach Hause.

»Eines muss man ihr lassen ...«, Christine versuchte, ihren Schluckauf einfach wegzureden, »sie hat ... Selbstvertrauen. Dass ihr Horst durch die Lappen gegangen ist, hat sie überhaupt nicht tragisch genommen ... Oh, jetzt kommt er doch ... der ... Schluckauf, meine ... meine ich.«

»Jemand muss dich erschrecken. Dann geht er weg.«

»Was hat Renate dir ... gerade zugeflüstert ... über Horst und seine Frau?«

Abrupt griff Johann nach ihrem Nacken, zog sie zu sich und küsste sie. Danach musterte er sie. »Und?«

Christine lächelte ihn an. »Was und?«

»Der Schluckauf. Ist er weg?«

Sie überlegte kurz. »Ja, scheint geholfen zu haben. Hast du mich nur deshalb ... oh ... geküsst?«

»Natürlich.« Langsam ging er weiter und zog sie mit. »Horst hat Renate erzählt, dass seine Ehe zerrüttet sei. Na ja, das ist sie wohl jetzt auch.«

»Das glaube ich ... nicht, er ist seiner Frau doch sofort artig ... gefolgt.«

Johann lachte. »Ob ihm das was nützt?«

Christines Schluckauf steigerte sich in der Taktung. »Ist ... ja ... auch ... egal. Ach du ... Schande ... bei uns ist schon wieder Festbeleuchtung.«

Sie konnten das Haus bereits sehen, alles war hell. Christine beschleunigte ihre Schritte.

»Hoffentlich ist nicht wieder was passiert.«

»Hast du gemerkt?«, sagte Johann hinter ihr. »Dein Schluckauf ist weg. Habe ich doch gesagt, Erschrecken reicht.«

Christine war bereits an der Tür und schloss auf. Doch irgendetwas Großes versperrte den Eingang. Sie stemmte sich dagegen.

»Johann, hilf doch mal.«

Er drückte mit, gemeinsam schafften sie es, einen kleinen Spalt aufzuschieben. »Da liegt was.«

»Toll, das merke ich auch.« Christine fing an zu rufen: »Papa? ... Mama?« Niemand antwortete.

»Es ist jedenfalls keine Leiche.« Skeptisch äugte Johann durch den Spalt. »Das ist silbrig. Vielleicht eine Meerjungfrau?« Leise fing er an zu lachen.

Christine funkelte ihn an. »Sei nicht albern. Ich versuch es mal hinten.«

Sie ging um das Haus herum. In der Hintertür steckte von außen der Schlüssel, sie rief nach Johann.

»Johann. Komm, hier ist offen.«

Sie gingen den Flur entlang auf die Küche zu, aus der Walters triumphierende Stimme drang: »Dreierpasch. Ha! Da guckt ihr aber.«

»Guten Abend.« Christine blieb im Türrahmen stehen, Johann hinter ihr. »Was liegt denn hinter der Haustür? Sie geht nicht auf.«

»Christinekind!« Walter strahlte sie an. In der Hand hielt er einen Würfelbecher, vor ihm stand ein Bier, daneben waren sehr akkurat Münzen in drei Türmchen gestapelt. »Ich bin am Gewinnen. Du musst deinem Vater fünf Euro leihen, er hat nämlich nichts mehr auf der Naht. Wer ist denn das da hinter dir? Wohl dein neuer Freund, was? Kommen Sie ruhig rein, wenn Sie Geld dabeihaben, können Sie gleich mitkniffeln.«

Heinz, dessen Zungenspitze hektisch über die Unterlippe fuhr, hatte unterdessen konzentriert eine Zahlenreihe durchgerechnet. »1,70 Euro. Walter, du schummelst. Und du hast noch nicht einmal gezahlt.«

»Johann, das ist mein Onkel Walter, der Mann von Tante Inge. Wo ist sie eigentlich?«

»Im Bett. Die Glückliche.« Mit unergründlichem Blick wickelte Charlotte ein Duplo aus und schob es in den Mund. »Nimm dir ruhig Schokolade, wir haben genug.«

»Das kann man wohl sagen«, Walter deutete auf einen Karton auf dem Schrank, »Gastronomiepackung. Da bekommst du fünfzehn umsonst. Habe ich in der Metro gefunden, die bringe ich jetzt immer als Gastgeschenk mit.«

»Nein danke.« Interessiert versuchte Christine anhand des Papierhaufens die Schokoladenriegel abzuschätzen, die ihre Mutter im Laufe des Abends schon in sich reingestopft hatte. Es waren sehr viele.

»So.« Vorsichtig schob Onkel Walter seine Münzentürme zusammen. »Kniffeln wir noch eine Runde?«

»Mir ist schlecht.« Langsam stand Charlotte auf und drückte eine Hand auf den Magen. »Haben wir noch irgendwo Kompensan?«

»Im Badezimmerschrank. Wo es hingehört.« Unbeirrt rechnete Heinz weiter, Walter kontrollierte von der Seite. »Neun minus sieben ist zwei, hier stimmt es nicht. Ich habe noch mehr gewonnen, 1,90. Siehst du, mein Lieber, ich hatte das doch im Gefühl.«

Christine ließ ihre Mutter vorbei. »Was liegt denn nun im Flur? Genau vor der Tür?«

»Mein Rucksack.« Walter schüttelte den Würfelbecher in beiden Händen und lächelte vergnügt. »Ganz tolles Teil. Habe ich geliehen. Da geht Kleidung für vier Wochen rein. Das Waschzeug ist in einer extra Seitentasche. Und für Unterlagen und so gibt es noch Innentaschen mit Reißverschlüssen. Guck ihn dir ruhig an.«

»Hat er wirklich vier Wochen gesagt?«, murmelte Charlotte hinter Johanns und Christines Rücken. Mit einer Tablettenschachtel in der Hand war sie unbemerkt zurückgekommen. »So viel Duplo kann ich niemals essen.« Sie stellte sich auf die Zehenspitzen, um in die Küche zu schauen. »Ich gehe ins Bett. Gute Nacht. Walter, das Bettzeug liegt schon auf dem Sofa.«

»Nacht.«

»Nacht.«

»Und ihr, Christine?« Ungeduldig schaute Heinz hoch. »Entweder ihr kniffelt mit, oder ihr geht ins Bett. Dieses Rumstehen in der Tür macht mich ganz nervös.«

»Nacht, Papa, Nacht, Onkel Walter«, Christine zog Johann entschlossen am Pullover, »wir sind müde. Viel Spaß noch.«

Statt einer Antwort ließ Walter den Würfelbecher auf den Tisch knallen.

Während Johann sich die Zähne putzte, klopfte Christine leise an die Schlafzimmertür ihrer Eltern.

»Ich schlafe schon.«

Christine öffnete langsam die Tür.

»Du lügst. Du liest.«

Charlotte ließ das Buch sinken und lehnte sich zurück. »Ich wusste ja nicht, wer klopft. Komm rein, aber sei leise. Wenn Papa und Walter uns hören, haben sie wieder Angst, etwas zu verpassen, und nehmen ihr Bier mit hoch.«

»Waren sie noch nicht bei Inge?«

»Doch.« Sie wartete, bis Christine sich auf den Bettrand gesetzt hatte. »Aber sie sind bei ihr abgeblitzt. Deshalb übernachtet Walter jetzt hier.«

»Ach du Schande.« Eine Welle des Mitgefühls überrollte Christine. »Der arme Walter. Inge ist wirklich hart. Da war er wohl ganz schön geknickt, was?«

Ihre Mutter hob die Augenbrauen. »Geknickt?« Sie kicherte ein bisschen. »Keine Ahnung.« Das Kichern wurde hysterisch. »Er will morgen jedenfalls Dortmund gegen Bayern gucken. Von Heinz weiß er auch schon, in welcher Kneipe. Und er will einen Antrag stellen, auf Befreiung von der Kurtaxe. Da gäbe es ein Gerichtsurteil. Die Gemeinde und die Kurverwaltung sollten sich warm anziehen.«

Nachdenklich betrachtete Christine ihre gickernde Mutter. »Und was ist jetzt mit ihm und Tante Inge?« Sie hoffte, dass Charlotte jetzt nicht durchdrehte.

Charlotte wischte sich die Lachtränen aus den Augenwinkeln. »Walter sagt, sie hat nichts. Und Heinz sagt, es wird schon wieder. Dein Vater hat alle zehn Minuten neue Theorien, was mit Inge los ist.« Sie stöhnte gequält auf. »Und ich habe nur diesen überdimensionalen Rucksack gesehen und frage mich, wie lange das Theater gehen soll. Inge lässt mich mit den beiden hängen.«

»Du hast Walter angerufen.«

»Ich dachte ja, er bringt alles wieder in Ordnung. Er sollte sich mit Inge versöhnen.«

»Sind sie denn richtig zerstritten?«

»Was weiß ich? Wenn sie ihn verlassen hat. Aber was mische ich mich auch ein. Die sollen doch ihren Kram unter sich regeln.« Charlotte suchte nach einem Taschentuch. »Jedenfalls habe ich keine Lust, mich jetzt wochenlang um meinen Schwager zu kümmern. Ich bin doch nicht die Mutter der Nation. Walter ist ja noch schlimmer als dein Vater.«

»Mama!«

»Ist doch wahr. Ich glaube, ich war vom Wahnsinn gebissen, als ich Walter angerufen habe. Soll Inge ihn doch verlassen, sie wird schon wissen, warum.« Entschlossen zog sie ihre Decke hoch. »Und jetzt will ich schlafen. Gute Nacht.«

»Gute Nacht, Mama.«

Christine ging langsam aus dem Zimmer und schloss leise die Tür. Kaum war sie im Bad, hörte sie von unten Walters melodiösen Bass: »So sehen Sieger aus, so sehen Sieger aus …«

Was war sie froh, dass Johann drei Türen weiter im Bett auf sie wartete.

Als sie sich neben ihm ausstreckte und tief durchatmete, schob Johann seinen Arm unter ihren Nacken.

»Und?«

»Meine Mutter steht kurz vor einem Nervenzusammenbruch, Onkel Walter will die Kurverwaltung verklagen, mein

Vater verzockt seine Rente beim Kniffeln, und Tante Inge tut immer noch so, als wäre nichts. Das heißt, alles in bester Ordnung.«

Er lachte leise und küsste sie auf die Schulter. »Also hat Inge sich nicht gefreut, als ihr Mann kam?«

»Sie hat ihn rausgeschmissen. Deshalb schläft er jetzt hier. In Anbetracht dieses Monsterrucksacks wohl für länger.«

Johann sah sie nachdenklich an. »Sag mal, sollen wir uns für die nächsten Tage nicht lieber ein Hotel suchen? Vielleicht entspannt sich für deine Mutter die Sache ja etwas, wenn Walter hier oben schläft. Und wir weg sind.«

So viel zu dem Vorhaben, Johann zu beweisen, dass ihre Familie ganz normal und reizend war.

»Ich weiß nicht …«, Christine kaute auf ihrer Unterlippe, »ja, vielleicht hast du recht. Ich spreche mal mit meiner Mutter drüber.«

Sie stellte sich ein ruhiges kleines Hotel vor. Dicht am Wasser, ein breites Bett, vielleicht eine Sauna im Haus, ein nettes Restaurant. Auf alle Fälle aber kein Heinz, kein Walter, keine Inge, keine drohenden Nervenzusammenbrüche, nur sie und Johann. Gleich morgen früh würde sie ihren Eltern diesen grandiosen Vorschlag machen. Lächelnd rollte sie sich zu Johann.

»Du hast immer so wunderbare Ideen.« Vor seinem Kuss schloss sie die Augen.

Heinz und Charlotte hörten sofort auf zu reden, als Christine am nächsten Morgen in die Küche kam.

»Was ist?«, fragte sie irritiert. »Ihr könnt ruhig weiterreden.«

»Nichts«, antwortete Heinz, »deine Mutter und ich haben nur gerade festgestellt, dass wir völlig unterschiedliche Auffassungen von Familienleben haben.«

»Wieso?«

Mit einem genervten Gesichtsausdruck winkte Charlotte ab. »Er redet Blödsinn. Wolltest du Kaffee, Christine?«

»Ich rede keinen Blödsinn.« Verärgert knallte Heinz seine Tasse auf den Unterteller. »Ich weigere mich nur, meinen angeheirateten Schwager unter die Brücke zu schicken.«

»Ein Schwager ist immer angeheiratet«, erklärte Christine in dem Versuch, ihre Eltern zur Vernunft zu bringen. Es nützte nichts.

»Ich will Walter nicht unter die Brücken schicken, Herrgott! Der Mann ist pensionierter Steuerinspektor, er hat eine gute Rente, er kann sich doch wohl ein paar Tage ein Hotelzimmer leisten. Bis deine Schwester sich besonnen hat.«

»Meine Schwester besinnt sich nicht, die hat eine Krise, und ich werde herausfinden, wieso. Aber das hat nichts damit zu tun, dass du Walter aus dem Haus jagst.«

»Papa, warte mal. Ich habe da …«

»Misch du dich da nicht auch noch ein! … Es sei denn, du bist gegen deine Mutter.«

Charlotte funkelte ihren Mann wütend an. »Du benimmst

dich unmöglich. Jetzt bringst du auch noch meine Tochter gegen mich auf.«

»Deine Tochter? Ha! Das ist ja wohl immer noch unsere.«

»Schluss jetzt!« Christine schlug mit der flachen Hand auf den Tisch. Ihre Eltern zuckten zusammen. »Sagt mal, seid ihr noch bei Trost? Es muss überhaupt niemand unter eine Brücke. Johann und ich ziehen ins Hotel.«

»Was soll das denn?« Charlotte und Heinz starrten gleichermaßen entsetzt ihre Tochter an. Heinz fing sich als Erster.

»Du musst doch nicht ausziehen, nur weil Onkel Walter ein paar Tage hier schläft. Wir haben doch genug Platz. Siehst du, Charlotte, das kommt davon, dass du mit mir streitest, jetzt vertreiben wir sogar schon die Kinder.«

Wenigstens hatte er »wir« gesagt, dachte Christine und fühlte sich irgendwie müde.

»Ach, Papa, es ist doch viel entspannter, wenn Onkel Walter oben wohnt und nicht auf der Couch schlafen muss. Wir können ja morgens immer zum Frühstück kommen.«

Johanns entschlossenes Räuspern verhinderte noch mehr Versprechungen. »Guten Morgen. Sind wir zu spät?«

»Nein, nein«, Charlotte lächelte ihn mühsam an, »Morgen, Johann. Der Kaffee läuft gerade durch. Gut geschlafen?«

»Ja, danke.« Er wechselte einen Blick mit Christine. »Ich habe zwei Hotels gefunden, die beide noch was frei haben, wir können nachher gleich mal hinfahren.«

Christine seufzte erleichtert. »Gut. Ich decke mal den Frühstückstisch. Wo ist denn Onkel Walter?«

»Im Wohnzimmer«, Heinz deutete auf die Tür, »er setzt gerade ein Schreiben auf, dass er keine Kurtaxe bezahlen will. Der traut sich wirklich was.«

»Wieso trauen?« Christine zog die Schale mit Pralinen weg, so dass ihre Mutter ins Leere griff. »Er muss doch sowieso keine Kurtaxe zahlen, wenn er privat wohnt.«

»Aber Eintritt am Strand«, antwortete Onkel Walter, der plötzlich in der Tür stand und mit einem Briefbogen wedelte, »und das sehe ich überhaupt nicht ein. Habt ihr mal einen Umschlag und eine Briefmarke? Ich kann ihn natürlich auch persönlich hinbringen, dann spare ich das Porto.«

»Wieso du?« Charlotte hatte jetzt doch noch eine Praline erwischt. »Du nimmst doch unsere Briefmarken.«

»Die eine Marke.« Walter sah seine Schwägerin kopfschüttelnd an. »Isst du nicht ein bisschen viel Süßes, Charlotte? Was hast du eigentlich für Cholesterinwerte?«

Kauend schob sich Charlotte an ihm vorbei. »Bin im Garten.«

Christine strich Johann über den Rücken. »Komm, Johann, der Kaffee ist durch, möchtest du hier frühstücken oder lieber auf der Terrasse?«

»Auf der Terrasse.« Seine Stimme klang dankbar. »Ich gehe schon mal vor.«

Während Christine ein Tablett belud, setzte sich Onkel Walter neben Heinz und griff zur Zeitung.

»Und? Was ist los in der Welt?«

»Nicht viel.« Heinz guckte kurz hoch und tippte auf einen Artikel. »Die fangen heute vor Kampen wieder mit den Sandvorspülungen an. Das möchte ich mir mal angucken.«

»Ich komme mit. Und auf dem Weg dahin können wir bei der Kurverwaltung anhalten und meinen Brief reinreichen.«

»Das ist aber ein Umweg.«

»Und?« Walter klopfte ihm auf die Schulter. »Du fährst doch mit sechs Litern Verbrauch, hast du erzählt, das ist doch nichts. Und der Wagen läuft mal wieder warm. Diese Kurzfahrten sind nicht gut für die Maschine.«

»Sag mal, Onkel Walter«, Christine drehte sich zu ihm um, »was ist denn jetzt mit Tante Inge?«

Sein Blick war verblüfft. »Inge? Wieso? Meinst du, sie interessiert sich auch für die Sandvorspülungen?«

Christine musste sich anstrengen, ein geduldiges Nichtengesicht zu machen. »Nein, das meine ich nicht. Aber willst du dich nicht um sie kümmern?«

»Um Inge?«

»Onkel Walter!« So viel Geduld ging nun wirklich nicht. »Meine Güte, du bist doch ihretwegen hier, nicht wegen der Sandvorspülungen. Kümmere dich doch mal um deine Frau.«

Walter sah seinen Schwager an. Der sagte zu seiner Tochter: »Blaff deinen Onkel nicht so an. Er hat dir doch gar nichts getan.«

»Ich blaffe ihn nicht an.« Christine senkte angestrengt ihre Stimme. »Ich habe nur gefragt, ob er sich nicht um Tante Inge kümmern will.«

»Ich war ja schon bei ihr.« Walter guckte jetzt doch beleidigt. »Aber sie hat gesagt, sie will ihre Ruhe haben. Was soll ich denn da machen?«

Mit mitleidigem Blick musterte Heinz Walter. »Du hast alles getan, was du tun konntest, Walter. Jetzt müssen wir eben anders versuchen, das Problem zu lösen.«

Christine schluckte, und Walter fragte kläglich: »Wie denn?«

Heinz sah ihn entschlossen an. »Da fällt mir schon was ein. Jetzt frühstücken wir aber erst mal. Und dann fahren wir nach Kampen und gucken uns die Vorspülungen an. Das bringt dich auf andere Gedanken.«

Johann saß bereits auf der Terrasse und beobachtete regungslos Charlotte, die in den Blumenrabatten hockte und kleine blaue Kügelchen verstreute.

Christine deckte den Tisch. Walter drängelte sich neben Johann. »Gib mir doch mal so ein kleines Brötchen. Und die Marmelade.«

Abrupt hob Charlotte in diesem Moment den Kopf. »Da ist jemand an der Gartenpforte.«

Jetzt hörte Christine es auch. Irgendjemand klapperte am

Drücker, das Scharnier quietschte. Und dann erklang eine Stimme, die bei Christine einen Schweißausbruch auslöste: »Heinz? Heieinz?«

Sie ließ den Teller, den sie gerade in der Hand hatte, sinken und starrte ihren Vater an. »Sag bloß, das …«

»Heinz? Ist jemand zu Hause?«

Heinz runzelte die Stirn, doch plötzlich erhellte ein Lächeln sein Gesicht.

»Das ist doch …« Mit wenigen Schritten war er an der Hausecke und breitete die Arme aus. »Kalli! Was machst du denn hier? Charlotte, Christine, guckt doch mal, unser alter Kalli. Das ist ja …«

Charlotte erhob sich schwerfällig und sichtlich um Fassung bemüht. »Das ist jetzt nicht wahr.«

Er war es tatsächlich. Kalli, der älteste Freund von Heinz, schüchtern, höflich, etwas umständlich und schnell zu begeistern. Auf Norderney, wo er lebte, hatte er im letzten Jahr jede noch so idiotische Idee seines Freundes unterstützt. Er hatte sich an Johanns Observierung genauso beteiligt wie an der Zerrüttung aller weiblichen Nerven.

Kalli trug eine Sporttasche in der Hand. Er war sehr blass, seine Haare standen wild vom Kopf ab, und seine Sonnenbrille saß etwas schief. Er nickte freundlich in die Runde.

»Hallo. Mir ist vorhin so furchtbar übel gewesen. Kann ich mich hier ein bisschen ausruhen?«

Voller Begeisterung packte Heinz seinen alten Freund an den Oberarmen und schüttelte ihn so heftig, dass er noch blasser wurde. »Wo kommst du denn her? Wieso bist du nicht auf Norderney? Ist Hanna auch hier?« Er zerrte ihn auf die Terrasse. »Das ist mein Schwager Walter, Inges Mann. Christine und Johann kennst du ja. Willst du mit frühstücken?«

»Kann ich vielleicht ein Glas Wasser haben?«

Seine höfliche Stimme holte Charlotte aus ihrer Starre. Sie kam zum Tisch.

»Hallo Kalli, setz dich erst mal hin. Johann, rutsch mal ein Stück weiter.«

Sie reichte ihm ein Glas, und Christine schenkte ein. Kalli ließ sich erleichtert auf den Stuhl sinken. Erst als er ausgetrunken hatte, sah er wieder hoch und räusperte sich.

»Tut mir leid, dass ich einfach so hier reinplatze, aber ich wusste nicht, was ich sonst machen sollte. Ich bin fix und fertig.«

Heinz beugte sich zu ihm. »Was ist denn passiert? Wieso bist du hier?«

Kalli senkte den Blick und rieb seinen Daumen. »Ach, die Kinder haben mir doch zum Geburtstag einen Flug geschenkt. Weil ich noch nie geflogen bin.«

»Und weiter?« Walter musterte ihn neugierig. »Wo sollst du hinfliegen?«

»Ich bin ja geflogen.« Kalli rieb sich erschöpft die Stirn. »Heute Morgen. Mit so einem Piloten, den man chartern kann. Jan. Das ist ein ganz Verwegener. Schon über Helgoland ist mir übel geworden. Und über Föhr musste ich spucken. Deshalb sind wir in Westerland notgelandet. Weil ich sonst einen Herzinfarkt bekommen hätte.«

»Und dann?« Charlotte schenkte ihm nach.

»Sobald wir unten waren, ging es wieder. Aber ich steige da nicht wieder ein. Ich bin doch nicht lebensmüde. Ich habe Jan gesagt, ich hätte einen Freund hier, den wolle ich jetzt besuchen. Und dann schön mit der Bahn zurückfahren.«

»Diese blöde Fliegerei«, Walter schüttelte verständnisvoll den Kopf, »da wird Energie verschleudert wie nur was, es ist laut, gefährlich, und schlecht wird einem auch noch. Ich fahre immer mit der Bahn, und ich kann dir erklären, wie man das sehr kostengünstig hinkriegt. Ich habe da ein ganz tolles System entwickelt.«

»Danke.« Kalli nickte ihm zu. »Das ist sehr nett.«

»Weiß Hanna denn, wo du bist?«, wollte Charlotte wissen.

»Oder steht sie jetzt auf Norderney am Flughafen und wartet auf dich?«

»Ich muss sie noch anrufen. Aber ich wäre auch sowieso erst heute Abend wieder zurück gewesen. Kann ich heute hier übernachten?«

»Natürlich.« Heinz ignorierte den panischen Blick seiner Frau. »Du kannst auch gern ein paar Tage bleiben, bis du dich vollständig erholt hast. Das war ja dann ein richtiger Schock für dich, das ist in unserem Alter gar nicht gut. Mit Walter sind wir jetzt zu dritt, da können wir Skat spielen anstatt dieses blöde Kniffeln.«

»Heinz?«

»Gleich, Schatz. Hast du denn überhaupt Waschzeug dabei, Kalli? Und Wäsche? ... Nein? Na, egal, du und ich haben ja dieselbe Größe. Und Walter hat auch so viel dabei, das geht schon.«

»Heinz! Kommst du bitte mal mit in die Küche? Ich muss mit dir reden.«

»Augenblick. Und ich ...«

»Heinz! Jetzt!«

Ohne ihren Mann noch eines Blickes zu würdigen, riss Charlotte die Kaffeekanne an sich und ging ins Haus.

Heinz sah seine Tochter an. »Willst du mal lieber hinterhergehen?«

»Papa!«

»Ja, dann ... Kalli, Walter, entschuldigt mich einen kleinen Moment. Ich hole für Kalli noch eine Tasse und bringe gleich das Kartenspiel mit.«

Er ging langsam ins Haus. Kalli sah Johann erleichtert an. »Und, junger Mann, sonst alles klar?«

Christine stöhnte auf und lief ihrem Vater hinterher. Es konnte durchaus sein, dass es gleich Verletzte gab.

Inge blieb kurz in der Tür vom »Café Wien« stehen und schaute sich suchend um. Als sie Anika an einem der hinteren Tische entdeckte, lächelte sie und ging mit schnellen Schritten auf sie zu.

»Guten Morgen. Schön, dass du Zeit hast.«

Anika legte eine Zeitschrift zur Seite. »Hallo, Frau Müller. Wie geht es Ihnen? Was macht der Kopf?«

»Wir haben uns doch schon geduzt ...« Bevor Inge sich setzte, zog sie ihre Strickjacke aus und legte sie auf den freien Stuhl neben sich. »Gut geht es mir, es ist alles in Ordnung. Hast du den ganzen Vormittag frei?«

»Ja.« Anika nickte. »Till hat mittwochs immer zur dritten Stunde Unterricht, deshalb arbeite ich erst ab mittags. Ich kann ihn vormittags nirgendwo unterbringen. Nach der Schule geht er zur Nachbarin und um 16 Uhr zum Sport. Von da hole ich ihn dann ab.«

»Gastronomie und Kind, das ist schwer, oder?« Inge stützte mitleidig ihr Kinn auf die Hand. »Wo ist denn der Vater?«

»In Berlin. Aber das ist kein gutes Thema, das müssen wir nicht vertiefen.«

»Entschuldigung, ich wollte nicht neugierig sein. Und die Nachbarin? Geht Till da gern hin?«

Anika hob die Schultern. »Was heißt gern? Theresa ist nett, Anfang vierzig und hat selbst zwei Kinder. Der Jüngere ist so alt wie Till und sein Freund. Sie hat mir damals angeboten, dass sie auf Till aufpasst, deshalb konnte ich überhaupt in der ›Badezeit‹ anfangen. Seither geht Till zu ihr. Aber das zahle ich natürlich.« Sie wurde vom Klingeln ihres Handys unterbrochen. »Anika Jakob ... Ach, das ist ja blöd ... Und es kann auch niemand anders einspringen? ... Na gut, dann weiß ich Bescheid, danke und gute Besserung ... Ja, klar, tschüss.«

Sie behielt das Telefon in der Hand und tippte eine Nummer ein. »Das Nervigste ist wirklich dieses dauernde Organisieren.«

»Was ist denn passiert?«

»Tills Trainer hat einen Magen- und Darmvirus, deshalb fällt das Training heute aus. Ich muss eben mal Theresa anrufen und fragen, ob Till länger bei ihr bleiben kann.«

»Moment!« Inge legte ihr die Hand auf den Arm. »Till wollte doch so gern mit mir ins Aquarium. Das könnten wir doch heute machen.«

»Wirklich?« Anika sah sie erstaunt an und drückte auf die rote Handytaste. »Das wäre natürlich toll. Dann ist seine Enttäuschung auch nicht ganz so groß, dass sein Handballtraining ausfällt.«

»Was darf es denn sein?« Unbemerkt war die Bedienung an ihren Tisch getreten. »Ach, hallo, Anika, ich habe dich gar nicht erkannt. Ich dachte, du bist weggezogen?«

»Hallo, Lena, nein, noch nicht. Außerdem will ich auch weiter in der ›Badezeit‹ arbeiten. Wenn ich das mit den Bahnverbindungen irgendwie hinbekomme. Weißt du nicht zufällig von einer Wohnung in Niebüll, in Bahnhofsnähe? Drei Zimmer, Küche, Bad und nicht zu teuer?« Sie lächelte bitter. »Und das Ganze gern noch vor Ende der Sommerferien.«

Lena nickte ihr aufmunternd zu. »Ich höre mich mal um. Mein Bruder wohnt in Niebüll, und ab und zu bekommt man ja auch hier im Café was mit.«

»Das wäre super.« Jetzt war Anikas Lächeln wieder ihr altes. »Ich schreibe dir meine Handynummer auf. Ich hätte gern einen Milchkaffee. Und du, Inge?«

»Ähm«, in Gedanken versunken schreckte Inge hoch, »ja, das möchte ich auch. Danke.«

Lena verschwand, und Inge fragte Anika: »Wann genau musst du denn aus der Wohnung raus?«

»Zum 30. September. Aber ich muss vorher eine neue Wohnung finden. Till muss ja in eine neue Schule, er kann in seinem Alter nicht jeden Morgen mit der Bahn nach Westerland fahren. Das wird schon stressig genug mit seinem Sportverein. Aber alles kann ich ihm ja nun auch nicht wegnehmen. Und der Schulwechsel geht am besten zu Beginn des neuen Schuljahres.«

Inge nickte. »Und wenn ihr auf Sylt doch eine Wohnung findet? Wir haben ja schon mal drüber geredet.«

Eine leichte Röte überzog Anikas Gesicht. »Ach, unser erstes Gespräch … Inge, nichts für ungut, aber ich habe gedacht, das hättest du nach all dem Sekt längst vergessen.«

Inge lächelte. »Ich weiß noch ganz genau, worüber wir an dem Tag gesprochen haben. Aber sag mal, was anderes, könntest du dir vorstellen, in einer Hausgemeinschaft zu wohnen?«

»Was meinst du mit Hausgemeinschaft? Mit fremden Leuten? In einer Wohngemeinschaft?« Nachdenklich kaute Anika an ihrer Unterlippe. »Nein, aus dem Alter bin ich raus. Das habe ich früher mal gemacht.«

»Das meine ich nicht«, Inge winkte ab, »ich rede von einer Hausgemeinschaft, also alle haben eine Wohnung für sich, aber es gibt auch einen Gemeinschaftsraum, in dem man vielleicht zusammen isst oder Fernsehen guckt oder Karten spielt. Gerade für Frauen wie dich wäre das ideal. Es wäre immer jemand da, der sich auch mal um Till kümmert, du wärst abends unter Menschen statt allein, und die ganze Organisation wäre viel einfacher.«

»Schöne Theorie«, antwortete Anika, »aber so eine Hausgemeinschaft muss man erst mal finden. Und die muss sich entwickeln, das geht nicht von heute auf morgen. Ich vertraue meinen Sohn nicht gleich jedem an. Aber es ist eine schöne Idee. Wie im Film. Aber mal zurück zur Realität. Du hattest doch gesagt, du wüsstest vielleicht eine Wohnung für uns in Wenningstedt. Ist denn daraus was geworden?«

Nachdenklich musterte Inge die junge Frau. »Ja, es kann gut sein, dass im Haus einer Bekannten eine Dreizimmerwohnung frei wird. Die Chancen stehen sehr, sehr gut. Und ihr könntet auf Sylt bleiben.«

Skeptisch sah Anika sie an. »Wo ist denn das Haus? Und wie viele Leute wohnen da noch?«

»Ich habe die Straße vergessen, ganz zentral jedenfalls. Und es sind, glaube ich, insgesamt vier Wohnungen. Sehr nette Leute, habe ich zumindest gehört.«

»Weißt du denn, wie hoch die Miete ist? So ganz billig ist Wenningstedt ja nicht. Viel mehr als 600 Euro kann ich in keinem Fall zahlen.«

»Dafür sorge ... du, das klappt schon. Ich habe ein gutes Gefühl.« Sie griff nach Anikas Hand und drückte sie enthusiastisch. »Glaub mir, es wird alles gut.«

Johann warf Christine einen kurzen Blick zu und konzentrierte sich wieder auf die Straße.

»Tut es dir leid?«

»Was?« Sie hatte ihren Kopf gegen die Seitenscheibe gelehnt und starrte in die Heidelandschaft vor ihnen.

»Dass du laut geworden bist.«

»So laut war das auch wieder nicht.«

»Wir haben es draußen gehört.«

»Was?«

»Du hast Heinz angebrüllt.«

Christine setzte sich gerade hin und sah Johann an. »Ich habe Heinz nicht angebrüllt, ich habe nur meine Stimme erhoben, weil er schwer hört. Zumindest bei manchen Themen. Er ist ganz begeistert, dass Walter und Kalli da sind. Und endlich mal wieder Leben in der Bude ist, wie er es ausdrückte. Meine Mutter ist fast ausgerastet. Sie hat gesagt, dass sie kein Matratzenlager duldet und die beiden ins Hotel gehen sollen. Das lehnte Heinz wieder ab. So ging es hin und her. Deshalb habe ich etwas lauter mitgeteilt, dass wir auf der Stelle nach Rantum in den ›Watthof‹ fahren. Das war alles.«

»Aha.« Grinsend setzte Johann den Blinker, um in die Alte Dorfstraße einzubiegen. »Jedenfalls hat Kalli gemeint, dass er nicht schuld sein will, wenn du jetzt aus deinem Elternhaus vertrieben wirst. Worauf Walter erklärt hat, dass seine Tochter Pia ihn bis jetzt ungefähr 300 000 Euro gekostet hat, von Windeln über Arztbesuche und Essen bis zum Studium, und dass damit auch mal irgendwann Schluss sein müsse. Er sehe als Vater keine Ansprüche mehr auf sich zukommen. Auch nicht aufs Elternhaus. Und den Schuh solle Heinz sich auch anziehen.«

»Das ist echte Walter-Logik. Ich kann Tante Inge immer mehr verstehen.«

Der Kies auf dem Parkplatz knirschte, als sie in eine freie Parklücke vor dem Hotel fuhren. Johann stellte den Motor aus und betrachtete das weiße reetgedeckte Haus.

»Schön, oder?«

Christine war schon ausgestiegen. »Wunderbar. Wenn das Doppelzimmer noch frei ist, buchen wir sofort. Guck mal, mit Blick aufs Watt. Und so ruhig. Los, beeil dich.«

Zehn Minuten später fühlte sich Christine vom Chaos befreit. Das Zimmer war bezaubernd, das Personal freundlich und Johann so offensichtlich erleichtert, dass sich bei ihr endlich wieder Ferienstimmung einstellte.

»Alles richtig gemacht«, sagte sie und drückte Johanns Arm, »jetzt fahren wir zurück, holen unsere Sachen und machen nur noch Urlaub. Ab und zu können wir ja bei meinen Eltern vorbeischauen. Höchstens ab und zu«, setzte sie noch nach.

»Hast du ein schlechtes Gewissen?«

»Nein ...«, Christine wartete, dass Johann das Auto aufschloss, »na ja, vielleicht ein bisschen. Weil meine Mutter jetzt allein mit den drei Männern ist.«

»Das warst du auf Norderney auch. Mit Kalli und Heinz. Und Walter ersetzt locker Onno und Carsten zusammen. Ganz locker.«

»Diese drei zusammen sind noch anstrengender, finde ich. Und Heinz hat hier Heimspiel, auf Norderney war er wenigstens fremd und hat sich zusammengerissen.«

Johann lachte trocken, während sie einstiegen. »Zusammengerissen? Ist das dein Ernst? Ich glaube ...«

Er wurde von Christines Handy unterbrochen, das auf der Konsole zu tanzen begann. Auf dem Display stand »Mama«.

Mit beklommener Stimme nahm Christine das Gespräch an: »Ja?«

»Wo seid ihr gerade?« Die Stimme hörte sich zum Glück nicht nach Nervenzusammenbruch an.

»Wir sind noch auf dem Parkplatz vom ›Watthof‹«, antwortete Christine erleichtert, »wir haben ein schönes Zimmer gebucht, jetzt kommen wir nach Haus und holen unsere Sachen.«

Am anderen Ende der Leitung blieb es still. Christine redete schnell weiter: »Weißt du, das ist viel entspannter. So können Walter und Kalli oben in der Wohnung schlafen, du hast unten deine Ruhe, machst denen nur ein bisschen Frühstück, und gut ist.«

Charlottes Stimme klang gepresst. »Frühstück? Und du meinst, das reicht?«

»Ach Mama, jetzt sei doch nicht sauer. Johann und ich haben nur diese zwei Wochen. Und wir können uns doch nicht oben ausbreiten, wenn Onkel Walter und Kalli auf irgendwelchen Matratzen schlafen. So ist es jetzt gut gelöst. Und ich kann ja vorbeikommen und dir helfen.« Johann hustete warnend, was Christine aber ihrer Mutter zuliebe überhörte. »Wir können abends kochen, das haben wir auf Norderney auch gemacht, und mittags gibt es Würstchen oder belegte Brote und …«

»Hier wird überhaupt nicht gekocht.« Charlottes Ton ließ Christines Redestrom augenblicklich versiegen. »Jedenfalls nicht von mir; was du machst, ist deine Sache. Ich habe gerade eben deinen Bruder angerufen. Georg fährt morgen für eine Woche nach Köln, Geschäftsreise. Er hat gesagt, solange ich nicht auf die Idee komme, seine Wohnung zu putzen und Gardinen aufzuhängen, könnte ich bei ihm wohnen. Der Zug fährt um 13.30 Uhr. Könntet ihr mich zum Bahnhof bringen?«

»Aber du kannst doch nicht einfach verschwinden! Du …« Christine fehlten die Worte. Charlotte nicht.

»Wieso nicht? Das hat Inge doch auch getan. Für diesen Männerzirkus fehlen mir jedenfalls die Nerven. Und so viel Schokolade kann ich gar nicht essen. Also, fahrt ihr mich?«

»Ja, klar. Bis gleich.« Verstört drückte Christine den roten Knopf. »Jetzt haut meine Mutter auch noch ab. Nach Hamburg zu meinem Bruder. Und die drei Männer bleiben allein zu Haus.«

Vergnügt klimperte Johann mit dem Zimmerschlüssel. »Da haben wir ja alles richtig gemacht.« Dann bemerkte er Christines Gesichtsausdruck und stöhnte auf. »Vergiss es. Entweder ernähren die sich allein, oder sie nehmen eben ein paar Kilo ab. Schaden würde es keinem. Außerdem hat dein Onkel Walter doch bestimmt ruckzuck eine Idee, wie sie kostengünstig an eine warme Mahlzeit pro Tag kommen. Wir machen hier Urlaub und sortieren ein paar Dinge in deinem Leben neu. Also, halt dich bitte zurück. Mir zuliebe. Uns zuliebe. Bitte!«

Ergeben nickte Christine – und dachte insgeheim darüber nach, wie sie es unauffällig hinkriegen könnte, wenigstens das ganz große Chaos zu verhindern.

Inge zog ihre Strümpfe aus und rollte sie zusammen. Dann drehte sie sich zu Till um, der hinter ihr im Sand saß und sich sorgfältig die Hosenbeine hochkrempelte.

»Kannst du das allein, oder soll ich dir helfen?«

»Natürlich kann ich das allein, ich bin ja wohl kein Baby mehr«, antwortete er empört und lief zu seiner Schaufel, die er ein paar Meter weiter in den Sand geworfen hatte. »Wollen wir erst einen Staudamm bauen oder eine Sandburg?«

Inge band ihre Jackenärmel vor dem Bauch zusammen und verknotete die Schnürbänder ihrer Schuhe. »Was du willst, mir ist beides recht. Du musst mir sowieso zeigen, wie das geht, ich glaube, ich kann das gar nicht mehr.«

»Das verlernt man nicht.« Zutraulich schob er seine Hand in ihre. »Und sonst zeige ich es dir. Wir bauen erst einen Staudamm. Am besten, du setzt dich hin und guckst mir zu, dann weißt du, wie das geht.«

Das Aquarium hatte dummerweise geschlossen. Zum Glück hatte Till es gewusst, sonst wären sie umsonst hingefahren. Trotzdem hatte der kleine Junge sich gefreut, als Inge ihn abholte. »Dann fahren wir zum Strand«, hatte er eifrig gesagt, »an unsere Stelle, wo Mama und ich auch immer baden. Ich habe eine neue Schaufel bekommen, die kann ich da ausprobieren.«

Jetzt saß Inge also mit nackten Füßen am Flutsaum und sah einem Achtjährigen zu, der mit konzentriertem Gesichtsausdruck den größten Staudamm seiner Karriere baute. Es überraschte sie, wie vertrauensvoll er war, obwohl er sie erst so kurz kannte. Vielleicht merkten Kinder aber auch, wessen Herzen sie zum Schmelzen brachten, und Inges Herz war bereits eine große Pfütze. Während er mit aller Kraft, die er hatte, den nassen Sand mit der neuen Schaufel auftürmte – »Die hat mir der Chef von Mama geschenkt, zum Geburtstag, so eine tolle hatte ich noch nie. Die schafft viel mehr als meine alte« –, ließ Inge ihre Blicke über den Strand schweifen. Dieses Strandstück zwischen Wenningstedt und Kampen war wirklich schön und zudem kaum besucht. Nur weit hinten liefen ein paar Menschen, und in den Dünen tauchten ab und zu Spaziergänger auf, ansonsten war es sehr still und friedlich.

»Sag mal, Till«, Inge betrachtete seinen gebeugten Rücken, »ist es dir eigentlich egal, wo die neue Wohnung ist?«

»Nein!« Till stieß die Schaufel so energisch in den Sand, dass Inge zusammenzuckte. »Weil … ich will nicht auf eine neue Schule. Und ich finde es auch doof, dass ich dann mit dem Zug zum Training fahren muss. Aber sag das bitte nicht Mama. Sie findet das ja auch blöd.«

»Du möchtest also lieber auf Sylt bleiben? Auch in einer anderen Wohnung? Und mit anderen Nachbarn?«

Till stützte sich auf den Stiel. »Das ist mir egal. Ich will nur nicht weg.« Er hatte Tränen in den Augen.

Inges Magen krampfte sich zusammen. »Komm mal her.«

Ohne zu zögern ging er auf sie zu, Inge streckte ihre Hand aus, zog ihn an sich und drückte ihn fest.

»Pass mal auf«, flüsterte sie ihm ins Ohr, »ich glaube, ich habe eine Wohnung für euch. Ich bin mir sogar ziemlich sicher. Du brauchst dir also keine Sorgen zu machen. Aber das bleibt unser Geheimnis, versprochen?«

»Echt?« Till hob drei Finger und strahlte sie an. »Ich sage nichts. Und jetzt baue ich weiter, ja?«

Eine halbe Stunde später rappelte Inge sich mühsam auf. Ihre Beine kribbelten. Sie ging ein paar Schritte am Flutsaum entlang, die nackten Füße im Wasser. Es war noch kalt, aber es war ja auch erst Anfang Mai. Sie sah hoch zur Dünenkante. Dort baute jemand eine Sandburg. Inge setzte ihre Sonnenbrille auf, konnte aber nur die Schaufel, einen Arm und eine grün-weiße Schirmmütze erkennen. Eine tiefe Stimme bellte knappe Anweisungen.

»Inge, guck mal, ich bin fertig.«

Sie drehte sich zu Till um, der stolz auf seinen Staudamm zeigte. »Super, das ist der größte Staudamm, den ich jemals gesehen habe.«

Till nickte zufrieden. »Und jetzt bauen wir eine Sandburg da oben«, er deutete in die Richtung, in der bereits eine Burg entstand, »oh, da sind ja schon welche, egal, vielleicht sind da auch noch andere Kinder, darf ich trotzdem?«

»Ja, na klar«, Inge fuhr ihm durch die Haare, »lauf.«

Gerührt sah sie ihm nach, wie er zur Sandburg rannte und vorsichtig über den Wall lugte. Die Schaufel der grün-weißen Schirmmütze hielt daraufhin inne. Jetzt drehte sich Till zu ihr um und winkte sie zu sich. Als sie näher kam, entdeckte sie einen weiteren Kopf in der Burg. Inge hielt die Luft an, diese Schirmmütze, gelb-schwarz, die hatte Walter auch. Sie musste über sich selbst den Kopf schütteln: Borussia Dortmund hatte Hunderttausende davon verkauft. Ruhig ging sie weiter. Bis sie die Stimme hörte: »Na, dann sieh dir mal an, wie vernünftige Sandburgen gebaut werden.«

Walter. Und jetzt sah er sie auch.

»Mensch, Inge! Was machst du denn hier? Guck mal, Kalli, da ist meine Frau.« Er wischte sich den Schweiß von der Stirn und stutzte. »Der Junge hat gesagt, er ist … Bist du …«

Erschrocken war Till auf Inge zugelaufen und schob schnell seine Hand in ihre. An Walters Stentorstimme musste man sich erst mal gewöhnen.

»Inge?« Verwirrt sah Walter seine Frau und das unbekannte Kind an. »Wieso weiß ich davon nichts?«

»Das ist doch bestimmt nicht ihr eigenes.« Kalli war vorsichtig aus der Burg gestiegen und nahm seine Mütze ab. »Oder? Hallo Inge, lange nicht gesehen.«

»Hallo Kalli. Das ist ja eine Überraschung. Kann Till hier mitbauen? Oder wollt ihr alleine spielen?«

»Nein, nein, wir können jede Hand gebrauchen. Komm rein, Till, wir sind noch am Ausschachten.« Kalli hob ihn über die Kante, dann folgte er ihm. Walter beobachtete ihn und sagte: »Kalli, pass auf, dass du nicht die Wand runtertrittst. Guck hin, wo du gehst mit deinen großen Füßen.«

Inge sah ihren Mann verwundert an. »Ihr baut eine Sandburg? Kalli und du?«

»Heinz auch. Der ist nur eben schnell zum Auto, er meinte, er hätte noch Pappe im Kofferraum liegen, damit wird der Boden fester. Ah, da kommt er schon. Hallo Heinz, guck mal, wer hier ist.«

Heinz, mit Pappe und drei Holzbrettern beladen, lief freudig überrascht auf seine Schwester zu.

»Das ist ja toll. Hast du uns gesucht?«

»Ich wäre im Leben nicht auf die Idee gekommen, dass drei Rentner hier allein Sandburgen bauen. Das macht man mit Enkelkindern.«

»Walter und ich haben ja keine Enkel. Und Kallis sind in Bremen. Was sollen wir machen?«

Walter nickte. »Ich hätte gern welche, das kannst du glauben, aber mit unserer Tochter wird das ja nichts mehr ... Wir haben uns vorhin die Sandvorspülungen angeguckt und haben uns dabei unterhalten, über Sand und so.«

»Genau«, Heinz reichte ihm die Pappe, »ach, das ist doch der kleine Till, der Sohn von dieser Anika, oder?«

»Jedenfalls sprachen wir über Sand«, fuhr Walter fort, »und Kalli hat erzählt, dass er auf Norderney mal einen Wettbewerb gewonnen hat, die schönste Sandburg oder so. Ist aber schon Jahre her.«

»Über dreißig«, ergänzte Heinz, »er hat aber damit angegeben wie nur was. Da haben wir gesagt: ›Also los, zeig mal, was du noch kannst.‹ Und dann haben wir uns Schaufeln gekauft. Gleich drei Stück. Walter hat in dem Laden nämlich so eine Aktion entdeckt: ›Kauf drei, zahl zwei.‹ Und jetzt sind wir hier. Aber die echte Ahnung hat Kalli auch nicht mehr.«

»Kalli«, bellte Walter in Kallis Richtung, »die Wand rieselt. Das ist doch Pfusch.« Kopfschüttelnd sah er seine Frau an. »Der Gewinner. Lachhaft, macht schon im Ansatz Baufehler. Sag mal, was ist denn das für ein Kind? Das ist mir ja ganz neu.«

»Das ist Till, der Sohn von Anika, einer guten Bekannten. Ich passe heute Nachmittag auf ihn auf.«

»Und woher kennst du die? Wieso hast du auf einmal so junge Bekannte? Ich denke, du triffst dich hier mit Renate.«

»Das mache ich auch. Und im Übrigen hatten wir eine Abmachung: Du wolltest mich in Ruhe lassen.«

»Du hast mich doch hier aufgestöbert«, antwortete Walter empört, »wir wollten nur in Ruhe bauen, mehr nicht.«

Kalli sagte etwas zu Till, der daraufhin laut loslachte. Er amüsierte sich.

Seufzend ließ Inge sich in den Sand fallen. »Dann baut weiter. Aber eins sage ich euch: Kein Streit vor dem Kind. Es ist erst acht.«

Inge schloss die weiße Friesentür auf. Die alten Holzbohlen in der Diele glänzten in der Sonne, auf der kleinen Konsole neben der Garderobe stand ein großer Strauß Mohnblumen. Sie ging den Flur entlang, an vielen Türen vorbei, die unterschiedlich gestrichen waren, einige blau, andere rot, bis sie in einen riesigen Raum kam. In der Mitte stand ein langer dunkler Holztisch, der zum Kaffeetrinken gedeckt war. Mark saß am Kopfende, links von ihm Renate, Heinz und Kalli, alle trugen Schirmmützen, jeder von einem anderen Verein. Am anderen

Ende des Tisches saßen Anika und Till. Als Einziger hob er seinen Kopf, strahlte sie an und rief laut: »Guck mal, Inge, wir haben ein richtig großes Wohnzimmer.« Inge lächelte.

»Inge! Guck doch mal!«

Die Sonne blendete sie, Inge gähnte und richtete sich auf. Sie war tatsächlich einen Moment eingenickt. Till stand ungeduldig vor ihr und zeigte auf die Sandburg.

»Walter hat einen Holzfußboden reingemacht. Und das Wohnzimmer ist ganz groß und die Schlafzimmer ganz klein. Aber Kalli hat die Küche vergessen.«

Schlaftrunken blinzelte Inge an ihm vorbei. »Die Küche?«

»Ja, stell dir vor«, eifrig nickte Till, »aber Heinz hat gesagt, dann gehen wir eben essen.«

»Setz dem Kind ruhig Krabben in den Kopf«, röhrte Walter aus den Tiefen der Sandburg. »Essen gehen. Als wenn das nichts kostet. Nur, weil Herr Kalli sich vertan hat.«

»Ich habe mich nicht vertan!« Kallis Kopf tauchte plötzlich auf. »Sandburgen haben nie Küchen. Na, Inge, ausgeschlafen?«

Jetzt war sie hellwach. »O Gott, wie spät ist es denn? Ich muss Till pünktlich in die ›Badezeit‹ bringen.«

»Auf Norderney gibt es vielleicht keine Küchen«, kam Walters Stimme wieder aus der Sandburg, »sonst doch wohl schon, oder?«

»Es ist halb sechs.« Heinz kniete vor der Burg und drückte sorgfältig Buchstaben aus Muscheln in die Wände: »Privatbesi...« Der Rest fehlte noch.

Erschrocken fuhr Inge hoch, sie hatte fast zwei Stunden geschlafen. »Till, wir müssen los, deine Mama wartet.«

»Och, Mensch«, enttäuscht wandte er sich an seine neuen Freunde, »mein Zimmer ist noch nicht fertig, und wir sind doch noch gar nicht eingezogen.«

Schnaubend zog Walter sich hoch und antwortete: »So ein Haus baut man nicht an einem Tag. Nicht, wenn es was Besonderes werden soll. Da müssen wir morgen wohl noch mal ran. Für heute ist Feierabend. Männer, packt das Werkzeug ein.«

»Meinst du, ich darf morgen wieder her?«

Till zog Inge eifrig am Ärmel. Walter warf Till einen aufmunternden Blick zu. Inge sah ihren Mann nachdenklich an, dann wandte sie sich an Till.

»Das können wir gleich mit deiner Mama bereden. Sonst ist eben Baustopp, bis du Zeit hast.«

Walter lächelte ihr zu. Dann rückte er sich seine Mütze zurecht und drehte sich zu Heinz und Kalli um. »Seid ihr so weit? Charlotte wartet bestimmt schon mit dem Essen auf uns.«

Als Inge und Till die »Badezeit« betraten, war es kurz nach sechs, sie hatten eine halbe Stunde überzogen. Anika, die hinter der Theke stand und Getränke ausgab, hob den Kopf und deutete auf einen kleinen Zweiertisch am Fenster.

»Kaffee?«

»Wasser, bitte«, antwortete Inge und schob Till zum Tisch. Anika brachte zwei Gläser und zog einen dritten Stuhl heran. »Na, mein Schatz, war es schön am Strand?«

Strahlend nickte er. »Das war super. Walter ist nett. Heinz auch. Und Kalli erst recht. Wir haben ein Haus gebaut.« Er trank einen Schluck und wippte aufgeregt mit den Beinen. »Genau so eins will ich auch haben. Nur mit Küche. Aber das sage ich Kalli lieber nicht. Da können wir dann alle drin wohnen, Walter, Heinz, Kalli, Inge, du und ich.«

Verständnislos sah Anika erst ihren Sohn und dann Inge an.

»Mein Mann, mein Bruder und dessen ältester Freund«, beeilte sich Inge zu erklären. »Wir haben uns zufällig am Strand getroffen. Die Herren haben manchmal eigenartige Ideen. Das …«

»Mama, Inge hat gesagt, wir müssen nicht wegziehen, sie weiß was«, es platzte einfach aus Till heraus.

»So viel zu Geheimnissen …«, murmelte Inge.

Anikas Gesicht verdüsterte sich. »Till, ich habe es dir doch erklärt, das können wir uns nicht aussuchen. Wir machen das doch zusammen.«

»Aber Inge hat gesagt ...« Tills Stimme schnappte jetzt fast über.

Seine Mutter warf ihm einen drohenden Blick zu. »Hast du dir eigentlich die Hände gewaschen? Geh mal bitte und mach das.«

Er zog eine Flappe, kletterte umständlich vom Stuhl und schleppte sich zu den Toiletten. Anika wartete, bis er außer Hörweite war, und sagte dann in scharfem Ton: »Musste das sein? Wenn das mit der Wohnung nicht klappt, ist er enttäuscht. Ich hatte ihn gerade so weit, dass er mit der Vorstellung, aufs Festland zu ziehen, klarkommt.«

Tief ausatmend beendete Inge den Widerstreit ihrer Gefühle. Es wäre falsch, weiterhin nur Andeutungen zu machen. Entschlossen sah sie Anika an. »Also gut. Ich wollte noch nicht darüber reden, weil noch nicht alle Formalitäten erledigt sind. Aber vielleicht kannst du mir ja versprechen, es vorerst für dich zu behalten.«

Anika sah sie fragend an und nickte vorsichtig.

»Ich habe in Wenningstedt ein Haus geerbt. Von meiner alten Lehrerin Anna Nissen. Sie ist vor zwei Monaten gestorben.« Inge hatte den Kopf abgewandt und sah hinaus auf die Brandung. Alte Erinnerungen stiegen wieder hoch. »Als ich so alt war wie Till, hatte ich eine beste Freundin. Sinje Nissen. Wir waren dauernd zusammen, machten alles gemeinsam. Im Sommer waren wir jeden Tag am Strand, wir konnten beide gut schwimmen. Bis zu diesem grauenhaften Sonntag im Juli ... Es war sehr heiß, Sinje und ich hatten den ganzen Tag bei einem Bauern in Morsum Erdbeeren gepflückt. Wir waren mit den Fahrrädern unterwegs und hatten beschlossen, vor dem Abendessen schnell noch mal ins Meer zu springen. Sinje war als Erste im Wasser ... Ich weiß nicht, was dann passiert ist. Vielleicht hat sie einen Krampf bekommen, vielleicht war sie auch zu lange in der Sonne gewesen, vielleicht war es die Strömung: Jedenfalls sah ich ihren Kopf auf einmal nicht mehr vor mir. Irgendwie habe ich es geschafft, zu ihr zu schwimmen. Ich habe sie unter den Armen gepackt ... sie hat sich überhaupt nicht mehr bewegt ...«

Inge schluckte die Tränen weg, es war so lange her, und trotzdem waren die Bilder so deutlich.

Anika nahm ihre Hand. »Und dann?«

»Es waren Spaziergänger am Strand. Sie haben mir geholfen. Ein Mann war ... Arzt, aber er konnte nichts mehr machen. Sinje war tot.«

»Wie alt wart ihr damals?«, fragte Anika mit belegter Stimme.

»Wir waren zwölf.« Inge kramte in ihrer Handtasche nach einem Taschentuch.

»So, meine Hände sind sauber.«

Unbemerkt war Till zurückgekommen, sie schreckten beide hoch. Anika reagierte zuerst.

»Super. Dann kannst du in die Küche zu Peer gehen und fragen, ob er noch Eis hat.«

Mit strahlendem Lächeln verschwand er. Anika griff wieder nach Inges Hand. »Das ist ja furchtbar.«

»Ja.« Inge putzte sich die Nase. »Und weißt du, was das Allerschlimmste war?«

Anika schüttelte den Kopf.

»Keiner wusste, dass Sinje Annas leibliche Tochter war. Alle hatten gedacht, sie wäre ein Pflegekind gewesen, das Anna nach dem Krieg adoptiert hat.«

»Aber eine Schwangerschaft lässt sich doch nicht verheimlichen.«

Inge schaute wieder aufs Wasser. »Wir sind beide 1944 geboren, noch im Krieg. Anna war damals Krankenschwester. 1941 ist sie nach Flensburg gegangen, ins Lazarett, um da zu arbeiten. Dort ist Sinje auch zur Welt gekommen. Ich habe keine Ahnung, wie Anna das allein hinbekommen hat. Als der Krieg vorbei war, kam sie mit dem Kind zurück auf die Insel und erklärte allen, Sinjes Eltern seien bei einem Bombenangriff ums Leben gekommen. Alle haben ihr geglaubt, ihre Eltern, ihre Freunde, alle. Man wusste ja auch nie etwas von einem Mann in Annas Leben. Ihre Eltern haben sich dann um Sinje gekümmert, während Anna in Kiel war, um zu studieren. Danach bekam sie die Stelle als Lehrerin in Westerland. Sie wurde meine Klassenlehrerin. Und Sinje meine Freundin.«

Atemlos hatte Anika zugehört. »Und woher weißt du, wie das alles gewesen ist?«

»Das hat Anna mir erzählt. Ich bin die Einzige, mit der sie jemals darüber gesprochen hat, das war erst zehn Jahre nach Sinjes Tod. Ich war 22, und sie musste es sich endlich mal von der Seele reden. Sie hat mich immer als ihre Ersatztochter betrachtet. Deswegen hatten wir auch eine so enge Verbindung. Meine Familie weiß, dass wir immer Kontakt hatten, wie innig der tatsächlich war, haben sie aber nie mitbekommen. Nachdem ich dann von der Insel weg bin, um Walter zu heiraten, haben wir bestimmt zweimal pro Woche telefoniert, weißt du, wir fanden immer Themen, über die wir uns unterhalten konnten, es wurde nie langweilig. Einmal im Jahr sind wir miteinander verreist, immer eine Woche im Mai. Anna suchte die Ziele aus. Paris, London, Oslo, Mallorca, die letzte Reise vor drei Jahren ging nach Island. Danach wollte sie nicht mehr verreisen. Sie hatte alles gesehen, was sie sich vorgenommen hatte ... Ich vermisse sie so.«

»Das glaube ich dir. Und wer war Sinjes Vater?«

Inge hob die Schultern. »Das ist Annas Geheimnis geblieben. Darüber hat sie nie gesprochen. Ich weiß nur, dass er sie unterstützt hat. Sie hatte zwar ihr Lehrerinnengehalt und auch ein bisschen was von ihren Eltern geerbt, aber ein Haus hätte sie davon nie bezahlen können. Weißt du, ich dachte immer, sie wohnt da zur Miete. Dass sie die Eigentümerin ist, habe ich erst durch das Testament erfahren.«

»Mama!« Till stand plötzlich wieder am Tisch, diesmal mit eisverschmiertem Mund und quengeliger Stimme. »Ich habe Langeweile.«

»Wir fahren gleich, Schatz«, beruhigend fuhr Anika ihm über den Kopf. »Holst du mir bitte meine Handtasche von hinten?« Kaum war er weg, fragte sie leise: »Und du hast jetzt das Haus geerbt und hast deshalb eine Wohnung für uns?«

Inge nickte. »Genau. Es sind vier Wohnungen. Drei waren bislang Ferienapartments, und in einer wohnte Anna selbst. Ich war mit dem Testament schon beim Notar und warte jetzt auf den Erbscheinantrag, mit dem ich dann nach Niebüll zum Nachlassgericht muss. Erst dann ist es offiziell. Bis dahin muss alles unter uns bleiben. Wenn Walter was davon erfährt, ist der Verkauf sofort beschlossene Sache. Und das will ich nicht.«

Plötzlich schoss ihr ein Gedanke durch den Kopf. Der Erbscheinantrag war noch gar nicht da! Mark hatte ihr den eigentlich vorbeibringen und sie zum Gericht begleiten wollen. Seit dem Einbruch hatte er sich nicht mehr bei ihr gemeldet. Gleich morgen würde sie in der Kanzlei anrufen. Doch jetzt hatte sie etwas anderes zu tun.

»Wollen wir hinfahren? Damit ihr das Haus sehen könnt?«

Anika lächelte sie an. »Es wäre zu schön, wenn das klappt. Also los, mein Auto steht in der Käpt'n-Christiansen-Straße.« Sie drehte sich zu ihrem Sohn um. »Till, zieh deine Jacke an, Inge will uns was zeigen.«

»Wir sind gleich da. Da vorn ist es, das Rotklinkerhaus.«

Aufgeregt drehte Inge sich zu Till um. Sie hatte Anika durch Wenningstedt in die Norder Wung dirigiert, die Straße, in der Anna Nissens Haus stand. Sie wandte sich wieder Anika zu.

»Du parkst am besten hier ... was ist denn da los?«

Erschrocken beugte sie sich vor, während Anika den Wagen auf einen Seitenstreifen lenkte und den Motor ausstellte. Dann folgte sie Inges Blick, die plötzlich ganz blass geworden war. Die Haustür und alle Fenster standen sperrangelweit offen. Ein silberner Mercedes mit Hamburger Kennzeichen parkte direkt vor dem Haus, daneben standen zwei Männer, den Rücken zu ihnen gewandt. Der kleinere der beiden, blond, in Jeans und Sakko, redete auf den größeren, dunkelhaarigen ein. Beide hatten Klemmbretter in der Hand, der größere machte sich Notizen.

Inge war wie gelähmt. »Das gibt es doch gar nicht. Was machen die denn da?«

Anika war schon ausgestiegen. »Till, du bleibst bitte einen Moment im Auto sitzen, ja?« Sie sah Inge besorgt an. »Inge, ich glaube, ich kenne den dunkelhaarigen. Lass mich reden, ich kriege das raus.«

Mit langen Schritten ging sie auf das Haus zu. Inge folgte ihr aufgeregt.

»Jörn?«, rief Anika in die Richtung der beiden. »Jörn Tietjen?«

Der dunkelhaarige Mann fuhr herum und sah Anika verblüfft an.

»Wer? ... Anika? Tatsächlich!« Er strahlte übers ganze Gesicht und ging ihr entgegen. »Anika Jakob. Das ist ja toll! Was treibt dich denn hierher? Willst du mir Konkurrenz machen?«

Sie lächelte und wandte sich an Inge. »Darf ich dir Jörn vorstellen? Jörn Tietjen, ein alter Studienkollege von mir. Jörn, das ist ... äh ... meine Tante.«

»Angenehm.« Er drückte Inge herzlich die Hand, verbeugte sich sogar ein bisschen.

Sehr angenehm, fand Inge und registrierte dann erst, was Anika gesagt hatte.

»Ein Studienkollege?«

»Ihre Nichte und ich haben in Berlin zusammen Architektur

studiert«, erklärte er, »… zumindest bis sie dann nach Hamburg wechselte. Bist du selbstständig oder in einem Architekturbüro angestellt?«

Inge bemühte sich um einen neutralen Gesichtsausdruck und wartete gespannt auf Anikas Erklärung.

»Weder noch«, antwortete sie, »ich arbeite inzwischen in einer ganz anderen Branche. Bist du beruflich hier?«

»Ja.« Jörn machte eine weit ausholende Geste, die das Haus und das gesamte Grundstück umfasste. »Ich soll dieses schöne Haus hier umbauen, in acht Ferienwohnungen. Ein Großprojekt. Ich liebe so was.« Er zog den blonden Mann näher. »Guido, das hier ist eine ehemalige Studienkollegin von mir, Anika Jakob, mit ihrer Tante. Und das ist Guido Schneider, einer der Inhaber der Verwaltungsgesellschaft, der das Haus gehört.«

Inge machte ein gurgelndes Geräusch und knickte in den Knien ein. Dankbar registrierte sie Anikas festen Griff an ihrem Arm.

»Guten Tag, Herr Schneider.« Anika musterte ihn von oben bis unten. »Ihnen gehört das Haus? Wir dachten, es gehört Anna Nissen.«

»Wollten Sie sie besuchen?«

Guido Schneider hatte noch nicht mal gegrüßt, registrierte Inge. Er hatte etwas Unangenehmes und starrte Anika herablassend an. Ganz anders als dieser Jörn.

»Die ist tot.« Kaugummi kaute er auch, was Inge hasste. »Seit zwei Monaten. Kannten Sie sie?«

»Nein«, Anika starrte genauso zurück, »nicht richtig. Aber meine Tante war vor fünfzig Jahren mal in den Ferien hier. Kinderverschickung. Und jetzt wollte sie mal gucken, wie es ihr so geht.«

»Tja, Frau Jakob …«, abschätzig musterte Guido Schneider Inge, die keine Lust hatte, den falschen Namen richtigzustellen, »da sind Sie leider zu spät. Frau Nissen hat auch keine

Kinder oder sonstige Familie gehabt, zu denen ich Sie jetzt schicken könnte. Frau Nissen hat mir und meinem Partner das Haus vermacht. Wir waren die Einzigen, die sich um die alte Dame gekümmert haben.« Er wippte ungeduldig auf den Fußspitzen. »Kann ich sonst noch was für Sie tun? Ansonsten müssen Sie uns entschuldigen, wir haben hier noch einiges zu erledigen.«

Inge schwieg fassungslos, Anika war nervenstärker.

»Nein, danke.«

Inge hatte Angst, ohnmächtig zu werden. Mit letzter Kraft presste sie ein »Wiedersehen« hervor, bevor sie sich langsam auf den Weg zum Auto machte.

Jörn Tietjen hielt Anika, die sich schon umgedreht hatte, am Arm fest. »Warte mal. In welchem Hotel seid ihr denn?«

»In keinem. Ich lebe hier.«

»Wirklich?« Er sah sie überrascht an. »Du, ich bin bis nächsten Samstag auf der Insel, wollen wir mal essen gehen? Das müssen wir doch feiern, also ich meine, dass wir uns hier wiedergetroffen haben. Ich sage dir, es gibt keine Zufälle, alles ist Schicksal. Hier, meine Handynummer«, hektisch wühlte er in seinen Jackentaschen und zog schließlich eine zerknitterte Visitenkarte hervor, die er ihr feierlich überreichte, »ruf mich an, egal wann, also, ich meine, wenn du Lust hast. Ich würde mich sehr freuen. Wirklich.«

Er findet sie hinreißend, stellte Inge fest, die gewartet hatte. Vielleicht war er früher mal in sie verliebt gewesen. Sie sollte die Einladung annehmen, dachte sie, bevor ihr wieder einfiel, dass sie im Moment wirklich ganz andere Probleme hatte. Trotzdem registrierte sie zufrieden, dass Anika die Visitenkarte einsteckte.

Als sie ins Auto stiegen, bemerkten sie dankbar, dass Till sich auf dem Rücksitz eingerollt hatte und eingeschlafen war. Inge rieb sich die Augen.

»Hier ist irgendetwas faul …«, sagte sie entmutigt, »Anna hat nie etwas von einem Guido Schneider erzählt. Wieso soll ihm das Haus gehören? Ich habe doch das Testament.«

»Wo ist das eigentlich?«

»Im Seitenfach von meinem Kulturbeutel. Ich wollte nicht, dass Walter es zufällig findet.«

»Na, die Sache ist doch ganz einfach«, entschlossen startete Anika den Motor, »ich werde mit Jörn essen gehen, vielleicht kriege ich was raus. Und du solltest ganz schnell einen Termin bei deinem Anwalt machen. Keine Sorge, das kriegen wir schon hin. Und übrigens …«

»Ja?«

»Das Haus ist toll.«

Im Seitenspiegel beobachtete Inge, dass Jörn ihnen mit seligem Lächeln hinterhersah.

Christine und Johann blieben sitzen, bis das Licht im Kinosaal wieder anging.

»Ich weiß gar nicht, warum die Leute sich immer sofort nach der letzten Szene durch die Dunkelheit drängeln müssen«, sagte Christine, die sich im Gehen ihre Jacke anzog, »so ist es doch viel einfacher.«

»Vielleicht müssen sie alle sofort aufs Klo«, antwortete Johann und ließ Christine an der Tür den Vortritt. »Das muss ich jetzt übrigens auch. Wollen wir in Westerland noch etwas trinken?«

»Lass uns doch im Hotel an die Bar gehen. Die sah ganz schön aus.«

»Gut.«

Johann verschwand hinter der Tür zur Toilette, Christine lehnte sich an eine Wand. Sie nahm ihr Handy aus der Tasche und stellte es wieder an. PIN angenommen, meldete das Gerät und fing sofort an zu klingeln. Die Mailbox meldete sich, Christine nahm das Gespräch an.

»Sie haben zwölf neue Nachrichten: Heute, empfangen um 18.30: ›Hallo, Papa hier. Ist Mama mit euch unterwegs?‹

Heute, empfangen um 18.41: ›Also, wenn sie da ist, frag doch mal, wann sie kommt.‹

Heute, empfangen um 18.54: ›Walter hat Hunger. Wir gehen jetzt zu Gosch.‹

Heute, empfangen um 19.03: ›Ja, wir sind am Hafen.‹

Heute, empfangen um 19.20: ›...‹

Heute, empfangen um 19.55: ›Wieder diese doofe Maschine.‹

Heute, empfangen um 20.19: ›Natürlich ist das Christines Nummer. Hallo?‹

Heute, empfangen um 21.49: ›Wir sind zu Hause.‹

Heute, empfangen um 21.52: ›Christine! Mama ist weg.‹

Heute, empfangen um 22.12: ›…‹

Heute, empfangen um 22.18: ›Wo seid ihr denn? Ruf an!‹

Heute, empfangen um 22.25: ›…‹«

Christine zuckte zusammen, als Johann ihr plötzlich auf die Schulter tippte.

»Katastrophen?«

Sie reichte ihm das Handy. »Mein Vater hat weder den Anrufbeantworter abgehört, auf den ich gesprochen habe, noch den Zettel meiner Mutter gesehen. Jetzt gerät er in Panik.«

»Und das heißt?«

»Zwölf Nachrichten auf meiner Mailbox. Ich muss hin.«

»Nein, ruf ihn an …«, Johann suchte bereits die gespeicherte Telefonnummer, »sag ihm, wo sie ist und dass wir da jetzt nicht helfen können.« Er hielt ihr das Handy hin, aus dem sich nach dem ersten Freizeichen eine Männerstimme meldete.

»Ja, bitte?«

»Papa, ich bin es.«

»Pia?«

»Nein.« Christine stöhnte und lehnte die Stirn an Johanns Schulter. »Hier ist Christine. Gib mir mal meinen Vater. Und, Walter, melde dich nächstes Mal vernünftig.«

»Apropos melden, hast du eine neue Handynummer? Wir haben den ganzen Abend versucht, dich anzurufen.«

»Habe ich gemerkt. Ich war im Kino. Gib mir mal …«

»Heinz, willst du mit deiner Tochter sprechen?«

Erschrocken riss Christine das Handy vom Ohr weg, denn Walter brüllte, als wäre Heinz am anderen Ende der Straße.

Im Hintergrund war Kallis Lachen zu hören, dann Heinz, der etwas murmelte. Dann wurde das Telefon fallen gelassen. Christine zuckte bei dem Lärm zusammen.

»Ja? Christine? Bist du es?«

»Hallo Papa. Hast du den Anrufbeantworter nicht abgehört? Und den Zettel nicht gesehen?«

»Ach, Kind, jetzt mach doch keine Ratespiele. Was willst du denn? Wir spielen hier Skat, da kann ich nicht so lange wegbleiben und mich mit dir unterhalten.«

»Ich denke, du suchst Mama.«

»Die ist bei deinem Bruder in Hamburg. Das müsstest du doch wissen, du hast sie doch zum Bahnhof gefahren.«

»Und wieso rufst du dann dauernd an? Wenn du es doch weißt?«

»Ich habe nur dreimal angerufen, die anderen Male waren das Walter und Kalli. Das hat sich auch erledigt.«

»Hast du denn jetzt mit Mama telefoniert?«

»Sicher. Ihr geht es gut, alles in Ordnung, mach dir keine Sorgen. So, ich bin jetzt dran. Tschüss.«

Langsam ließ Christine das Handy sinken und sagte zu Johann: »Komm, ich muss an die Bar.«

Sie saßen in einer ruhigen Ecke der Bar, vor sich eine Flasche Rotwein und zwei Gläser, und Christine spielte Johann ihre Mailbox vor. Er lauschte mit konzentriertem Gesichtsausdruck, der immer wieder von einem Grinsen abgelöst wurde. Als Christine dann noch mal das Telefonat mit ihrem Vater wiedergab, brach er in schallendes Gelächter aus.

»Es ist nicht zu fassen«, sagte er und wischte sich die Lachtränen weg, »so was kann man sich überhaupt nicht ausdenken. Die drei machen sich jetzt eine schöne Zeit, das kannst du glauben.«

»Kalli fährt ja morgen oder übermorgen wieder. Er will doch mit dem Zug zurück.«

»Niemals.« Johann griff nach seinem Glas und versuchte, ernst zu bleiben. »Die lassen doch nicht ihren dritten Mann beim Skat ziehen. Gerade jetzt, wo im Haus Platz ist.«

Christine sah ihn nachdenklich an. »Wahrscheinlich hast du recht. Und wenn Walter anfängt, ihm günstige Zugverbindungen rauszusuchen, dauert das sowieso ein paar Tage.«

»Oder Wochen«, Johann grinste noch breiter. »Zumindest haben wir hier unsere Ruhe. Wir werden höchstens ab und zu nach dem Rechten schauen. Nicht wahr?«

Schweigend griff Christine zu den Nüssen, die in einer kleinen Schale vor ihr standen. Johann rutschte mit dem Stuhl näher an den Tisch, so dass sich ihre Knie berührten.

»Sag mal«, fing er an, »wie würdest du es denn finden, wenn ich nach Hamburg ziehen würde?«

Überrascht hob sie ihren Kopf. »Du willst in Bremen kündigen? Warum das denn auf einmal?«

»Vielleicht, um mit dir zusammenzuleben?«

»Johann!« Sie verschränkte ihre Hand mit seiner. »Bist du dir so sicher, dass das klappt?«

»Ja.« Er sah sie ernst an, dann lächelte er. »Ich trainiere hier ja bereits unter Extrembedingungen. Und mir geht es immer noch gut dabei. Außerdem brauchst du sowieso eine neue Wohnung. Hast du vergessen? Euer Haus wird saniert. Zwei Jahre Krach, Dreck ...«

Ungeduldig winkte Christine ab. »Ja, ich weiß.«

»Weißt du, heute Mittag hat mich die Zentrale angerufen. In Hamburg geht ein Kollege in den Ruhestand, er hat mich als seinen Nachfolger vorgeschlagen.«

Sie sah ihn mit großen Augen an. »Und wann?«

»Zum ersten September. Ich habe drei Monate Zeit, die Wohnung in Bremen zu kündigen und in Hamburg eine neue zu suchen. Jetzt kannst du entscheiden, ob ich eine große oder eine kleine Wohnung suche. Und? Was meinst du?«

Er sah in diesem Moment unglaublich gut aus, hatte ganz sanfte Augen, dieses zärtliche Lächeln, und seine Nerven hielten ihre Familie aus. Christine nickte zuversichtlich.

Am nächsten Morgen schlug Johann selbst vor, kurz bei Heinz vorbeizufahren. »Am besten ist, du lässt mich zwischen Kampen und List raus, und ich jogge in Ruhe zu euch. So hast du ungefähr eine Stunde Zeit, die Truppe zu ordnen, und bevor es gefährlich wird, bin ich bei dir. Und muss sofort zurück zum Duschen. Wegen Erkältungsgefahr.«

Milde lächelnd sah Christine ihn an. »Wir haben zwei Duschen im Haus. Das ist also kein Grund, sofort abzuhauen.«

Johann tippte sich mit dem Finger an die Schläfe. »Du glaubst doch nicht, dass Heinz mich duschen lässt, wenn Charlotte nicht da ist.«

»Wieso nicht?«

»Weil er vermutlich nicht weiß, wie er danach das Badezimmer putzen soll. Und dann die Suche nach den Handtüchern ...«

»Also bitte, Johann. So schlimm ist er ja nun auch nicht.«

Johann lächelte.

Eine halbe Stunde später nahm Christine die Brötchentüte vom Beifahrersitz und stieg aus. Sie warf einen kurzen Blick in den verlassenen Garten und schloss die Hintertür auf. Erleichtert hörte sie das Gurgeln der Kaffeemaschine und schnupperte den Duft von Kaffee. Heinz konnte also doch, wenn er nur wollte. Als sie die Küchentür öffnete, sah sie als Erstes den fliederfarbenen Bademantel ihrer Mutter.

»Mama? Du ...«

»Häh ...?«, sagte der Bademantel und drehte sich um.

»Ach … Morgen, Kalli.«

»Hast du mich erschreckt!« Kalli zog verlegen den Bademantel zusammen, er saß etwas eng. »Morgen, Christine. Möchtest du auch einen Kaffee?«

Christine starrte ihn an. »Sehr sexy. Lila steht dir.«

»Ist das lila?« Kichernd schaute Kalli an sich herunter. »Mach bloß keine Fotos. Er sitzt vielleicht ein wenig knapp, ist aber schön warm. Ich habe ja nichts mit.«

»Hast du dir auch ein Nachthemd von Mama geliehen?«

Kalli schnaubte. »Natürlich nicht.«

Er lupfte den Bademantel ein paar Zentimeter. Darunter tauchte ein roter Pyjama von Heinz auf. Diese Farbkombination konnte blind machen. »Von deinem Vater. Noch nicht getragen, ist auch klar, der kratzt wie verrückt. Aber du weißt ja, geliehener Gaul und so.« Er drehte sich wieder zur Küchenzeile um und öffnete die nächste Schranktür. »Weißt du, ich mache mal Frühstück, habe ich gedacht. Ich finde hier nur nichts.«

»Wo ist Heinz denn?«

Kalli sah sie über die Schulter an. »Der schläft noch. Walter auch. Die sind lange aufgeblieben gestern Abend. Ich war ja schon früh im Bett.«

Christine sah auf die Uhr, es war kurz vor zehn. So lange wurde hier sonst nie geschlafen. »Ich gehe mal gucken.«

Sie stand auf und lief nach oben zum Schlafzimmer. An der Gästewohnung ging sie auf Zehenspitzen vorbei, Walter konnte ja noch liegen bleiben. Vorsichtig drückte sie die Tür auf und traute ihren Augen nicht. Ihr Vater lag auf dem Rücken, hatte seine Hände über dem Bauch gefaltet und starrte mit offenen Augen an die Decke. Walter lag neben ihm und hatte ein Bein um Heinz geschlungen.

»Papa?«

Er hob den Kopf und legte seinen Zeigefinger auf die Lippen. »Pst. Walter schläft.«

»Komm mal raus.« Irritiert schloss Christine die Tür.

Nach einem kurzen Moment kam er. Er rieb sich die Augen und versuchte ein Lächeln. »Morgen. Du bist aber früh hier.«

»Es ist gleich zehn. Kalli steht in Mamas lila Bademantel in der Küche und kocht Kaffee. Er findet aber nichts. Was immer er auch sucht. Und was ist mit euch los?«

»Wieso?« Heinz kratzte sich am Kopf und gähnte. »Walter kam heute Nacht rüber, weil Kalli so schnarcht. Ich schlafe ja sehr ruhig.«

Christine atmete tief ein und zwang sich, gelassen zu bleiben. »Aha. Ich gehe mal runter und helfe Kalli beim Frühstückmachen.«

»Tu das.« Heinz tätschelte ihr den Arm. »Ich rasiere mich und wecke anschließend Walter.«

Als Christine in die Küche kam, hing Kalli kopfüber in der Gefriertruhe.

»Sag mal, habt ihr irgendwo Aufbackbrötchen?«

»Ich habe Brötchen mitgebracht.«

»Das ist gut«, mit hochrotem Kopf kam Kalli wieder hoch, »hier ist ja gar nichts. Und dann habe ich Zuckerrübensirup gesucht.«

»Was?«

»Zuckerrübensirup.« Er bemerkte Christines verständnislosen Blick. »Habt ihr nicht? Egal, ich muss sowieso eine Einkaufsliste machen. Das ist so ein Brotaufstrich. Gut für die Verdauung. Gibt es Marmelade?«

Christine wies stumm auf einen Vorratsschrank. Kalli öffnete sofort die Tür. »Ach ja. Sogar Erdbeere, sehr gut. Und dann brauche ich noch die Thermoskanne, Eierbecher und Dosenmilch. Wenn du mir das bitte zeigen könntest?«

»Sag mal, Kalli, wie lange bleibst du eigentlich?«

Er hielt in seiner Bewegung inne und knotete den Bademantelgürtel neu. »Och, so eine Woche ungefähr, je nachdem. Ich habe gestern Abend Hanne angerufen, damit sie Bescheid weiß. Sie schickt mir auch ein paar Sachen, Waschzeug kann ich von Heinz leihen, aber bei Unterwäsche bin ich ja komisch.«

Christine schluckte. »Was heißt, je nachdem?«

Kalli sah sie freundlich an. »Je nachdem, wie lange es dauert. Du, es geht hier um zwei Ehen. Wir müssen herausfinden, was mit Inge los ist, und wir müssen deine Mutter davon überzeugen, wieder zu Heinz zurückzukommen. Ich kann doch Heinz und Walter in einer solchen Situation nicht hängen lassen.«

»Meine Mutter hat meinen Vater nicht verlassen, sondern ist wegen … äh … anderen Gründen zu Georg gefahren.«

Mitleidig strich Kalli Christine über die Wange. »Ja, Kind, das wollen wir mal hoffen. Aber das kriegen wir alles schon wieder hin. Wir haben einen Plan gemacht. Soll ich ihn dir erklären?«

Christine sah Kalli lange in die Augen. »Nein. Auf gar keinen Fall.« Entschlossen stand sie auf. »Ich helfe dir beim Tischdecken.«

 Inge spielte nervös mit ihrem Kugelschreiber, während sie wartete, dass am anderen Ende jemand abnahm.

Aber es sprang wieder nur der Anrufbeantworter an: »Anwaltskanzlei und Notariat Mark Kampmann. Das Büro ist im Moment nicht besetzt. Bitte hinterlassen Sie eine Nachricht mit vollständigem Namen, Adresse und Telefonnummer. Vielen Dank.«

Inge holte tief Luft. »Guten Tag. Mein Name ist Inge Müller, es geht um die Erbschaftsangelegenheit Anna Nissen. Ich habe schon öfters angerufen und nie jemanden erreicht. Rufen Sie mich doch bitte zurück. Danke.«

Seufzend legte sie den Hörer auf und stützte ihre Stirn in beide Hände. Sie verstand das alles nicht. Mark Kampmann hatte sich seit dem Einbruch nicht mehr gemeldet, sah sie von diesem übertriebenen Blumenstrauß ab, den er ihr in die Klinik geschickt hatte. Und jetzt war auch noch dieser unangenehme Guido Schneider aufgetaucht, dem angeblich das Haus gehörte.

»Ach, Anna …«, flüsterte Inge und sah dabei in den Garten, »was ist denn das jetzt für ein Durcheinander?«

Sie schreckte zusammen, als das Telefon klingelte. Die Kanzlei? Atemlos nahm sie das Gespräch an.

»Frau Inge Müller?«

Die männliche Stimme war ihr völlig unbekannt. »Ja?«

»Guten Tag, Frau Müller. Mein Name ist Martensen, Kripo Flensburg. Frau Müller, es geht um den Einbruch bei Ihnen, ich hätte da noch ein paar Fragen.«

»Was für Fragen? Ich habe doch der Polizei in Westerland schon alles beantwortet.«

»Ja, das habe ich gesehen, wir haben uns die Akte kommen lassen. Deshalb würde ich gern noch mal mit Ihnen sprechen. Ich bin gerade in Westerland, könnten wir uns vielleicht treffen? Es dauert auch nicht lange.«

»Das kann ich schlecht ablehnen, oder?«

Martensen lachte leise, er klang sympathisch. »Nicht wirklich«, sagte er, »aber es wird auch nicht schlimm. Wollen wir uns in der Stadt treffen? Oder soll ich zu Ihnen in die Pension kommen? Da richte ich mich ganz nach Ihnen.«

Inge überlegte kurz. »Am besten, Sie kommen in die Pension. Oder fahren Sie einen Streifenwagen mit Blaulicht, den dann alle sehen?«

»Nein. Die Kripo fährt Passat. Wann passt es Ihnen denn?«

»Am liebsten gleich.« Inge wollte es hinter sich bringen.

»Gut. Ich bin in einer halben Stunde bei Ihnen.«

Während Inge sich im Bad schnell die Lippen nachzog, klingelte wieder das Telefon.

»Müller.«

»Anwaltskanzlei Kampmann, mein Name ist Helga Gross. Frau Müller, es tut mir leid, dass ich mich jetzt erst melde, aber hier ist im Moment Land unter.« Sie sprach schnell und aufgeregt, war aber nicht unfreundlich. »Es geht um den Erbscheinsantrag, den Sie brauchen, nicht wahr? Leider ist Herr Kampmann krank und fällt wohl für ein paar Wochen aus und ...«

»Was hat er denn?«, unterbrach Inge.

Helga Gross stutzte. »Er ... also, darüber kann ich keine Auskunft geben. Jedenfalls habe ich hier alles durchsucht, und in der Mappe fürs Gericht finde ich auch nichts. Das kann nur bedeuten, dass Herr Kampmann schon alles eingereicht hat. Ich gehe davon aus, dass alles so seine Ordnung hat.«

»Aber mit Herrn Kampmann kann ich nicht sprechen?«

»Nein, wie gesagt, er ist krank. Also dann, schönen Tag noch, Frau Müller.«

»Ja, danke. Und wünschen Sie ihm gute ...«

Helga Gross hatte schon aufgelegt.

Bevor Inge anfangen konnte, sich Gedanken über diesen Anruf zu machen, klingelte es an der Haustür.

Martensen hatte keinerlei Ähnlichkeit mit den Kommissaren, die Inge aus dem Fernsehen kannte. Er hatte schütteres Haar, eine randlose Brille und trug eine Jeansjacke. Außerdem war er jung, keinesfalls älter als Mitte dreißig.

Vermutlich kannte er die Reaktionen der Menschen. Offen lächelte er Inge an und zückte seinen Ausweis.

»Martensen. Ich weiß, im ›Tatort‹ würde ich nur die Rolle des Taxifahrers kriegen. Aber dafür bin ich echt.«

Inge lachte und trat einen Schritt zur Seite. »Kommen Sie rein. Habe ich so erstaunt geguckt?«

»So wie alle ...«, er putzte sich gründlich die Schuhe ab, »aber ich kenne das schon. Man gewöhnt sich dran.«

»Setzen wir uns in den Garten? Möchten Sie einen Kaffee?«

»Zweimal ja«, erwiderte er, woraufhin Inge zu Petra ins Büro ging und sie um Kaffee bat.

Keiner der anderen Gäste war zu sehen, als sie fünf Minuten später auf der Terrasse Platz nahmen. Martensen zog einen Aktenordner aus seiner Tasche und rührte dann Sahne in seinen Kaffee. Mit einem Blick auf Inge klappte er den Ordner auf.

»So, Frau Müller ...«, sagte er, während er noch blätterte, »Sie haben ja schon ausgesagt, dass nichts gestohlen wurde. Vermissen Sie immer noch nichts?«

Inge schüttelte den Kopf.

»Schön. Und Ihnen geht es auch wieder gut? Keine Nachwirkungen von dem Stoß?«

»Nein«, Inge schüttelte wieder den Kopf, »alles in Ordnung.«

Martensen musterte sie ernst. »Haben Sie sich eigentlich mal Gedanken darüber gemacht, wer da bei Ihnen eingestiegen ist, und was die Einbrecher gesucht haben?«

Inge runzelte die Stirn. »Jetzt reden Sie wie im Krimi. Ich glaube, dass das irgendwelche Jugendliche waren, die Geld brauchten. Die jungen Leute hier haben doch alle nichts mehr und sehen dann jeden Tag, wie die Gäste mit ihren großen Autos und ihrem protzigen Schmuck ihre Insel in Beschlag nehmen. Da müssen sie doch auf dumme Gedanken kommen.«

Jetzt guckte Martensen irritiert. »Ach, und deswegen dürfen die irgendwo einsteigen und Frauen niederschlagen?«

»Nein, natürlich nicht. Ich wollte auch nur sagen, dass ich im Gegensatz zu meinem Bruder keine Verschwörung hinter dem Einbruch vermute.«

Martensen überflog eine Seite im Ordner und grinste. »Ja, Ihr Bruder hatte da einige interessante Theorien. Die Kollegen aus Westerland waren sehr beeindruckt. Und sie haben alles protokolliert.«

Abwehrend hob Inge die Hände. »Ich will sie nicht wissen. Ich denke, Sie können den Ordner zumachen. Es wurde nichts gestohlen, mir geht es bestens, also was soll es noch?«

Martensen klappte den Ordner tatsächlich zu und sah sie forschend an. »Und es kam Ihnen nicht komisch vor, dass Ihr Schmuck offen auf dem Tisch lag, Ihre Geldbörse sichtbar in der Handtasche steckte mit allen Kreditkarten und Papieren, die Schubladen offen standen und trotzdem nichts gestohlen wurde?«

»Ich habe die Einbrecher gestört«, antwortete Inge, »sie haben mich gehört und mussten fliehen. Dabei haben sie die mögliche Beute übersehen.«

Jetzt heftete er den Blick auf Inge, die dem standhielt. »Sagt Ihnen der Name Mark Kampmann etwas?«

Sie zuckte zurück. »Ja. Natürlich. Was ist mit ihm?«

Martensen ging nicht auf ihre Frage ein. Stattdessen sagte er: »Sie haben meinem Kollegen gesagt, Sie würden hier gerade einen Nachlass regeln. Diese Auskunft sollte diskret behandelt werden. Warum?«

Inge reagierte empört. »Herr Martensen. Sie fragen mich das, als würden Sie mich verdächtigen, krumme Geschäfte zu machen. Ich muss schon sehr bitten.«

Mit sanfter Stimme beruhigte er sie: »So war das gar nicht gemeint. Ich muss Sie das aber fragen. Es geht mir nicht nur um den Einbruch, dafür sind sowieso die Kollegen zuständig. Wir bearbeiten in Flensburg aber gerade noch einige andere Fälle, und es könnte da einen Zusammenhang geben. Also, bitte, Frau Müller, wessen Nachlass, warum diskret, und woher kennen Sie Mark Kampmann?«

Langsam ging Inge das Gespräch auf die Nerven. Das Durcheinander erschien ihr immer größer. Sie atmete tief durch. »Der Nachlass ist von Anna Nissen, einer sehr alten Freundin von mir. Und diskret, weil mein Mann Walter ein pensionierter Steuerinspektor mit Hang zur Geldvermehrung ist. Ich habe Frau Nissens Haus geerbt, äh …, zumindest steht das in dem Testament, das ich habe, und wenn Walter das wüsste, wäre sofort ein Makler beauftragt, das Haus zu Geld zu machen. Was ich aber nicht will. Was war die dritte Frage? … Ach so, ja, Kampmann. In dem Brief, der Annas handschriftlichem Testament beigefügt war, hatte sie geschrieben, dass sich in den letzten Jahren eine Verwaltungsgesellschaft um die Vermietung der Ferienwohnungen gekümmert hat. Ich habe da gleich angerufen. Es war eine sehr nette Dame am Telefon, der habe ich erzählt, dass ich das Haus geerbt habe, aber nicht wüsste, welche Schritte ich unternehmen muss. Meinen Mann konnte ich ja schlecht fragen.« Sie machte eine kurze Pause und registrierte, dass Martensen gespannt zuhörte. »Diese Dame, wie hieß die gleich noch? … Ach ja, Frau

Fischer, also sie hat gesagt, das würde sie auch überfordern, aber sie würde sich umhören und wieder melden.«

Martensen hatte den Namen Fischer aufgeschrieben. Er sah sie an. »Und dann?«

»Noch am selben Tag rief Mark Kampmann bei mir an. Er sei ein guter Bekannter von Frau Fischer und Anwalt. Er bot mir seine Hilfe an. Und da wir eine Rechtsschutzversicherung haben – die hat Walter schon seit zwanzig Jahren, weil er gerne mal klagt –, habe ich bei ihm einen Termin gemacht. Ich wollte ja sowieso nach Sylt fahren. Er hat mir alles sehr nett erklärt, das Testament angeschaut und alle möglichen Anträge gestellt. Wieso schütteln Sie den Kopf?«

»Haben Sie schon die Papiere bekommen? Den Erbschein? Ein Aktenzeichen vom Nachlassgericht? Irgendetwas?«

Inge schwirrte der Kopf. »Nein«, räumte sie ein, »ich habe Herrn Kampmann seit dem Einbruch aber auch nicht mehr gesprochen. Vorhin hat aber eine Frau Gross aus der Kanzlei angerufen. Sie hat gesagt, Herr Kampmann sei krank, aber meine Anträge seien erledigt und bei Gericht.«

Martensen pfiff lautlos. »Wer's glaubt.« Er straffte seine Schultern und sah sie forschend an. »Also, Frau Müller. Ich will Sie nicht länger auf die Folter spannen, weshalb ich hier bin: Ich brauche Ihnen vermutlich nicht zu erzählen, was Immobilien auf Sylt wert sind. Überall, wo man schnell viel Geld verdienen kann, passieren eigenartige Dinge. In den letzten drei Jahren gab es hier einige große Objekte, die an verschiedene Firmen gingen. Die verstorbenen Besitzer waren in den meisten Fällen alte Leute, die keine Familie mehr hatten und Testamente verfasst hatten, in denen drei Firmen als Alleinerben auftauchten. Eine Verwaltungsfirma, eine Werbeagentur und ein mobiler Pflegedienst. Alle Testamente wurden von der Kanzlei Kampmann notariell beglaubigt.«

Inge hatte ihm skeptisch zugehört. »Das heißt doch nichts. So viele Kanzleien gibt es in Westerland ja auch nicht. Und immer mehr Menschen sind im Alter ganz allein, und wenn es in ihrer Umgebung Leute gibt, die sich um sie kümmern, können sie denen doch auch was vererben. Muss ja nicht immer alles an die Kirche, den Staat oder ans Tierheim gehen.«

Martensen sah sie geduldig an. »Sicher. Wenn es keine Familie oder Freunde gibt, ist das auch in Ordnung. Wir haben aber einen Hinweis von einem Rechtsanwalt aus Flensburg bekommen. Er hat eine Mandantin gehabt, der einiges merkwürdig vorkam. Es ging dabei ebenfalls um eine Immobilie auf Sylt. Daraufhin hat der Anwalt nachgeforscht und einige Ungereimtheiten bemerkt. Dabei tauchte ein Name immer wieder auf. Und das klingt mir dann doch etwas zu sehr nach Zufall.«

Inge fühlte sich überfordert. »Und was habe ich damit zu tun?«

»Haben Sie das Testament noch? Oder hat es Kampmann?«

»Ich.« Inges Stimme klang kläglich.

»Gut«, Martensen nickte erleichtert. »Ich glaube, dass Kampmann sehr überrascht war, als Sie mit einem Testament aufgetaucht sind. Frau Nissen hat ja allein gelebt. Und die Verwaltungsgesellschaft hat sich schon … äh …«, er hüstelte, »nun ja, wir wollen hier nicht vorgreifen.«

»Was meinen Sie damit?«

»Das erkläre ich Ihnen später. Nur so viel: Es könnte sein, dass jemand das Testament bei Ihnen gesucht hat.«

Fassungslos starrte Inge ihn an. Dann schüttelte sie resolut den Kopf. »Was für eine Räuberpistole! Wir sind doch nicht in Las Vegas. Das könnte von meinem Bruder kommen, der hat auch so eine überschäumende Phantasie. Der Flensburger Anwalt geht wohl zu oft ins Kino.«

Langsam erhob sich Martensen. »Frau Müller, Sie müssen mir das alles nicht glauben. Ihre Geschichte passt aber gut zu unserer, wie sagten Sie, ›Räuberpistole‹. Ich rate Ihnen nur Folgendes: Gehen Sie zu einem anderen Anwalt und lassen Sie noch mal alles prüfen. Und reden Sie mit Ihrem Mann. Der kann Ihnen bestimmt helfen.«

»Bestimmt kann mein Mann mir helfen!« Inge lachte tonlos. »Sie sollten ihn kennenlernen.«

Martensen griff nach seiner Aktentasche und gab Inge die Hand. »Alles Gute und danke für den Kaffee. Ach so, und ich hätte noch eine Bitte: Könnte ich eine Kopie Ihres Testaments bekommen? Hier ist meine Karte.« Er legte eine Visitenkarte auf den Tisch. »Wenn was ist, rufen Sie mich gern an. Schönen Tag noch.« Er wandte sich schon zum Gehen, drehte sich dann aber noch mal um. »Was haben Sie mit dem Haus eigentlich vor? Wenn Sie nicht verkaufen wollen?«

Inge blickte ihn müde an. »Ich wollte eine Hausgemeinschaft gründen. So ein Mehrgenerationenhaus.«

»Wirklich?« Martensen machte große Augen. »Darüber habe ich mal einen Artikel gelesen. Das finde ich großartig. Meine Freundin ist davon auch ganz fasziniert. Sie arbeitet in Westerland als Lehrerin. Also, falls Sie noch Mieter suchen … Upps, um Himmels willen, das habe ich nie gesagt. Vergessen Sie es, das wären unlautere Methoden. Tschüss.«

Inge sah ihm erschöpft hinterher und dachte nach. Erst verdarb er ihr den Tag, und dann wollte er ihr Mieter werden. Das wurde ja immer bunter.

Als Heinz gewaschen und rasiert in die Küche kam, saßen Kalli und Christine bereits am gedeckten Tisch und warteten.

»Morgen«, brummte er und wollte sich gerade setzen, als sein Blick auf Kalli fiel. Entrüstet blieb er stehen. »Kalli, also ehrlich!«

Kalli schaute ihn irritiert an. »Was?«

»Du willst doch wohl nicht so frühstücken? Ich bitte dich! Wir sind doch nicht im Seniorenstift.«

Christine verbiss sich ein Grinsen; sie hatte sich an den Anblick von Kalli im fliederfarbenen Frottee schnell gewöhnt. Kalli schüttelte unsicher den Kopf.

»Ja, also ich weiß nicht, was ...«

»Der Bademantel«, flüsterte Christine. »vielleicht schmerzt es ihn.«

»Oh!« Abrupt sprang Kalli auf, nestelte verlegen am Bademantelgürtel und warf Heinz einen verständnisvollen Blick zu. »Ich war so im Stress, bis man in einem fremden Haushalt alles gefunden hat, ich sag es dir. Ich war richtig froh, als Christine kam. Aber jetzt, wo sie da ist, kann ich ja ins Bad. Fangt ruhig schon an.«

Er huschte aus der Küche, während Heinz ihm nachdenklich hinterhersah.

»Wo hat er bloß diesen Bademantel her?«

»Das ist Mamas.«

Verblüfft blickte Heinz seine Tochter an. »Echt? Deshalb kam er mir so bekannt vor. Na ja, aber trotzdem. Im Bademantel können wir frühstücken, wenn wir uns nicht mehr allein

anziehen können. Bis dahin sollten wir aber Disziplin halten.«
Er nahm seine Tasse und streckte sie ihr hin. »Gibt es schon
Kaffee?«

»Ja.« Christine stand auf und nahm die Kanne aus der Kaffeemaschine. »Wollen wir nicht warten? Onkel Walter ist
doch auch noch nicht fertig.«

»Eine Tasse kann ich ja wohl schon mal trinken. Und Onkel
Walter zieht sich gerade an.« Er senkte seine Stimme. »Er hatte eine ganz schlechte Nacht.«

»Wieso das denn?« Christine schenkte ihm Kaffee ein. »Das
sah doch ganz kuschelig aus, ihr zwei im Doppelbett.«

»Kuschelig?« Heinz zog die Tasse einfach weg, Christine
konnte nicht so schnell reagieren und goss weiter. »Nicht so
voll. Da muss doch noch Milch rein.«

»Dann sag doch stopp!« Ärgerlich griff sie nach ein paar
Küchentüchern und tupfte den braunen See vom Tisch. »Was
war denn nun mit Onkel Walter?«

Ihr Vater rührte vorsichtig in seiner bis zum Rand gefüllten
Tasse. Sein Gesichtsausdruck war heldenhaft. »Ich habe ihm
gestern Abend die Wahrheit gesagt. Ich musste es tun. Das
war ich ihm schuldig.«

Christine warf das letzte nasse Küchenkrepp in den Müll
und drehte sich erstaunt zu ihm um. »Welche Wahrheit?«

»Na, die Wahrheit eben. Jetzt guck mich nicht so an, du
weißt genau, wovon ich rede.«

»Wovon?«

Heinz vergewisserte sich mit einem Blick zur Tür, dass niemand zuhörte. Dann sagte er leise: »Der Anrufbeantworter.
Bei Petra. Und? Klingelt es jetzt bei dir?«

Siedend heiß fiel Christine das Gespräch ein, das sie mit Jo-
hann im Garten geführt hatte. Der Anrufer am Abend des
Einbruchs, der Inge am nächsten Morgen abholen wollte. Ihr
Vater hatte tatsächlich gelauscht.

Anscheinend hatte er ihre Gedanken gelesen. »Du redest ja

auch so laut. Ich habe hinter dem Gartenhaus den Rasen-mäher geölt, ich brauchte gar nicht zu lauschen. Das ging auch so.«

»Wir wissen doch gar nicht, wer das war. Vielleicht hatte sie auch nur irgendeinen völlig harmlosen Termin«, sagte Christine.

Milde lächelnd schüttelte Heinz den Kopf. »Völlig harmlos? Nein, das war ihr Galan. Keine Frau verlässt einen Mann wie Walter, schon gar nicht nach so vielen Jahren. Hinter so einer Kurzschlusshandlung steckt fast immer ein neuer Mann. Glaub mir, Kind, ich habe genug Filme gesehen, das ist so sicher wie das Amen in der Kirche. Sonst hätte sie dir auch was erzählt.«

»Ich habe sie doch gar nicht gefragt. Extra nicht. Weil sie nämlich darum gebeten hat, dass wir sie in Ruhe lassen.«

Mit einer lässigen Handbewegung wischte Heinz ihren Ein-wurf weg. »Wenn es etwas Harmloses wäre, hätte sie davon erzählt, ganz sicher, ich kenne sie doch. Nein, nein, dieser fremde Mann ist die einzige logische Erklärung. Das sieht Wal-ter genauso.«

»Was hast du ihm denn gesagt?«

»Dass sie einen Verehrer hat. Und dass wir kämpfen müs-sen …«

Christine schluckte. Heinz redete sich in Rage: »… dass wir herausfinden müssen, um wen es sich handelt. Du musst deine Feinde kennen, sonst kannst du sie nicht besiegen. Und das werden wir angehen. Wir …«

Er sah sie mit feurigem Blick an und wurde von Kalli unter-brochen.

»Wieso schreist du so? Man hört dich bis oben.«

Heinz runzelte die Stirn. »Ist das meine gute Hose?«

Kalli trug eine sehr elegante schwarze Hose und ein weißes Hemd. Er strich über den Stoff und nickte.

»Die hing im Schrank. Du hast doch gesagt, ich könnte mir was leihen.«

Christine fiel auf, dass seine Haare ganz anders lagen. Vermutlich hatte er sich auch Mamas teures Styling-Gel geliehen.

»Du siehst sehr vornehm aus«, sagte sie schnell. »Hast du was im Haar?«

»Ja«, vorsichtig strich er über die klebrige Masse, »das war so eine grüne Dose. So eine Art Pomade.«

Christine hatte es geahnt. Heinz rutschte ein Stück zur Seite und klopfte neben sich auf die Küchenbank.

»Setz dich hierhin. Und leg dir ein Handtuch über die Hose. Nicht, dass du die gleich mit Ei einsaust.«

Bevor Kalli Platz nehmen konnte, stand Walter vor ihm und guckte ihn an. »Was ist das denn?« Er knallte Kalli die Hand auf die Schulter. »Herr Ober, ich hätte gern ein Herrengedeck, aber zack, zack.« Er lachte polternd und setzte sich umständlich hin.

»Wieso Ober?« Heinz schüttelte entrüstet den Kopf. »Das ist meine beste Hose, die war teuer. Und das Hemd ist irgendein Markenteil. Das habe ich letztes Jahr zu Weihnachten gekriegt. Über hundert Euro. Ich habe die Quittung gefunden, die hatte Charlotte aufbewahrt, wegen Umtausch.«

»Hundert Euro!« Walter schnappte entsetzt nach Luft. »Für ein Hemd! Das guckst du da aber nicht ab. Das ist ja Wahnsinn. Kalli, leg dir bloß was drüber.«

Kalli stand immer noch. Entschlossen drückte Christine ihn auf die Küchenbank und holte die Kaffeekanne.

»Jetzt frühstückt doch erst mal, Kalli hat sich so viel Arbeit gemacht.«

Er sah unsicher zu ihr hoch. »Soll ich mich lieber umziehen? Oder kannst du mir mal ein Handtuch geben?«

»Du kannst ja ein bisschen aufpassen.« Trotzdem reichte sie ihm eines. »Und, Onkel Walter, wie geht es dir?«

»Gut. Alles paletti. Wieso?«

Heinz stieß ihn an. »Ich habe es ihr gesagt. Sie weiß Bescheid. Du brauchst sie nicht zu schonen. Und im Übrigen ist Christine dem Geheimnis ja auch auf die Spur gekommen.«

»Papa!«

»Welchem Geheimnis?« Verständnislos schaute Kalli in die Runde.

Gleichmütig kaute Walter weiter. Statt seiner antwortete Heinz: »Inge hat einen Verehrer. Oder so was Ähnliches. Auf jeden Fall ist ein Mann im Spiel. Wir müssen Walter jetzt beistehen. Das kann er sich nicht gefallen lassen.«

»Nein, wirklich?« Kalli wirkte regelrecht entsetzt. »Wann ist das denn rausgekommen? Gerade eben?«

»Gib mir mal das Salz.« Mit einem einzigen Schlag köpfte Walter sein Ei. »Das habe ich gestern Abend erfahren. Du musstest ja so früh ins Bett. Und dann hast du geschnarcht wie ein Elch.«

»Tut mit leid. Aber ich hatte einen harten Tag hinter mir. Fliegt ihr doch mal mit so einem Kamikazepiloten über die Nordsee. Das geht auf den ganzen Körper. Und was willst du jetzt machen, Walter? Das gibt es doch gar nicht.«

Beruhigend drückte Christine seinen Arm. »Kalli, reg dich nicht auf. Das ist alles gar nicht bewiesen. Am besten, ihr fahrt zu Inge, oder noch besser, Onkel Walter fährt zu Inge und redet in Ruhe mit ihr. Dann wird sich dieser ominöse Verehrer wahrscheinlich als etwas ganz Harmloses entpuppen. Noch jemand ein Brötchen?«

Walter nahm sich eines und lächelte Christine an. »Inge will aber nicht reden. Mit mir nicht und mit Heinz nicht. Dein Vater hat schon recht, wir müssen das wohl oder übel selbst klären. Du musst deine Feinde kennen ...«

»Onkel Walter«, unterbrach sie ihn, »jetzt steigert euch doch nicht in so einen Blödsinn rein, nur weil mein Vater zu viele Filme sieht. Und spart euch diese markigen Sprüche. Wenn euch jemand zuhört, denkt er, ihr wollt jemanden umbringen.«

Während Heinz aufmunternd Walter in die Seite stieß, bekam Kalli ängstliche Augen. Christine zwang sich, ihre aufsteigende Besorgnis zu verdrängen, sah aus dem Fenster und zu ihrer großen Erleichterung Johann, der im leichten Laufschritt auf das Haus zulief.

»Johann kommt«, sagte sie und stand auf. »Seid so nett und beendet das Thema an dieser Stelle. Er hört solche Geschichten nicht gern.«

Kalli wandte sich mit gefasster Miene zu ihr. »Die sind auch nicht schön. Das hört ja kein Mann gern, also, dass ihm, wie sagt man, Hörner aufgesetzt werden. Oh, entschuldige, Walter.«

»Jetzt ist aber gut.« Walter griff zum dritten Brötchen. »Ich kriege keine Hörner, wir müssen uns nur mal um eine bestimmte Person kümmern.«

»Genau!« Heinz fuchtelte mit dem Messer herum, ein kleiner Klecks Marmelade fiel auf Kallis Hose. »Und deshalb fahren wir auch gleich zum ›Ulenhof‹ und reden mal mit Inges charmanter Freundin Renate.«

»Papa, ich …«

»Genau«, schnitt Walter ihr das Wort ab, »sie war zwar am Telefon unmöglich zu mir, aber Heinz hat ja gesagt, sie wäre in Wirklichkeit ganz reizend. Und wir haben ja wohl noch jede Frau zum Reden gebracht. Und Renate redet sowieso gern, oder? Das kriegen wir schon hin.«

Christine fing an zu schwitzen. »Das halte ich für eine ganz blöde Idee. Ich …«

»Was ist eine blöde Idee? Guten Morgen, die Herren, die Hintertür steht sperrangelweit auf.« Johann trat ein und klopfte dreimal auf den Tisch.

»Heinz hat so ein komisches Rasierwasser.« Kalli schnupperte in Richtung Flur. »Da habe ich mal gelüftet, das roch überall. Ich habe es auch aus Versehen genommen, furchtbar, Heinz, du musst dir mal ein neues kaufen.«

Johann zog den Reißverschluss seiner Trainingsjacke zu. »Ich glaube, ich rieche auch nicht viel besser. Von welcher blöden Idee habt ihr gerade geredet?«

»Dass wir ab morgen mit dir joggen«, antwortete Walter. »Heinz hat das vorgeschlagen, weil Kalli eine ganz schöne Plauze hat.«

Christine sah Kalli warnend an, der seine beleidigte Antwort runterschluckte und sagte stattdessen: »Aber ich habe schon gesagt, dass es eine blöde Idee ist. Das ist doch viel zu anstrengend.«

Johann musterte alle drei. »Also von mir aus können wir das gern mal probieren. Ich kann ja langsam laufen.«

»Ja, mal sehen«, energisch schob Christine ihn aus der Küche. »Schönen Tag noch, wir melden uns mal gegen Abend. Tschüss.«

Bevor sie die Tür hinter sich schloss, hörte sie ihren Vater: »Danke, Walter. Was Dümmeres ist dir auch nicht eingefallen, oder?«

»Nö«, war seine Antwort, »nicht auf die Schnelle.«

Heinz fuhr zweimal vor und zurück, bis er in der richtigen Parkposition stand. Walter guckte an ihm vorbei und sagte: »Beim ersten Mal standest du exakt so wie jetzt.«

»Nein«, Heinz öffnete die Tür und sah auf den Boden, »jetzt bin ich zehn Zentimeter von der Linie entfernt. Wie es sich gehört.«

Kalli, der hinten saß, rutschte ein Stück vor und packte die Kopflehne von Walter.

»Weiß die Dame eigentlich, dass wir kommen?«

»Nein.« Heinz stellte den Motor aus. »Du darfst das Überraschungsmoment nicht unterschätzen. Wir wollen sie doch zum Reden bringen.«

»Aha.« Kalli schnallte sich ab und öffnete die Tür. »Dann wollen wir sie mal überraschen. Wie heißt sie eigentlich?«

»Renate.« Heinz stieg jetzt ebenfalls aus. »Das haben wir dir doch schon erzählt.«

»Ja, aber wie weiter?«

Heinz sah Walter an. »Renate, äh ... weißt du das?«

Walter schüttelte den Kopf. »Keine Ahnung. Am Telefon war sie immer ganz kurz angebunden. Ich kam gar nicht dazu, sie zu fragen.«

Kalli schüttelte den Kopf. »Ihr seid vielleicht vorbereitet! Na gut, vielleicht gibt es ja nur zwei oder drei Renates im Hotel, die gucken wir uns einfach alle an. Wiedererkennen wird Heinz sie ja hoffentlich.«

»Natürlich. Ich habe ein hervorragendes Gedächtnis. Gerade für Gesichter. Dann kommt.«

Nebeneinander gingen sie auf den »Ulenhof« zu.

Heinz trat als Erster an die Rezeption. Bevor er etwas zu der Empfangsdame sagen konnte, hörte er hinter sich eine erstaunte Stimme.

»Wollen Sie zu mir?«

Er drehte sich schnell um und sah sich Renate gegenüber. Sie stand in einem feuerroten weiten Kleid vor ihm, in der einen Hand eine kleine Flasche Champagner, in der anderen ihren Zimmerschlüssel. Sie nickte der Empfangsdame zu und sagte: »Der Herr ... die Herren gehören zu mir«, wandte sich dann wieder zurück und fragte: »Ist etwas mit Inge?«

Charmant machte Heinz einen Diener und lächelte sie an. »Nein, nein«, säuselte er, »wir wollten Sie einfach mal besuchen. Also, mein Freund Kalli, mein Schwager Walter und ich.«

Renate kräuselte die Stirn und betrachtete Walter. »Sie sind Inges Mann?«

Walter neigte feierlich den Kopf. »Angenehm, gnädige Frau. Wir haben ja schon mal telefoniert. Wenn auch nur kurz. Stören wir Sie gerade bei einer kleinen Feier?« Neugierig starrte er auf die Champagnerflasche.

Renate warf ihre rote Haarpracht zurück. »Nein, nein. Ich finde nur, das Leben ist zu kurz, um was Schlechtes zu trinken. Ab und zu gönne ich mir einen kleinen Champagner, um mich selbst zu feiern. Man soll es sich ja nett machen, nicht wahr?«

Sie fixierte Kalli und lächelte ihm zu. Er wurde rot. »Sie haben ja schönes Haar«, stotterte er, woraufhin Heinz rügend und Walter verständnislos guckte. Kalli hob die Schultern. »Ich meine ja bloß. Also, das kann man wohl mal sagen.«

Renate, ganz Grande Dame, hatte die Situation im Griff. »Ich schlage vor, wir setzen uns in den Garten. Dort können wir uns besser unterhalten. Ich weiß nur nicht, was die Herren trinken wollen, mein kleines Fläschchen reicht leider nicht für alle. Also ... ?«

»Natürlich Champagner!«, entschied Heinz sofort. Walter schluckte und stimmte dann mit gequältem Gesicht zu.

»Sehr gut gewählt«, beschied Renate, bevor sie mit Hüftschwung vorging und Kalli und Heinz ihr folgten. Nur Walter blieb kurz noch an der Rezeption und sagte leise: »Bringen Sie mal nur so eine kleine Flasche. Was kostet die eigentlich? Ach egal, und ich nehme ein Pils. Ein kleines.«

Renate nahm in einem Strandkorb Platz. Die drei Herren sahen sich unschlüssig an.

Schließlich holte Walter tief Luft, »Sie gestatten?«, wartete ihr huldvolles Lächeln gar nicht ab und setzte sich neben sie. Es war sehr eng, Walter atmete erst aus, als er einigermaßen bequem saß. »Passt«, sagte er und winkte Heinz und Kalli ungeduldig zu, »jetzt setzt euch endlich hin. Seid doch nicht so ungemütlich.«

Als die Bedienung mit den Getränken kam, starrte Heinz neidisch auf Walters Bier. »Du hast ja ...«, dann besann er sich und nickte Renate zu, »das ist wirklich eine gute Idee mit dem Champagner. Na dann prost.«

»Ich hätte aber auch lieber ...«, Kalli verstummte bei dem Blick, den Heinz ihm zuwarf.

»Wohlsein, die Herren!« Renate hob anmutig ihr Glas und blickte freudig in die Runde. »Ich bin gespannt, was Sie von mir wollen.« Sie trank mit geschlossenen Augen und stellte ihr Glas wieder hin. »Nun? Vermutlich geht es um Inge?«

Kalli musste aufstoßen und hielt sich verlegen die Hand vor den Mund, weshalb seine Antwort etwas undeutlich kam: »Ich weiß es nicht so genau, ich habe den Anfang gar nicht mitbekommen, weil ich so früh im Bett war.«

Walter versuchte, sich vorzubeugen, um sein Bier auf den Tisch zu stellen. Es gelang ihm nicht, er behielt das Glas in der Hand. »Sagen Sie mal, Renate, wenn Mädels eng befreundet sind, dann erzählen die sich doch so ziemlich alles, oder?«

Sie verzog keine Miene. Heinz sprang seinem Schwager zur Seite. »Sie sind doch eine enge Freundin meiner Schwester. Und Sie waren mit ihr zur Kur und haben einige Wochen mit ihr verbracht. Da erzählt man sich doch sicherlich mal Geheimnisse, so im Dunkeln, kurz vorm Einschlafen.«

»Wir hatten zwei Einzelzimmer«, antwortete Renate. »Man hätte uns im ganzen Hotel gehört, wenn wir uns nachts Geschichten über den Flur zugebrüllt hätten.«

»Ach so.« Heinz nagte nachdenklich an seiner Unterlippe. »Hat Ihnen Inge wirklich nichts erzählt?«

»Natürlich haben wir uns viel unterhalten ...«, Renate hielt ihr leeres Glas in die Mitte, damit es einer der Herren auffüllte. Doch nur Kalli reagierte, Walter und Heinz hingen an ihren Lippen. »Wir haben über alles Mögliche geredet. Über unsere Ehen, ich war fast dreißig Jahre mit einem Zahnarzt verheiratet, bevor ... ich ihn verlassen habe, über Kosmetik, Reisen, Schuhe, eben über alles, was man sich so unter Frauen erzählt. Wieso?«

»Auch über Männer?« Walter sah sie gespannt an. »So ganz allgemein?«

»Und im Besonderen.« Jetzt kicherte sie. »Werner, das ist mein Exmann, hätten bestimmt die Ohren geklingelt, so haben wir über ihn hergezogen. Das ist aber auch ein ... na, egal. Walter, Sie sind ja auf einmal ganz blass.«

»Weil mein Bier leer ist.« Walter wischte sich den Schweiß von der Stirn. »Kalli, ich komme hier so schlecht raus, kannst du mal ...?«

»Ja, klar!« Kalli stand sofort auf. »Ich gehe dir eins holen.«

Renate folgte ihm mit aufmerksamen Blicken. »Ein reizender Herr. Und so hilfsbereit.«

»Er hat eben auch Durst.« Heinz schenkte Renate nach. »Man merkt, dass Sie viel Lebenserfahrung und Herzenswärme haben.« Walter hob seine Augenbrauen und starrte seinen Schwager entgeistert an, der ungerührt weitersprach: »Sie verstehen doch Frauen in Krisensituationen. Also, das ist zumindest mein Eindruck. Ich kann mich natürlich auch täuschen ...«

»Nein«, Renate beugte sich vor und legte Heinz ihre Hand aufs Knie, »Sie haben das völlig richtig erkannt. Sprechen Sie weiter.«

»Also, ich rede jetzt einfach ganz ungeschminkt: Meine Schwester steckt in einer Lebenskrise ...«

Renate nickte bedeutsam. Heinz schaute Walter an, der ebenfalls nickte.

»Und wir können uns einfach nicht erklären, warum das so ist. Sie hatte es so gut ...«

Renate schürzte die Lippen. »Na, na ...«, sagte sie süffisant.

Walter hatte gute Ohren. »Was denn? Hat sie was Schlechtes über mich erzählt? Alles, was ich mache, mache ich schon seit vierzig Jahren. Und sie fand es immer gut.«

Sein Dackelblick erfüllte bei Renate den Zweck. Beruhigend legte sie ihm die Hand auf den Arm. »Frauen in ... äh ... verzweifelten Situationen übertreiben ja oft. Und meistens steckt etwas ganz anderes dahinter.«

»Genau!« Heinz deutete mit dem Finger auf sie. »Und genau das müssen wir herausfinden. Renate, Sie sind unsere letzte Hoffnung. Und ich ...«

In diesem Moment kam Kalli zurück und stellte mit Schwung zwei Pils auf den Tisch. »Heinz, du musst ja fahren, deshalb habe ich nur für Walter und mich ein Bier mitgebracht. Und? Gibt es was Neues?«

»Neu ist, dass man beim Trinken nur noch an sich denkt«, antwortete Heinz beleidigt. »Du hättest ja auch zurückfahren können.«

Renate drehte sich zu Kalli um. »Sind Sie eigentlich verheiratet?«

Er verschluckte sich, musste husten und antwortete: »Ja, natürlich. Meine Frau hat mich nicht verlassen.«

Sie sah ihn ein wenig bedauernd an. Dann konzentrierte sie sich wieder auf das Thema. »Ihr Instinkt ist richtig, Heinz«, sagte sie mit einem Seitenblick auf Walter, »auch wenn es wehtut. Ich bin natürlich hin- und hergerissen zwischen der Loyalität zu meiner Freundin und meinem Gefühl für Anstand, Ehre und Wahrheit.« Sie warf Walter noch einen tiefen Blick zu, dann lächelte sie Heinz und schließlich Kalli an. »Ich habe mir natürlich meine Gedanken gemacht und Inge gut zugehört. Es ist ja nicht so, dass sie mir alles im Detail erzählt hat, aber ich kann das Ungesagte durchaus deuten. Man macht mir nichts vor.«

Bedeutungsvoll blickte sie in die Runde. Dann warf sie schwungvoll ihr Haar zurück, dass Walter eine Strähne ins Gesicht bekam und sein Kopf zurückzuckte. »Es gibt da einen neuen Mann«, erklärte sie geheimnisvoll, »und ich habe natürlich herausgefunden, um wen es sich dabei handelt.« Die Männer hingen an ihren Lippen, was sie sichtlich genoss.

Heinz fand als Erster die Sprache wieder. »Ja? Und? Wer ist es?«

»Er ist gutaussehend, charmant, klug, wohlhabend und kommt von der Insel.«

»Das trifft auf über fünfhundert Männer zu«, antwortete Walter, »wenn man von der Sache mit der Insel absieht, sogar auf mich.« Er kicherte und fuhr sich durchs Haar.

Sein Schwager sah ihn streng an. »Walter, jetzt nimm dich zusammen. Für mich ist es auch hart. Los, Renate, nennen Sie uns seinen Namen.«

Ihr Tonfall war triumphierend. »Er heißt Mark Kampmann.«

Ratloses Schweigen. Dann sagte Kalli: »Nie gehört.«

»Kampmann?« Enttäuscht lehnte Heinz sich zurück. »Da haben Sie etwas verwechselt. Das ist ein Anwalt aus Westerland. Mit dem hatte Inge wohl einen Termin, aber das ist kein Verehrer. Der ist auch viel jünger als sie.«

Mit einer derart verhaltenen Reaktion hatte Renate nicht gerechnet. Sie legte nach: »Ja, stimmt, sie hatte bei ihm einen Termin. Jetzt halten sie sich ruhig an mir fest, Walter: Wegen der Scheidung! Und dabei hat es wohl geschnackelt. Seitdem bekommt sie dauernd Blumensträuße und Anrufe. Die beiden hatten sogar einen romantischen Kurztrip geplant, der aber wegen des Einbruchs leider ausfallen musste. Das ist die Wahrheit, meine Herren.«

Zufrieden griff sie zu ihrem Champagnerglas und sah gespannt in die Runde.

Heinz war blass geworden. »Und das hat sie Ihnen alles erzählt?«

»Nein«, Renate strich sich eine Haarsträhne hinters Ohr, »aber ich bin ja nicht dumm und kann mir einiges zusammenreimen. Inge hat sich dauernd verplappert. Ich musste nur genau zuhören. Walter, ich hätte Ihnen das gern erspart. Wenn Sie mal reden möchten …«

»Ach was«, mit Schwung stellte er sein leeres Bierglas auf den Tisch und stand so schnell auf, dass der Strandkorb wackelte, »das klären wir selbst. Was ist, Heinz, Kalli? Los, trinkt aus! Ich gehe mir noch mal die Nase pudern, dann fahren wir.«

Seine Schritte knirschten auf dem Kiesweg. Renate wickelte erschreckt eine Haarsträhne um den Finger. »Hoffentlich habe ich ihn jetzt nicht …«

»Nein, nein«, Heinz erhob sich langsam und sah beruhigend auf sie herab, »wenn Walter loswill, dann will er los. Da wird nicht mehr diskutiert. Komm, Kalli, wir fahren, oder musst du auch noch mal für kleine Jungs?«

»Nein.« Eilig sprang Kalli hoch und verbeugte sich mit feuerrotem Gesicht vor Renate. »Entschuldigen Sie, die beiden benehmen sich manchmal wie Holzklötze. Ich schiebe es heute auf den Schock. Nichts für ungut.«

Sie reichte ihm die Hand wie für einen Handkuss und guckte komisch, als er sie kräftig schüttelte.

»Also dann, Renate, danke für dieses Gespräch und bis irgendwann mal.«

»Kalli! Heinz!«, brüllte Walter von der Eingangstür aus. »Ich denke, wir fahren!«

»Ja doch!«, rief Heinz zurück und reichte Renate die Hand. »Denn mal bis bald, Renate. Wenn Sie was Neues hören, halten Sie uns bitte auf dem Laufenden.«

Sie zwinkerte ihm zu. »Aber auch umgekehrt. Ich höre von Ihnen, versprochen?«

Kaum waren die drei weg, goss Renate den Rest des Champagners in ihr Glas. Es wäre doch schade, ihn umkommen zu lassen. Sie fand, dass Inge bei den Beschreibungen von Walter übertrieben hatte. Er hatte nicht ein einziges Mal über Fußball oder Krankheiten geredet. Außerdem sah er gut aus, mit seinem vollen Haar und der drahtigen Figur. Vielleicht brauchte er nur eine Frau, die ihm richtig zuhörte. Und er kannte sich mit Finanzen aus, ein ehemaliger Steuerinspektor würde nie unnötig Geld verschleudern. Renate lächelte zufrieden und schlug ihre Beine übereinander. Er hatte sie interessiert angeguckt, das hatte sie gemerkt. Wobei ... eigentlich hatten das alle drei Herren getan. Aber das war sie schließlich gewöhnt.

Inge legte seufzend ihre Illustrierte beiseite, die sie sich in Westerland in der Bahnhofsbuchhandlung gekauft hatte. Es interessierte sie überhaupt nicht, dass die Verlobte eines Tennisstars sich die Haare mit Zitrone aufhellte oder dass die Gattin eines abgetakelten Fußballspielers pleite war und sich deshalb für ein billiges Magazin auszog. Inge hatte ganz andere Probleme.

Der Zug hatte bereits den Hindenburgdamm hinter sich gelassen. Inges Blick schweifte über die Windkrafträder, die leuchtenden Rapsfelder, die kleinen Höfe und die schwarzbunten Kühe. Es sah alles aus, wie es schon immer ausgesehen hatte, auf dieser Strecke hatte sich in den letzten Jahren kaum etwas verändert. Inge lehnte den Kopf zurück und schloss für einen Moment die Augen. Sie dachte an Kommissar Martensen und seine wilden Theorien. Natürlich klang einiges plausibel: Senioren, die keine Familie mehr hatten, die allein in ihren großen Häusern wohnten, fielen auf kriminelle Machenschaften herein. Es gab genug alte Menschen, die sich einsam und verloren fühlten und deshalb umso dankbarer waren, wenn sich plötzlich jemand um sie kümmerte. Da konnte es schon mal passieren, dass das Erbe neu verteilt wurde. Aber dazu hatten diese alten Menschen doch eigentlich auch das Recht. Schließlich war es ihr Erbe, um das es ging, sie hatten es zusammengespart. Also konnten sie auch damit machen, was sie wollten.

Der Zug hielt in Klanxbüll. Ein kleiner Junge warf erst seinen riesigen Schulranzen auf den Bahnsteig, dann kletterte er hinterher und nahm ihn anschließend mühsam wieder auf den schmalen Rücken. Er war wohl im selben Alter wie Till. Und es sah so aus, als wenn er in Westerland zur Schule ging, aber nicht auf der Insel lebte. Jeden Tag musste er mit dem Zug fahren. Und das schon in dem Alter. Inge verspürte einen Stich, als sie daran dachte, dass es Till ja noch schlimmer traf. Er sollte die Schule wechseln. Und würde sein Umfeld verlieren, alle Freunde, Nachbarn, Lehrer … Inge ballte ihre Hand zur Faust. Sie hatte Annas Haus geerbt, und Anika und Till würden mit einziehen, sie müssten nicht von der Insel weg, alles würde gut werden. Es musste gut werden.

Sie schraubte den Deckel ihrer Wasserflasche ab. Vielleicht war sie tatsächlich zu naiv gewesen. Aber was hätte sie auch machen sollen? Hätte sie zu Walter sagen sollen: »Du, ich habe das Haus von Anna Nissen geerbt. Da können wir doch jetzt hinziehen. Es hat vier Wohnungen, so dass wir uns die Nachbarn selbst aussuchen können. Und mein Heimweh wäre nach vierzig Jahren auch endlich weg.«

»Das ist doch dummes Zeug, Ingelein«, hätte er wahrscheinlich gesagt. »Alte Bäume soll man nicht mehr verpflanzen. Das wird schön verkauft, dann haben wir ordentlich was auf der Kante.«

Nein, bevor sie mit ihm darüber sprach, musste sich Inge erst darüber klar werden, was sie damit machen wollte. Eigentlich hatte Anika den Gedanken ausgelöst, eine Hausgemeinschaft zu gründen. Jung und alt zusammen. Sie stellte es sich so schön vor: Walter und sie unten in Annas alter Wohnung, daneben Anika und Till. Für die anderen beiden Wohnungen hatte sie auch schon einen Plan. Allerdings lag der erst mal auf Eis, wie überhaupt alles. Zumindest, bis sie wusste, ob ihr das Haus tatsächlich gehörte. Leider sah es im Moment nicht danach aus.

Sie hatte gestern Abend alles aufgeschrieben, was passiert war. Nicht einmal das hatte geholfen, das Durcheinander in ihrem Kopf war immer größer geworden. Gegen Mitternacht hatte sie entnervt ihre Notizen zerrissen und sich vorgenommen, am Morgen zum Gericht nach Niebüll zu fahren.

Und dahin war sie jetzt unterwegs. Sie hatte Annas Testament in einen Umschlag geschoben, hatte ihren Ausweis dabei und die Visitenkarte von Mark Kampmann und würde sich im Gericht durchfragen. Schließlich hatte Helga Gross gesagt, dass ihr Chef alle Anträge eingereicht hatte. Vielleicht würde sie in ein paar Stunden schon über ihre Verunsicherung und Martensens Verdächtigungen lachen. Vielleicht war ja alles nur ein einziges großes Missverständnis.

Inge war zu Fuß vom Bahnhof zum Gerichtsgebäude gelaufen, um ihre Nervosität in den Griff zu kriegen.

Als sie vor dem grauen Flachdachgebäude stand, verlor sie jedoch fast wieder den Mut. Sie wusste noch nicht mal, wo genau sie eigentlich fragen sollte. Sie atmete tief ein und drückte die schwere Tür auf. Im Foyer fand sie einen Raum mit dem Schild »Anmeldung« und klopfte. Nach einem Moment hörte sie eine Stimme: »Ja, bitte.«

Hinter einem Schreibtisch sah ein junger Mann vom Computer auf. »Guten Tag. Was kann ich für Sie tun?«

»Guten Tag«, antwortete Inge, die merkte, dass ihre Knie zitterten, »mein Name ist Inge Müller, ich habe ein Problem. Und ich weiß gar nicht, ob Sie mir dabei helfen können.« Auch ihre Stimme zitterte.

Der junge Mann betrachtete sie aufmerksam. Dann zeigte er auf den Stuhl vor seinem Schreibtisch. »Nehmen Sie bitte Platz. Worum geht es denn?«

Inge kramte nervös in ihrer Tasche und suchte den Umschlag. »Ich habe ein Testament bekommen. Von meiner alten Lehrerin. Schon vor ein paar Wochen. Und jetzt weiß ich nicht, ob das so in Ordnung ist ...« Ihre Stimme brach, das Zittern wurde schlimmer. Der junge Mann blickte sie besorgt an. »Möchten Sie vielleicht ein Glas Wasser?« Sie nickte erleichtert und versuchte, sich zu beruhigen, während der Mann in einen Nebenraum ging, eine Flasche und ein Glas holte und es ihr hinstellte. Er wartete ruhig ab, bis sie getrunken hatte.

»So, dann lassen Sie mal sehen, was Sie da haben.«

Inge reichte ihm den Umschlag mit dem Testament. »Da können wir Ihnen helfen. Damit müssen Sie aber zu meinem Kollegen in die Nachlassverwaltung. Zu Herrn Rupp.« Er gab ihr das Schreiben zurück und sah sie forschend an. »Soll ich Sie zu ihm bringen?«

Inge stellte das leere Glas auf den Tisch und stand auf. »Nein, vielen Dank, das ist nicht nötig. Wenn Sie mir nur sagen, wo ich ihn finde.«

»Zimmer 102, den Flur entlang und dann rechts. Ich melde Sie an. Alles in Ordnung?«

»Ja.« Inge war wieder ruhiger und lächelte ihn an. »Ich war nur etwas nervös. Danke für das Wasser. Zimmer 102, sagten Sie?«

Er nickte und griff zum Telefon. »Auf Wiedersehen.«

Herr Rupp stand schon an der Tür, als Inge um die Ecke bog. Er streckte ihr die Hand entgegen.

»Guten Tag, Frau Müller. Was haben wir denn für ein Problem?«

Inge nahm auf dem Stuhl Platz, den er ihr hinschob, und gab ihm den Umschlag.

»Ich habe dieses Testament vor vier Wochen bekommen. Mit der Post. Anna Nissen ist eine meiner ältesten Freundinnen gewesen. Sie ist im März verstorben. Ich war mit dem Schriftstück in Westerland bei einem Anwalt. Aber irgendetwas stimmt nicht.«

»Haben Sie auch den Erbschein dabei?«

Inge ließ ihre Schultern hängen. »Darum geht es eben. Ich habe noch keinen, und den Anwalt, der ihn beantragt hat, erreiche ich nicht, weil er jetzt krank ist. Aber plötzlich ist ein Herr Schneider aufgetaucht. Dem gehört die Verwaltungsgesellschaft und angeblich auch Anna Nissens Haus. Anscheinend gibt es noch ein anderes Testament.«

Nachdenklich ließ Herr Rupp das Papier sinken. »Tja. Das Testament ist datiert von November letzten Jahres. Das sieht ordnungsgemäß aus. Es kann natürlich sein, dass es noch ein später datiertes gibt. Das finden wir gleich mal raus. Moment.«

Er stand auf und verließ das Zimmer. Nach kurzer Zeit kam er mit einer Akte zurück und setzte sich wieder. Mit einem langen Blick auf Inge sagte er: »Es ist in der Tat merkwürdig. Es laufen bereits Vorgänge zu dieser Immobilie. Mehr kann ich Ihnen allerdings nicht sagen, da müssen Sie bis zur offiziellen Eröffnung warten.«

»Und wann ist das?«

Er blätterte in der Akte und runzelte die Stirn. »Demnächst. Es ist eigentlich alles schon so weit bearbeitet. Wer hat Ihnen eigentlich das Testament zukommen lassen?«

Inge zuckte die Achseln. »Irgendeine Flensburger Kanzlei. Ich habe da gar nicht drauf geachtet, ich war so aufgeregt.«

»Haben Sie die Adresse noch?«

»Ich glaube ja. Ich muss sie suchen. Wie geht es denn jetzt weiter?«

Herr Rupp lehnte sich zurück. »Das Testament muss erst mal hierbleiben. Ich kann Ihnen aber eine Kopie machen. Ja, und dann muss man abwarten. Ich kann Ihnen nur raten, sich einen Anwalt zu nehmen.«

Mit gesenktem Kopf rieb Inge an einem imaginären Fleck auf ihrem Mantel. Sie war ganz und gar ratlos.

»Frau Müller?« Die sanfte Stimme von Herrn Rupp riss sie aus ihrer Starre. »Haben Sie nicht einen Ehemann oder Sohn oder Bekannten, der Ihnen zur Seite stehen kann? Das hört sich nach Schwierigkeiten an, die Sie nicht allein aus der Welt schaffen können.«

Johann, dachte Inge und wunderte sich, warum ihr Christines neuer Freund als Erstes einfiel. »Ja, habe ich. Ich danke

Ihnen.« Sie stand auf und knöpfte ihren Mantel zu. »Sie waren sehr freundlich.«

Herr Rupp geleitete sie zur Tür und streckte ihr die Hand hin. »Sie hören von uns. Spätestens zur Eröffnung. Und wenn Sie vorher noch Fragen haben, rufen Sie an.«

Als Inge eine halbe Stunde später am Bahnsteig auf den Zug nach Westerland wartete, hatte sie einen Entschluss gefasst. Sie fischte ihr Handy aus der Handtasche und suchte Christines Nummer. Nach drei Freizeichen ging ihre Nichte dran.

»Hallo, Tante Inge. Wo bist du?«

»In Niebüll. Christine, ich muss mit euch reden. Dringend.«

»Du, Mama ist bei Georg, und zu Hause ist es etwas chaotisch, weil Papa …«

»Nicht mit der Familie«, unterbrach sie Inge, »nur mit Johann und dir. Könnt ihr heute Abend zu mir kommen?«

»Ja, sicher«, Christines Antwort klang irritiert, »um acht?«

»Gut. Bis dann.«

Christine schob das Handy zurück in die Jackentasche. »Tante Inge.«

»Und?« Gelassen rührte Johann seinen Kaffee um
und ließ dabei seine Blicke über den Strandabschnitt vor der
»Buhne 16« schweifen. Die ersten Surfer hatten ihre Bretter
schon in den Sand gelegt, Johann wollte unbedingt Kite-Sur-
fer sehen.

»Sie will mit uns reden.«

»Aha.« Er musterte sie kurz. »Jetzt?«

»Nein. Jetzt ist sie in Niebüll. Heute Abend.«

»Gut.« Er nickte.

Christine wartete darauf, dass er fragte, was ihre Tante in
Niebüll machte. Fehlanzeige. »Findest du es nicht komisch,
dass sie in Niebüll ist?«

Johann lächelte sie ungerührt an. »Nein, das finde ich nicht.
Wenn sie aus Stuttgart oder München angerufen hätte, würde
ich das vielleicht komisch finden, aber Niebüll? Das ist keine
Stunde von hier entfernt.«

»Du nimmst das wirklich sehr locker.«

»Christine.« Er nahm ihre Hand in seine beiden. »Vielleicht
kauft sie da ein. Vielleicht besucht sie jemanden. Vielleicht
wollte sie einfach mal wieder Zug fahren. Das kannst du sie ja
alles heute Abend fragen.«

»Wir«, verbesserte sie ihn, »sie will mit uns beiden reden.
Das hat sie ausdrücklich gesagt.«

Johann grinste. »Vielleicht will sie mir ja auch ausreden, dass
ich mich bei ihrer Nichte einniste. Aber im Ernst, wir fahren
nachher hin, laden sie schön zum Essen ein und versuchen, ihr

die Furcht vor Heinz und Walter zu nehmen. Das ist, glaube ich, ihr größtes Problem.«

»Das kann sein.« Christine rutschte mit ihrem Stuhl um den Tisch neben Johann. »Apropos einnisten. Glaubst du wirklich, dass es mit uns klappt?« Sie lehnte ihren Kopf an seine Schulter. »Wir geben da ziemlich viel für auf.«

Er rutschte ein Stück zurück und sah sie erstaunt an: »Was geben wir denn auf? Kaltes Bett, dunkle Wohnung, leerer Kühlschrank, halbleere Badezimmerkonsole, einsame Abende ... Du, das gebe ich mit Vergnügen auf.«

Christine lehnte sich wieder an ihn und zählte verträumt auf: »Platz im Bett, aufgeräumte Wohnung, den Kühlschrank voller Sachen, die außer mir niemand isst, kein besetztes Badezimmer, Essen, wann man will, spontane Unternehmungen, ohne Bescheid geben zu müssen, Partys am Wochenende, ausschlafen, ohne geweckt zu werden.«

»Das ist nicht dein Ernst.« Er grinste sie an. »Wann warst du das letzte Mal auf einer Party? Und alles andere ist doch Unsinn. Das kommt doch darauf an, wie man zusammenlebt. Oder fühlst du dich im Moment in irgendeiner Form eingeschränkt?«

Sie sah zu ihm hoch und dachte an das Gefühl der letzten Tage. »Nein. Überhaupt nicht. Du tust mir gut.«

»Na also«, er beugte sich runter und küsste sie, »dann lass uns das mit dem Einnisten versuchen. Überlass mir das Wort heute Abend. Ich werde deiner Tante unsere Wohnungspläne so wunderbar schildern, dass sie mit einziehen will. Ich habe übrigens gestern Abend einen Makler angerufen. Er hat sich vorhin schon gemeldet. Zwei Objekte können wir uns gleich nach dem Urlaub ansehen.«

Das geht aber schnell, dachte Christine. Aber es fühlte sich gut an. Und sie war froh, dass sie diesen Moment mit Johann allein hatte. Die Entscheidung war getroffen, aber sie brauchte noch etwas Zeit, bis sie das ihrer Familie erzählen konnte.

»Wir können doch nicht zu dritt da reingehen«, sagte Kalli, der skeptisch das Haus betrachtete, »ich finde, einer genügt.«

Heinz sah ihn kopfschüttelnd an. »Du hast doch nur Angst, dass es Ärger gibt.«

»Gar nicht«, entgegnete Kalli verschnupft, »aber wenn wir alle drei da reinmarschieren, wirkt das gleich bedrohlich. Und wir wissen doch noch gar nicht, ob das alles so stimmt.«

»Es ist sowieso meine Sache«, stellte Walter mit entschlossener Stimme klar, »ich gehe da jetzt rein und stelle ihn zur Rede.«

»Und wenn er alles abstreitet?« Heinz blickte ihn forschend an. »Was machst du dann?«

»Und wenn Renate sich geirrt hat?«, hakte Kalli nach. »Wenn er wirklich nur ihr Anwalt ist?«

»Meine Frau braucht keinen Anwalt«, knurrte Walter. »Ich gehe da jetzt hoch. Wartet ihr hier auf mich?«

»Och«, Heinz deutete auf die Straßenecke, »das sieht doch blöd aus. Da vorn ist ›Gosch‹, da essen wir ein Fischbrötchen. Was sollen wir hier rumstehen? Oder, Kalli?«

»Ja. Matjes. Aber mit Zwiebeln.«

Walter guckte die beiden an. »Ich komme da hin. Ich nehme Brathering. Ohne Zwiebeln. Bis gleich.«

Er drehte sich um und ging auf das Haus zu, in dem die Kanzlei Kampmann war.

Noch bevor Heinz und Kalli ihre Brötchen aufgegessen hatten, war er schon wieder zurück. Er griff zu seinem Brathering und biss ab.

Heinz ließ sein Brötchen sinken. »Wieso ging das so schnell?«

»Krank ...«, Walters Aussprache war undeutlich, »es war nur die Sekretärin da.«

Enttäuscht knüllte Kalli seine Serviette zusammen, »Das ist ja blöd. Ich hole noch mal Matjes. Wollt ihr auch?«

Walter schluckte runter. »Auch Matjes. Der Brathering ist

nicht so doll«, er griff in seine Jackentasche und holte einen Briefumschlag heraus, »hier, das ist die Privatadresse von dem Kampmann.«

Kalli betrachtete den Umschlag, auf dem handschriftlich eine Keitumer Adresse stand. »Hast du den von der Sekretärin?«

»Nein.« Walter steckte den Brief wieder ein. »Der lag auf ihrem Schreibtisch. Da war so ein Chaos, das merkt die gar nicht. Ich habe einen Zettel über den Tisch geschnippt, da musste sie sich kurz mal bücken. Also, *mein* Schreibtisch sah aber anders aus. Das könnt ihr glauben.«

»Sehr gut.« Heinz wischte sich seinen Mund ab. »Kalli, dann hol doch noch eine Runde, und danach stöbern wir den Kerl in Keitum auf. Verstecken kann der sich vor uns nicht.«

Inge kam aufatmend aus dem Westerländer Bahnhof. Der Zug war brechend voll gewesen, mindestens drei Klassenfahrten, dazu die üblichen Pendler und Urlauber. Sie hatte zwar einen Sitzplatz bekommen, konnte ihre Beine aber nicht ausstrecken, weil um sie herum diverse Koffer und Rucksäcke verteilt waren. Dazu kam dieser Heidenlärm. Dafür hatte sie wenigstens keine Ruhe gehabt, sich den Kopf zu zerbrechen, wie alles weitergehen sollte.

Der Himmel war bedeckt, es sah nach Regen aus, sie hatte noch nicht mal einen Schirm dabei. Sie könnte mit dem Bus nach Kampen in die Pension fahren. Sie konnte auch die Friedrichstraße runterlaufen und irgendwo einen Kaffee trinken. Unentschlossen blieb Inge auf dem Bahnhofsvorplatz stehen. Und sah plötzlich Anikas roten Käfer auf den kleinen Parkplatz fahren. Die Beifahrertür ging auf, und eine junge Frau mit einem riesigen Blumenstrauß stieg aus. Inge erkannte sie, es war eine der Bedienungen der »Badezeit«. Anika ging um den Wagen herum und umarmte sie. Als ihre Kollegin zurücktrat, fiel Anikas Blick auf Inge. Sofort hob sie die Hand.

»Inge! Einen Moment!«

Inge ging langsam auf sie zu und wartete, bis Anikas Kollegin nach einer weiteren Umarmung auf den Bahnsteig lief.

»Meine Kollegin Sabine«, sagte Anika und winkte ihr noch einmal hinterher, »sie muss auch aus ihrer Wohnung raus und zieht jetzt zu ihrem Freund nach Husum. Sie hatte heute ihren letzten Tag.« Sie wandte sich zu Inge. »Und du? Wo kommst du her?«

»Ich war in Niebüll. Beim Amtsgericht.«

»Oh ...«, fragend sah Anika sie an, »und?«

Seufzend lehnte Inge sich an den Wagen. »Es ist alles sehr eigenartig. Der nette Mensch von der Nachlassverwaltung hat mir gesagt, ohne Erbschein geht nichts. Der ist aber noch nicht da. Und dann hat er erzählt, dass es noch mehr ... wie hat er sich ausgedrückt? ... ›Vorgänge‹ zu Annas Haus gibt. Das heißt, wahrscheinlich noch ein Testament. Und ich sollte mir einen Anwalt nehmen.«

»Du hast doch einen. Kampmann. Was sagt der denn dazu?«

Inge zuckte die Achseln. »Der ist krank. Und ich fürchte, er ist auch ein Teil des Problems. Aber das ist eine längere Geschichte. Jedenfalls brauche ich einen anderen Anwalt. Und ich muss mich unbedingt um diese Verwaltungsgesellschaft kümmern. Ach Anika, ich weiß gar nicht, wo ich anfangen soll.«

»Ich fahre dich jetzt nach Hause.« Entschlossen schob Anika Inge zur Beifahrertür. »Und dann rufe ich Jörn Tietjen an und verabrede mich mit ihm zum Essen. Gleich heute. Till schläft sowieso bei seinem Freund. Und beim Essen werde ich Jörn über seine Arbeitgeber ausfragen. Ich kriege was raus, Inge, das verspreche ich dir.«

Inge blieb so lange an der Haustür stehen, bis der rote Käfer um die Kurve verschwunden war. Dann stieg sie langsam die Treppe zu ihrem Apartment hoch.

Auf dem Tisch lag noch die Visitenkarte von Martensen. Inge nahm sie nachdenklich in die Hand und ließ sich auf den Sessel sinken. Kurzentschlossen zog sie ihr Handy aus der Tasche. Nach nur einem Freizeichen meldete er sich.

»Martensen.«

»Hallo, Herr Martensen, hier ist Inge Müller.«

»Frau Müller!« Er klang erfreut. »Wie geht es Ihnen?«

»Es geht so«, erklärte Inge, »ich war heute beim Amtsgericht in Niebüll. Es gibt tatsächlich noch ein Testament, Sie hatten recht, irgendwas stimmt da nicht. Ich musste das Testament abgeben, sie haben mir aber eine Kopie gemacht, die schicke ich Ihnen noch.«

»Das ist nicht mehr nötig«, erwiderte Martensen, »das kann ich auch beim Amtsgericht einsehen. Wenn es sein muss. Ich hätte Sie übrigens auch gleich angerufen. Haben Sie noch was von Mark Kampmann gehört?«

»Nein«, antwortete Inge, »habe ich nicht. Er ist doch krank.«

»Er ist verschwunden«, korrigierte Martensen, »wir wollten ihn als Zeugen befragen. Wir haben drei Kollegen losgeschickt. Erfolglos. Er ist regelrecht untergetaucht. Wir haben keine Ahnung, wo er steckt.«

Inge atmete tief aus. Es wurde immer verrückter. »Was soll ich dazu sagen?«

»Nichts, Frau Müller, wir finden ihn. Aber falls er sich doch noch bei Ihnen meldet, rufen Sie mich bitte an.«

»Mach ich. Also, tschüss, Herr Martensen.«

Sie legte das Telefon auf den Tisch und dachte nach, wie sie das alles Johann und Christine erklären sollte.

Anika parkte ihr Auto auf dem Parkplatz von »Karsten Wulff«, wo sie mit Jörn verabredet war. Sie sah auf die Uhr, eine halbe Stunde zu früh. Das kam davon, wenn man so selten ausging, die Nervosität trieb einen zu schnell aus dem Haus. Sie lehnte sich an die Kopfstütze und stellte sich vor, wie der Abend verlaufen würde.

Sie musste herausfinden, was Guido Schneider mit Inges Erbe zu tun hatte. Inge. Anika musste lächeln, als sie daran dachte, wie Inge klammheimlich und zielstrebig ihre Pläne verfolgt hatte. Was für eine Energie dahintersteckte. Es war nicht gerecht, dass jetzt alles schiefging. Inge hatte schon so viel unternommen. Und gewagt. Es wäre zu schön, wenn Inges Pläne aufgehen würden. So viel Glück hatte Anika in den letzten zehn Jahren nicht gehabt.

Vor zehn Jahren hatte sie noch in Berlin studiert. Architektur, ihr Wunschfach. Damals hatte sie Jörn kennengelernt. Er war im selben Semester, der bestaussehende und witzigste Kommilitone. Sie liefen sich oft über den Weg, Anika mochte ihn gern. Es war eine tolle Zeit in Berlin, zumindest die ersten beiden Semester. Sie hatte sich mit ihren Kommilitonen zum Lernen getroffen, war anschließend durch die Berliner Kneipen gezogen und hatte die Nächte oft in irgendeiner Studentenküche beim Spiegeleierbraten enden lassen. Sie war eine ganz normale Studentin gewesen. Bis sie Harald kennenlernte. Er war einer ihrer Dozenten, und sie verliebte sich Hals über Kopf in ihn. Es dauerte ein Jahr. Es war schön und schwer gleichzeitig. Harald war verheiratet. Das Ende kam genauso plötzlich wie der Anfang. Seine Frau fand es heraus und drohte, es öffentlich zu machen. Harald sah seine Karriere in Gefahr und trennte sich von ihr. Zwei Monate später merkte sie, dass sie schwanger war.

Das Klopfen an der Scheibe riss sie aus ihren Gedanken. Jörn hatte sich zu ihr gebeugt und öffnete die Autotür.

»Hallo, Anika. Wartest du schon lange?«

»Nein«, langsam stieg sie aus, »keine fünf Minuten. Hallo, Jörn.«

Er sah sie forschend an und küsste sie leicht auf die Wange. »Ich habe mich sehr gefreut, dass du angerufen hast. Gehen wir rein?«

Sie bekamen einen Tisch am Fenster, der Ober reichte ihnen die Speisekarten. Kaum war er weg, legte Anika die Karte zur Seite, verschränkte die Finger auf dem Tisch und sah Jörn an.

»So, und nun erzähl mal von deiner Superbaustelle.«

Erstaunt guckte er hoch. »Weißt du denn schon, was du essen willst?«

Sie nickte. »Pannfisch.«

»Nehme ich auch.« Er gab dem Ober ein Zeichen. »Möchtest du was vorweg? ... Nein? Na gut, dann zweimal Pannfisch, für mich ein Bier und ...«

»Wasser, bitte«, sagte Anika.

»... und ein Wasser. Danke.« Jörn reichte dem Ober die Karten zurück und wandte sich wieder Anika zu. »Jetzt musst du aber erst mal erzählen. Wieso wohnst du auf Sylt? Lebst du allein? Wo arbeitest du? Wieso bist du damals so einfach verschwunden? Keiner hatte eine Adresse von dir, wir haben uns alle Gedanken gemacht.«

»Ach, das ist alles ziemlich langweilig«, winkte Anika lächelnd ab, »mich interessiert diese Baustelle viel mehr. Wie bekommt man so einen tollen Auftrag?«

Nachdenklich betrachtete Jörn sie und antwortete schließlich: »Aber danach erzählst du, okay?«

Sie nickte schnell und schaute ihn erwartungsvoll an.

»Das war ziemlich schräg«, begann Jörn. »Ich habe in Hamburg ein Architekturbüro, übrigens zusammen mit Julius Claus, kannst du dich an ihn erinnern? Er hat mit uns studiert.«

»So ein Blonder? Der Fußball spielte und immer so viel redete?«

Jörn lachte. »Genau der. Also, Ende März haben wir Besuch von diesem Guido Schneider und seiner Assistentin Marion Fischer bekommen. Er zeigte uns einen Grundstücksplan und fragte, ob wir das Objekt umbauen könnten. Die einzige Bedingung für die Vergabe war, dass wir so schnell wie möglich anfangen.«

»Was heißt schnell?«

»Im Prinzip sofort. Und er hatte Glück, uns war am selben Tag ein Projekt geplatzt, deshalb konnten wir sofort loslegen.«

»Was macht dieser Schneider eigentlich?«

»Der muss richtig Geld haben. Oder sein Partner, den kenne ich aber nicht. Jedenfalls gehören denen mehrere Häuser auf Sylt. Alles Ferienwohnungen. Bei dem Objekt in der Norder Wung sollen wir aus vier Wohnungen acht machen. Die werden dann einzeln verkauft. Und das bei der Lage. Du kennst wahrscheinlich die Wohnungspreise auf der Insel, da kommt ganz schön was zusammen.«

»Und das Haus hat er vorher gekauft?«

»Nein«, Jörn schüttelte den Kopf, »solche Leute haben Schwein, das haben die geerbt. Das hat er doch erzählt, als du mit deiner Tante da warst. Das Haus gehörte einer alte Dame, die sie betreut haben.«

Anika hatte das nur noch mal hören wollen. »Ach so, ja, stimmt, das hatte er gesagt. Tja, das ist wirklich Glück.«

»Wir sind fast fertig mit der Planung. Sobald die letzten Formalitäten mit dem Nachlassgericht erledigt sind, rückt die Baufirma an.«

»Und wann ist das?« Anika bemühte sich, nicht zu neugierig zu klingen.

»Innerhalb der nächsten Tage, sagt Schneider«, erklärte Jörn arglos, »das wird ganz schnell gehen. Der Umbau bekommt keinen Architektenpreis, das werden ganz normale Apartments, alle gleich, ohne viel Firlefanz. Ich finde das ein bisschen schade, es ist so ein charmantes altes Haus, das hätte man auch schöner umbauen können.«

»Und wieso machst du es dann nicht?« Anika lächelte ihn an. »Du bist der Architekt.«

Er winkte ab. »Wie gesagt, es geht hier nur um Tempo. Schnelle Planung, schneller Umbau, schneller Verkauf. Richtig Herzblut steckt da nicht drin. Aber egal, für uns ist es ein ordentlicher Auftrag.« Er machte eine kleine Pause, dann sah er sie an. »So, und jetzt bist du dran. Wieso bist du damals abgehauen, so kurz vor der Prüfung?«

Sie musterte ihn lange. »Ich war schwanger«, sagte sie nach einer Weile. »Kind und Uni, das hätte ich nicht gepackt.«

Jörn verschluckte sich. »Und wer ist der Vater?«

»Den kennst du nicht«, antwortete sie gleichmütig. »Wir haben uns dann auch getrennt. Ich bin nach Sylt gegangen, weil eine Freundin von mir hier gelebt hat. Sie hat mir in der ersten Zeit sehr geholfen. Und später sind Till und ich einfach hier geblieben.«

»Ja, und …«, Jörn beugte sich vor, Anika wappnete sich, doch zum Glück kam ihr eine Frauenstimme zu Hilfe.

»Herr Tietjen, können Sie uns retten?«

Jörn hatte verdattert aufgesehen. »Hallo, Frau Fischer!«

»Hallo«, Frau Fischer stand neben einer anderen Frau an ihrem Tisch und wirkte ziemlich genervt, »meine Schwester und ich kommen gerade mit dem Flieger aus München und sind total ausgehungert. Mark sollte uns einen Tisch bestellen, das hat er aber anscheinend vergessen. Und jetzt ist alles voll. Können wir uns zu Ihnen setzen? Wir werden Sie auch nicht stören.«

Bevor Jörn antworten konnte, hatte Anika bereits ihre Handtasche vom Nebenstuhl genommen und war ein Stück zum Fenster gerutscht.

»Natürlich«, sagte sie mit strahlendem Lächeln, »ich kenne das, man freut sich so aufs Essen, und dann bekommt man keinen Platz.«

»Danke.« Erleichtert ließ sich Frau Fischer auf den Stuhl sinken und deutete neben Jörn. »Jutta, jetzt komm, setz dich. Ich habe noch nicht mal vergessen, einen Tisch zu bestellen, ich hatte nur die Nummer von hier nicht mit in München und deshalb extra gestern Abend meinen Freund gebeten, für mich anzurufen. Und Mark sagte: ›Schatz, das mache ich sofort.‹ Ha! Von wegen. Der kann nachher was erleben.«

Jörn wunderte sich über Anikas feines Lächeln. Und sah seine Chancen, mehr aus Anikas Leben zu erfahren, für den Moment schwinden.

Walter presste die Nase an die Scheibe.

»Nichts«, brummte er, »alles dunkel. Man sieht gar nichts.«

Kalli und Heinz hielten seine Beine fest.

»Dann komm runter«, flüsterte Kalli, »die Bank wackelt schon.«

Unwillig ließ Walter sich von der Gartenbank herunterhelfen. »Ich gehe ums Haus rum. Vielleicht kommt man von hinten besser ran.«

Heinz klopfte Walters Hose ab, bis der seine Hand wegschlug. »Lass das!«

»Wieso? Die ist ganz staubig. Und damit setzt du dich gleich wieder in mein Auto.«

»Psst!«, zischte Kalli. »Macht doch nicht so einen Lärm. Wieso klingeln wir nicht einfach?«

»Dann ist er doch gewarnt«, erklärte Heinz, »und so erwischen wir ihn eventuell sogar in flagranti ...«

»Heinz!« Kalli guckte ihn entsetzt an. »Du hast vielleicht Phantasien. Du redest über deine Schwester.«

»Ja und?«, antwortete Heinz. »Sie geht nicht an ihr Handy. Wer weiß, was sie gerade macht.«

Kalli schüttelte fassungslos den Kopf und drehte sich zu Walter um. Der war weg. Sekunden später kam er wieder. »An der Tür ist ein Klingelschild. Mark Kampmann und Marion Fischer. Ich habe kurz geklingelt, es macht keiner auf. Aber wenn ich da vorne über die Hecke steige, komme ich zur Terrasse. Ihr müsst mir mal eine Räuberleiter machen, die Hecke ist zu hoch.«

»Ein doppelter Betrüger.« Heinz legte Walter die Hand auf die Schulter. »Nicht nur du wirst betrogen, sondern auch Marion Fischer. Meine Güte.«

Walter schob die Hand weg. »Ja, ja, darüber reden wir später. Jetzt kommt mit.«

Die Hecke war mannshoch. Kalli musterte sie skeptisch. »Da kommst du doch nie rüber, Walter. Sollen wir nicht einfach ein anderes Mal wiederkommen? Wenn jemand da ist? Vielleicht klärt sich ja auch alles vorher auf.«

»Kalli, du bist ein erbärmlicher Feigling«, sagte Walter, »außerdem bin ich fit, ich habe das goldene Sportabzeichen, Bester meiner Altersklasse. Also jetzt kneif hier nicht, mach mir eine Räuberleiter.«

Ergeben folgte Kalli dem Befehl. Walter stellte seinen rechten Fuß vorsichtig auf Kallis Hände und stieß sich ab. Gerade eben erwischte er die oberste Kante der Hecke. Kalli wankte unter seinem Gewicht, während Heinz versuchte, ihn von unten zu stützen.

»Was wiegst du eigentlich?«, stöhnte Heinz. »Mach dich doch mal leichter.«

Kalli atmete schwer. »Kannst ... du ... was ... sehen?«

»Ihr wackelt so. Hebt mich doch mal ein bisschen höher, dann komme ich rüber.«

Mit hochroten Köpfen und der größten Kraftanstrengung hoben sie ihn ungefähr fünf Zentimeter höher.

»Lange kann ich nicht mehr«, presste Kalli raus, Heinz wankte, und plötzlich krachte Walter durch die Hecke. Sie schloss sich hinter ihm.

»Walter?«, flüsterte Kalli zaghaft.

Heinz war lauter. »Walter! Ist dir was passiert?«

»Jaa-a.«

»Walter?« Kalli spähte nervös durch das Gebüsch. »Sag doch was!«

»Ich glaube ... ich habe mir was gebrochen.«

Hektisch lief Heinz an der Hecke entlang, bis er plötzlich an einer Stelle stehen blieb. »Hier«, er zeigte auf ein Loch, »wenn wir hier noch was abbrechen, kriegen wir Walter durch.«

Kalli hockte immer noch auf der gleichen Stelle. »Walter, kannst du dich bewegen? Kannst du ein Stück weiter zu Heinz kriechen? Wir holen dich da raus.«

Sie hörten ein Stöhnen, das sich auf die Stelle zubewegte, an der Heinz zügig Hortensienzweige abbrach. Nach einer Weile hatte er das Loch so vergrößert, dass Walter seinen Kopf durchstecken konnte.

»Und jetzt?«, fragte er und sah Kalli und Heinz mit schmerzverzerrtem Gesicht an. »Ich bin schwer verletzt.«

»Jetzt musst du tapfer sein.« Heinz streckte ihm einen Arm entgegen, Kalli den anderen, und gemeinsam zogen sie ihn durch die auseinanderbrechende Hecke.

Kalli und Heinz hatten nicht genug Kleingeld dabei, deshalb teilten sie sich eine Fanta aus dem Getränkeautomaten, während sie auf den diensthabenden Arzt warteten. Nach einer gefühlten Ewigkeit kam Dr. Keller um die Ecke. Heinz sprang sofort auf.

»Hallo, wir kennen uns doch. Wie geht es meinem Schwager? Wird er durchkommen?«

Dr. Keller lächelte und gab ihm die Hand. »Ach, Herr Müller ist Ihr Schwager? So langsam lerne ich ja die ganze Familie kennen. Wie ist der Unfall denn passiert?«

Betreten sah Heinz auf den Boden. »Ja, äh … wir haben …«

»… die Hecke geschnitten«, ergänzte Kalli, der sofort danebenstand. »Walter arbeitet so gern im Garten, und die Hecke hatte es wirklich nötig. Viel zu hoch.«

Der Arzt blickte Heinz rügend an. »Ich weiß ja nicht, was für eine marode Leiter Sie haben, aber Sie sollten in Zukunft mehr auf Ihre Sicherheit achten. Bei solchen Stürzen kann man sich sonst was brechen. Gerade in Ihrem Alter.«

»Na, na«, Heinz wurde ungehalten, »wir sind noch absolut fit. Walter hat das goldene Sportabzeichen. Der Beste seines Jahrgangs.«

»Was hat er denn nun?« Ungeduldig schob sich Kalli vor Heinz. »Muss er hierbleiben?«

»Nein.« Dr. Keller zog ein Rezept aus seiner Kitteltasche und reichte es Heinz. »Er hat sich ordentlich den Steiß geprellt, das wird auch noch ein paar Tage wehtun. Ich habe hier Schmerztabletten aufgeschrieben, bei Bedarf bis zu vier am Tag, nicht mehr. Ansonsten hat er etliche Hautabschürfungen, er muss ja richtig durch die Hecke geschossen sein.«

»Ja«, Heinz nickte respektvoll, »das hat ordentlich gerumst. Aber er ist ein zäher Hund, mein Schwager, er tut immer nur so krank.«

Im selben Augenblick erschien Walter humpelnd auf dem Flur. Kleine Zweige und Hortensienblätter hingen noch an seiner Strickjacke.

»So«, sagte er mit leidender Stimme, »wir können los.«

Der Arzt schaute ihn fragend an. »Wie gesagt, Herr Müller, wenn Sie sich schlecht fühlen, können wir Sie auch für eine Nacht zur Beobachtung hierbehalten.«

»Nein, nein«, Walter räusperte sich und straffte seine Haltung, »alles gut. Ein Indianer kennt keinen Schmerz. Vielen Dank, Herr Doktor, das Rezept ...?«

»... habe ich Ihrem Schwager gegeben. Das können Sie auf dem Nachhauseweg noch einlösen. Also dann, gute Besserung.« Er schüttelte ihm die Hand und nickte den beiden anderen zu. Nach zwei Schritten blieb er stehen. »Ach, da fällt mir noch was ein«, sagte er zu Heinz. »Ich habe die Handynummer Ihrer Schwester verloren. Wenn Sie sie sehen, sagen Sie ihr bitte, sie möge mich noch mal anrufen?«

»Was wollen Sie denn mit der Handynummer meiner Frau?«, fragte Walter irritiert.

Dr. Keller guckte verwundert. »Ach, Inge Müller ist Ihre Frau? Ja, klar, da hätte ich auch selbst drauf kommen können. Aber dann kann ich es ja auch Ihnen sagen. Ich bin sehr interessiert an ihrem Angebot. Ich komme am Sonntag mal bei ihr vorbei und ...«

Eine blecherne Stimme aus dem Lautsprecher unterbrach ihn. »Dr. Keller, bitte sofort in den OP, Dr. Keller bitte ...«

»Oh, ich muss ... Also dann, und schöne Grüße an Frau Müller.«

Mit wehendem Kittel verschwand er. Walter starrte ihm nach und drehte langsam seinen Kopf zu Heinz.

»Weißt du was von einem Angebot?«

Sein Schwager schüttelte den Kopf. »Und wieso will er Sonntag bei ihr vorbeikommen? Mit wem hat Inge eigentlich alles Verabredungen? Sag mal, Walter, geht das schon länger so?«

Verwundert zupfte Walter ein paar Blätter von seiner Jacke und ließ sie auf den Boden segeln.

»Ihr werdet es mir nicht glauben, Jungs, aber ich habe nichts davon gemerkt.«

Inge stand bereits an der Tür, als Christine und Johann aus dem Wagen stiegen.

»Hallo, ihr beiden, ihr seid ja pünktlich.«

»Natürlich.« Verwundert sah Christine in das ernste Gesicht ihrer Tante und küsste sie flüchtig auf die Wange. »Wir sind ja auch gespannt, um was es geht.«

Inge reichte Johann die Hand und trat einen Schritt zur Seite. »Dann kommt mal rein.«

»Sollen wir nicht was essen gehen?« Johann blieb unsicher stehen. »Oder habt ihr keinen Hunger?«

Inge bemühte sich um ein Lächeln. »Ich würde lieber erst etwas mit euch besprechen. Dann können wir ja immer noch los. Ich gehe mal vor.«

Christine und Johann wechselten einen verständnislosen Blick, dann folgten sie ihr langsam die Treppe hinauf ins Apartment.

»Setzt euch«, Inge deutete auf das Sofa und nahm gegenüber in einem Sessel Platz. Sie sah beide einen Moment an und atmete tief durch. »Unterbrecht mich bitte nicht, sonst verliere ich den Faden. Also: Ich habe vor ein paar Wochen Post bekommen ...«

Sie erzählte eine halbe Stunde lang, dann sah sie erschöpft hoch. »So, das war es. Jetzt könnt ihr was sagen.«

Johann schlug langsam seine Beine übereinander und warf einen Seitenblick auf Christine. »Hol mal Luft. Du erstickst sonst.«

Hörbar atmete sie ein und wieder aus und starrte ihre Tante

an. »Meine Güte«, sie rieb sich konzentriert die Schläfen, »das ist ja wie im Film!«

Inge blickte hilfesuchend Johann an. »Das weiß ich auch. Ich habe nur keine Ahnung, wie der jetzt weitergeht. Was würdet ihr denn an meiner Stelle tun?«

Johann zog seinen Pullover aus und krempelte die Hemdsärmel sorgfältig hoch. »Haben Sie die Kopie von dem Testament noch?«

»Du kannst mich ruhig duzen, Johann«, Inge stand auf und ging zur Garderobe, um ihre Handtasche zu holen, »das ist mir lieber. Warte, wo ... ach, hier. Das ist die Kopie, die mir der nette Herr vom Gericht gemacht hat.«

Johann überflog das Blatt und reichte es dann Christine.

»Stimmt, ohne Erbschein gilt das nicht. Wer hat dir eigentlich das Testament geschickt?«

»Das haben die mich in Niebüll auch gefragt. Die Post kam aus Flensburg, von einer Kanzlei. Allerdings ohne Anschreiben. Ich habe mich nicht weiter darum gekümmert. Da fällt mir ein, ich wollte doch gucken, ob ich den Umschlag noch habe. Wartet mal.«

Sie verschwand im Badezimmer und kam mit ihrem Kulturbeutel zurück. Verlegen setzte sie sich wieder. »Als die Post damals kam, packte ich gerade meinen Koffer aus der Kur aus. Und dann stand ich im Flur und habe das gelesen, und plötzlich kam Walter nach Hause. Ich habe alles schnell in den Kulturbeutel gestopft. Damit Walter es nicht gleich findet und zur Chefsache macht.« Ungeschickt fingerte sie an dem Reißverschluss rum, irgendetwas klemmte. »Im Gericht ist mir eingefallen, dass ich vielleicht nur das Testament rausgenommen habe. Und jetzt geht das blöde Ding nicht auf ...«

»Gib mal her«, Christine streckte ihre Hand aus. »Ich bin da brutaler.« Mit resolutem Ruck bekam sie den Verschluss auf. Sie schob ihre Finger in den Spalt. »Da ist noch was ... Na bitte.«

Unter den gespannten Blicken von Johann und Inge glättete sie das Papier auf dem Tisch. Es war tatsächlich ein Umschlag, an Inge adressiert, mit einem Flensburger Absender: »Rechtsanwalt und Notar Peter Sörensen.«

Zufrieden nickte Christine und wedelte mit dem Umschlag vor Johanns Gesicht. »Bingo. Siehst du, Tante Inge, du musst nur jemanden fragen, der sich damit auskennt.«

»Na ja«, Johann nahm ihr den Umschlag aus der Hand, »das ist noch nicht die Lösung von Inges Problem. Es gibt anscheinend zwei Testamente, und nur eines ist gültig. Kann es nicht sein, dass Anna Nissen später noch ein anderes gemacht hat?«

»Warum sollte sie das getan haben?« Inge sah ihn zweifelnd an. »Wenn sie jemanden gehabt hätte, der ihr nahe genug gewesen wäre, um ihm etwas zu vererben, dann hätte ich das gewusst. Aber ausgerechnet diese Verwaltungsgesellschaft? Ihr könnt euch nicht vorstellen, was für ein schmieriger Typ dieser Guido Schneider ist. Nie im Leben hat Anna den sympathisch gefunden. Und das habe ich schon gedacht, bevor Kommissar Martensen diese Andeutungen gemacht hat.«

»Wie auch immer«, Johann legte den Umschlag auf den Tisch, »lasst uns morgen nach Flensburg fahren und Peter Sörensen besuchen. Du brauchst sowieso einen Anwalt, und irgendwas wird er ja wissen … Kann es sein, dass hier irgendwo ein Handy klingelt?«

»Meins nicht …«, Christine angelte nach Inges Tasche, »das Klingeln kommt von hier.« Sie reichte ihrer Tante das Telefon.

»Hallo? Müller … Heinz? … Ja?« Tante Inge runzelte die Stirn, legte die Hand auf den Lautsprecher und flüsterte: »Er will mich mit Walter verbinden«, sie sprach laut weiter: »Walter? … Wo bist du? … Was? Du musst lauter reden, ich verstehe dich kaum … Aha … Und du warst im Krankenhaus?«

Christine zuckte zusammen und forschte in Inges Gesicht nach Anzeichen einer Katastrophe, aber die blieb gelassen.

»Geprellt ... Ach so. Tut es doll weh? ... Ja, klar, hätte ich mir auch denken können. Und was soll ich da jetzt machen? ... Dann gib ihn mir noch mal ... Heinz, wie ist denn das passiert? ... Er hasst Gartenarbeit, er mäht nur gern Rasen ... Ja, ich komme morgen ... Christine ist gerade hier. Willst du sie sprechen? ... Ja, gut, sage ich ihr. Bis morgen dann. Pass ein bisschen auf Walter auf ... Ja doch, tschüss.« Mit einem schwer zu deutenden Blick legte sie ihr Handy zurück. »Dein Vater hat gesagt, dass er zwar grillen kann, aber er wüsste nicht, wie man Kartoffelsalat macht. Und Kalli auch nicht.«

Christine guckte sie verwirrt an. »Ja, und?«

»Sie wollen morgen grillen.«

»Und ich soll jetzt Kartoffelsalat machen?«

Inge nickte. »Charlotte ist ja nicht da. Und von mir würde er nichts mehr erwarten.«

»Das sind ja harte Worte.« Johann musste jetzt doch grinsen. »Und was war das mit dem Krankenhaus?«

»Walter hat mir mit dünner Stimme mitgeteilt, dass er sich den Hintern angebrochen hat, er meinte aber geprellt. Er wollte mich ja gar nicht damit belästigen, aber Heinz war der Ansicht, es sei seine Pflicht, mich darüber zu informieren. Sie waren im Krankenhaus. Walter wollte die Hecke bei euch schneiden und ist aus zehn Metern runtergekracht.«

Christine schüttelte den Kopf. »So eine hohe Hecke haben wir überhaupt nicht.«

»Du kennst doch die Übertreibungen deines Vaters«, winkte Inge ab, »ich habe versprochen, morgen vorbeizuschauen, und dann gucken wir mal. So schlimm wird es hoffentlich nicht sein.«

Ihr besorgter Gesichtsausdruck war nicht zu übersehen. Johann beugte sich vor.

»Sollten wir nicht lieber hinfahren?«

Während sie noch überlegte, klingelte erneut ihr Handy. Schnell griff Inge danach und meldete sich.

»Walter? ... Ach, du bist es, Anika ... Was? ... Ja, natürlich. Christine und Johann sind auch gerade hier, ich habe ihnen alles erzählt ... Da bin ich aber gespannt ... Gut, bis gleich.« Sie sah Johann und Christine nachdenklich an. »Anika war heute Abend mit dem Architekten essen, diesem Jörn Tietjen. Sie hat eine ganze Menge herausbekommen und ist auf dem Weg hierher.«

»Sehr gut«, Johann lehnte sich zurück, »und danach fahren wir los und gucken, was Walters Hintern macht. Und bei der Gelegenheit würde ich den Herren auch alles erklären. Die haben nämlich ganz abstruse Theorien, was Inges Veränderungen angeht.«

Inge guckte ihn irritiert an. »Wieso? Was meinst du?«

Johann ignorierte Christines warnende Blicke. »Vom jugendlichen Verehrer bis zu wilden außerehelichen Romanzen, aber auch mögliche kriminelle Verwicklungen, es gibt kaum eine Theorie, die nicht schon in Betracht gezogen wurde.«

»Ach, Unsinn!« Inge lachte auf, dann sah sie in Christines Gesicht und wurde blass. »Das ist doch nicht euer Ernst! Christine, warum hast du sie nicht beruhigt?«

»Äh ... also ... ich wusste ja auch nicht so genau ...«, verlegen wand sich Christine im Sessel und war heilfroh, als es an der Haustür klingelte.

»Als ob ich plötzlich durchdrehen würde!« Langsam stand Inge auf, ohne den Blick von ihrer Nichte zu lösen. »Jugendlicher Verehrer, Romanze, wie lange kennt ihr mich eigentlich?« Sie ging nach unten, um Anika die Tür zu öffnen.

»Du wolltest ja nicht darüber reden!«, rief Christine ihr hinterher.

»Du hast mich ja auch nicht nach einem jugendlichen Liebhaber gefragt!«, brüllte Inge zurück.

Johann griff nach Christines Hand und drückte sie lächelnd. »Ich kann mir ein ›Siehst du‹ leider nicht verkneifen. Nimm es einfach sportlich.«

Ihr fehlte die Zeit, eine passende Antwort zu finden, denn Inge und Anika kamen schon die Treppe hoch. Schwungvoll warf Anika Tasche und Jacke auf einen Stuhl, begrüßte Johann und Christine und ließ sich in einen Sessel fallen. Mit glänzenden Augen sah sie in die Runde. »Inge hat mir gerade gesagt, dass ihr Bescheid wisst. Also will ich euch gar nicht auf die Folter spannen. Jörn hat mir erzählt, dass er den Auftrag zum Umbau von Anna Nissens Haus von Guido Schneider und seiner Assistentin Marion Fischer bekommen hat. Das war bereits Ende März, da war Anna Nissen mal gerade eine Woche tot. Angeblich hat sie das Haus der Verwaltungsgesellschaft vererbt. Und jetzt haltet euch fest, in dem Moment kommen zwei Frauen an unseren Tisch, die nicht reserviert hatten. Ratet mal, wer das war! Kommt ihr nie drauf: Schneiders Assistentin Marion Fischer mit ihrer Schwester. Natürlich habe ich darauf bestanden, dass sie sich zu uns setzen. Wir haben uns sehr angeregt unterhalten, ich habe hier und da mal eine kleine Frage gestellt und dauernd Wein nachgeschenkt. Ich wundere mich ja auch manchmal, was mir die Gäste in der ›Badezeit‹ alles erzählen, aber es hat hier auch geklappt. Wie ihr wisst, ist Guido Schneider einer der beiden Inhaber der Verwaltungsgesellschaft. Sein Partner ist nur stiller Teilhaber und taucht nirgends namentlich auf.«

Johann schob ihr ein Glas Wasser zu, das sie dankbar nahm. Ihr Gesicht war gerötet, Inge bekam langsam dieselbe Farbe, und Christine vergaß fast zu atmen.

Anika stellte das Glas weg und holte tief Luft. »Und jetzt passt auf: Inge, dein komisches Gefühl war richtig. Der Partner heißt Mark Kampmann. Und Marion Fischer ist seine Lebensgefährtin. Sie schanzt ihm nebenbei Aufträge zu. So wie bei dir, Inge. Ein Klient wendet sich an seine Verwaltungsgesellschaft, weil er ein juristisches Problem hat, und sofort bekommt Kampmann den Auftrag. Und das betrifft sowohl die Vermietung von Wohnungen, den Verkauf von Häusern, Haushaltsauflösungen, Erbfälle, die Jungs machen einfach alles, was mit Immobilien zu tun hat. Auch die Betreuung von älteren Wohnungsbesitzern wird angeboten, ihnen gehört nämlich auch ein mobiler Pflegedienst, der Einkäufe, Hilfe bei Bankgeschäften, was immer anliegt, erledigt. Die Geschäftsführerin heißt Heike Schneider und ist die Ehefrau von Guido. Und wenn einer der betreuten Senioren einen Anwalt braucht, also für Vollmachten, Testamente oder Ähnliches, wer wird dann empfohlen? Na?«

»Mark Kampmann.« Inge schüttelte fassungslos den Kopf. »Das hat ja richtig System.«

»Ja«, Anika nickte, »so wird dann manchmal aus einer Vollmacht ein Testament gemacht. Bevor es an den Staat geht ...«

»Komm«, ungläubig winkte Johann an dieser Stelle ab, »das sind jetzt aber doch etwas wilde Vermutungen.«

»Das denke ich nicht«, antwortete Anika, »die Schilderungen meiner neuen Freundin Marion Fischer waren da unmissverständlich.«

»Aber wie kommt sie dazu, dir so was zu erzählen?« Christine kam sich vor wie in einem schlechten Film. »Sie kennt dich doch gar nicht.«

Anika sah sie gleichmütig an. »Manche Leute sind einfach schwatzhaft. Und Marion Fischer hatte einen Hals auf Mark Kampmann, weil der ihre Tischreservierung vergessen hatte. Vielleicht wollte sie auch mit ihrem Insiderwissen dem gutaussehenden Architekten imponieren, zudem war ihre kleine Schwester dabei, was weiß ich, was sie geritten hat, jedenfalls hat sie ohne Punkt und Komma geredet.«

Inge stand auf. »Ich brauche jetzt einen Schnaps, ich gucke mal, ob Petra einen hat.«

»Warte mal«, sagte Anika, »ich bin noch nicht fertig. Eine Sache fand ich bedenklich: Jörn hat gesagt, die Baufirma sitze schon in den Startlöchern, die warten nur noch auf die Grundbuchänderung. Und die soll jeden Tag kommen.«

»Dann müssen die schon den Erbschein haben«, meinte Johann.

Inge stöhnte und lehnte sich an den Türrahmen. »Und was soll ich jetzt machen?«

»Wir nehmen morgen früh den ersten Autozug und fahren zu Peter Sörensen nach Flensburg. Ich habe so ein Gefühl, dass der mehr weiß«, sagte Johann.

Christine sah ihn skeptisch an. »Na hoffentlich. Ansonsten sieht das nämlich nicht so gut aus. Tante Inge, ich befürchte, du brauchst jetzt viel Glück.«

»Ja«, sie straffte den Rücken, »hoffentlich kommen wir morgen klüger zurück. Und dann muss ich Walter und Heinz erklären, um was es wirklich geht. Und jetzt hole ich den Schnaps, und dann beten wir, dass die Guten gewinnen.«

Walter reichte das Telefon an Heinz zurück. »Siehste! Sie hat gesagt, da kann sie jetzt auch nichts machen.«

Heinz sah ihn vorwurfsvoll an. »Du solltest ja auch nicht sagen, du hast dir den Hintern angebrochen. Wie klingt das denn? Ich hätte gesagt: Lendenwirbelfraktur. Oder so was.«

»Das hat er doch gar nicht«, warf Kalli ein und schob Walter mitleidig eine Flasche Bier hin.

»Na und? Ist Inge Ärztin oder Ehefrau?« Schwungvoll hebelte Heinz seinen Kronkorken ab. »Wir haben sie zumindest besorgt gemacht. Immerhin kommt sie morgen zum Grillen, und Christine macht Kartoffelsalat.«

»Und was essen wir heute?« Walter rieb sich über den Magen. »Ich habe Hunger. Mir ist schon ganz schwindelig.«

»Kommt das vom Sturz?« Besorgt beugte sich Kalli vor. »Kippst du gleich um?«

»Blödsinn. Ich bin unterzuckert, fragt nicht wie.« Vorsichtig versuchte Walter ein paar Schritte zu gehen, zuckte aber mit schmerzverzerrtem Gesicht zusammen. »Ich würde ja etwas zu essen besorgen, aber ihr seht ja …«

»Du kannst auch nicht …«, Kalli sprang sofort auf und legte ihm die Hand auf die Schulter, »du sollst dich schonen. Heinz kann doch …«

Heinz starrte ihn wütend an. »Kalli, jetzt mach hier nicht so ein Gedöns, du bist nicht Florence Nightingale. Außerdem haben schon alle Geschäfte zu.«

»Du kannst ja wohl zum Hafen fahren und ein paar Fischbrötchen besorgen«, sagte Kalli.

»Oder Backfisch«, schob Walter schnell hinterher, »Fischbrötchen hatten wir heute schon, ich brauche einmal am Tag was Warmes.«

»Eben.« Kalli guckte Heinz mit einem Blick an, der keinen Widerspruch duldete. »Außerdem verleihst du dein Auto nicht, da musst du jetzt schon selbst fahren.«

»Du musst aber mitkommen und tragen helfen.«

»Nein«, Kalli setzte sich wieder hin, »einer muss bei Walter bleiben. Falls was ist. Die haben da bestimmt auch Tragetüten.«

»Na gut.« Heinz stand auf, nicht ohne kurz seine Hand ins Kreuz zu legen, große Opfer mussten demonstriert werden.

Eine halbe Stunde später hörten sie Heinz zurückkommen. Kurz danach hielt ein zweites Auto vor dem Haus. Der Fahrer ließ den Motor kurz aufheulen, dann stellte er ihn ab. Kalli lugte aus dem Fenster.

»Das ist ein Porsche. Die fahren hier ja viel rum.«

»Alle geleast«, war Walters knappe Antwort, »oder geliehen. Die wenigsten sind bezahlt.«

»Meinst du?« Kalli schob die Gardine zur Seite, damit er besser gucken konnte. »Du, Walter, das ist diese Renate, Inges Freundin. Im Porsche. Jetzt steigt sie aus.«

»Ach je!« Walter wuchtete sich trotz Schmerzen hoch. »Porsche fährt die also auch noch.«

»Ich habe Besuch mitgebracht«, rief Heinz bereits an der Haustür. »Ihr kommt nicht drauf, wen.«

»Doch«, murmelte Kalli und strich sich schnell über die Haare, bevor er in Richtung Küchentür lächelte.

»Kommen Sie durch.« Heinz ließ Renate vorgehen und blieb dann hinter ihr stehen. »Stellt euch vor, was es für Zufälle gibt: Ich bestelle gerade Fischbrötchen und Backfisch, und plötzlich sehe ich Renate. Ganz alleine mit einem Glas Wein. Da bin ich natürlich sofort hin.«

Renate, in einem Jeansanzug mit bunten Applikationen, strahlte in die Runde. »Das ist ja reizend. Ich hatte schon befürchtet, wieder einen einsamen Abend zu verbringen. Darf ich ...?« Ohne eine Antwort abzuwarten, setzte sie sich auf die Küchenbank und schlug leicht neben sich.

»Walter, warum stehen Sie denn? Heinz hat mir schon von dem Unfall berichtet, kommen Sie, setzen Sie sich.«

Walter sah seinen Schwager an und ließ sich mit einem Stöhnen wieder sinken. Renate legte ihm die Hand auf den Arm.

»Sie machen aber auch Sachen. Meine Güte, wenn ich daran denke, was Ihnen alles hätte passieren können. Da war Inge doch bestimmt auch völlig fertig, oder?«

Heinz guckte irritiert. »Das habe ich Ihnen doch vorhin erzählt. Inge kommt erst morgen, sie hat den Ernst der Lage noch gar nicht erkannt.«

Missbilligend schüttelte Renate den Kopf und verstärkte den Druck ihrer Hand auf Walters Arm. »Es ist doch nicht zu glauben. Wie kann ein Mensch sich nur so verändern?« Sie ließ ihre Schultern in gespielter Verzweiflung nach vorn fallen. Die applizierten Drachen ließen die Köpfe hängen. »Das können Sie sich nicht gefallen lassen, Walter.«

Walter verstand offensichtlich nicht so genau, was Renate ihm sagen wollte, und blickte zu Heinz. »Der Backfisch wird kalt. Oder hast du mir keinen mitgebracht?«

»Doch, doch.« Während Heinz die Tüte öffnete und die Päckchen und Servietten auf den Tisch legte, starrte Renate unverwandt Walter an, der darauf wartete, dass Kalli ihm den Backfisch aus dem fettigen Papier wickelte und auf einen Teller legte.

»Danke, Kalli«, sagte er und griff sich Besteck, »was ist, Renate? Wollen Sie etwas abhaben?«

Er fing an zu essen, ohne ihren Blick auch nur einmal zu erwidern. Wenigstens hatte sie ihre Hand von seinem Arm genommen.

Inzwischen hatte Kalli alle Brötchen ausgewickelt und ordentlich auf die glatt gestrichene Tüte gestapelt.

»Das geht doch so, oder?«, fragte er, und mit einem freundlichen Lächeln zu Renate: »Dürfen wir Ihnen etwas anbieten?«

»Nein, danke. Ich habe schon gegessen. Ein paar Austern und ein Gläschen Sekt, ich brauche ja nicht viel.«

»Hm …«, Heinz musterte sie nur kurz, dann biss er in sein Brötchen, »wenn's reicht.«

Schweigend kauten die Männer vor sich hin, was Renate Zeit gab, sich ungeniert umzusehen.

»Tja«, sagte sie nach einem kurzen Moment, »und jetzt sitzen Sie drei hier, von allen Frauen verlassen, und ernähren sich von billigen Fischbrötchen. Das ist fast schon tragisch, Männer wie Sie.« Sie seufzte voller Mitgefühl.

Walter hob den Kopf und angelte den Kassenbon aus der Tüte. »Billige Fischbrötchen! Das denken Sie aber nur. Das billigste kostet 3,50, das waren früher sieben Mark. Für so ein Brötchen mit ein bisschen Fisch. Eine Frechheit ist das.«

»Dafür sind die frisch«, verteidigte Heinz die Preise vom Lister Hafen, »in Dortmund kriegst du so was nicht.«

»Apropos Dortmund …«, mischte sich Renate wieder ein, »wann reisen Sie denn wieder ab, Walter? Ich meine, Sie können ja nichts ausrichten, so wie sich Ihre Frau benimmt.«

»Wieso? Wie benimmt sie sich denn?«, fragte Heinz vorsichtig. Schließlich war Inge seine Schwester, die noch lange nicht von Fremden kritisiert werden durfte, auch wenn die Renate hießen.

Die verzog spöttisch ihren Mund. »Na, sie führt uns doch vor. Diese ganze Geheimniskrämerei. Sie hat nie Zeit, nicht einmal für mich, die ich extra hergekommen bin, um ihr beizustehen. Und was passiert? Ich muss sogar allein essen gehen. Wie ich das hasse!«

Heinz und Walter kauten schweigend weiter. Nur Kalli fragte: »Wieso wollten Sie ihr beistehen? Bei was?«

Renate faltete ihre Hände auf dem Tisch und ließ dabei ihren teuren Schmuck funkeln.

»Bei ihrer Scheidung. Inge hat einen Mann kennengelernt und will sich von Walter trennen. Das ist doch wohl klar.«

»Hat sie Ihnen das so gesagt?« Walter musterte interessiert Renates Hände.

»Nicht wortwörtlich, aber es gibt doch genug Indizien. Hören Sie, Walter, Sie haben es doch gar nicht nötig, sich so behandeln zu lassen. Ich mache Ihnen einen Vorschlag: Morgen reise ich ab. Und ich nehme Sie gern mit. Ich fahre nach Köln.«

»Mit dem Porsche?« Kalli beugte sich interessiert vor. »Ich bin noch nie Porsche gefahren.«

»Nein, danke.« Walter zerknüllte die fettige Serviette und nahm sich noch ein Brötchen. »Ich habe schon eine Rückfahrkarte. Sparpreis. Außerdem haben wir hier noch etwas zu erledigen.«

Renate ließ nicht locker. »Und wie lange brauchen Sie dafür?«

»Wieso?«

Sie deutete mit einer umfassenden Handbewegung auf das Chaos in der Küche. »Ich könnte auf Sie warten und in der Zwischenzeit hier ein bisschen Ordnung machen. Das geht doch so nicht, drei Männer allein mit einer Küche. Ich koche hervorragend, Sie werden begeistert sein.«

Kalli und Walter guckten sich skeptisch an, nur über Heinz' Gesicht huschte ein freudiges Lächeln. »Können Sie Kartoffelsalat?«

»Natürlich. Und auch Endivien-, Rucola- und Cesarsalat.«

»Und Nudelsalat? Mit Erbsen?«

Renates Miene war jetzt etwas unsicher. »Ja, bestimmt, aber …«

»Wunderbar.« Heinz klatschte in die Hände. »Dann kommen Sie morgen her. Wir wollen am Abend grillen und uns fehlt die Zeit für die Vorbereitungen.«

Sie schmolz bei seinem Lächeln. »Mit Vergnügen. Ich komme. Soll ich noch irgendetwas besorgen?«

»Ja.« Kalli antwortete sofort. »Alles außer Fleisch und Getränke. Das machen wir selbst.«

Renate nickte stumm und sah Walter an. Der guckte dieses Mal sogar zurück.

»Und bringen Sie den Kassenbon mit.«

Eine halbe Stunde später standen sie nebeneinander am Gartenzaun und sahen dem Porsche hinterher, bis dessen Rücklichter verschwunden waren. Kalli gab Walter einen kleinen Klaps auf den Rücken.

»Die interessiert sich für dich, mein Lieber.«

»Du spinnst.«

»Nein, ich spinne nicht. Oder, Heinz? Glaubst du das nicht auch?«

Heinz zuckte mit den Achseln. »Keine Ahnung. Mich guckt sie aber auch immer so komisch an.«

Langsam stieß Walter sich vom Zaun ab und ging zurück zum Haus. »Ich hätte sie nicht für morgen eingeladen. Ich finde sie ein bisschen verrückt. Aber das musst du ja wissen, Heinz.«

»Walter!« Mit wenigen Schritten hatte sein Schwager ihn überholt und sich vor ihm aufgebaut. »Ich habe einen Plan. Und Renate gehört dazu.«

»Da bin ich ja mal gespannt.«

Mit skeptischem Gesicht sah Walter Heinz an. Der wartete, bis Kalli neben ihm stand, und erklärte dann ernst: »Wir fahren gleich morgen früh zu Björne Larson, das ist ein alter Bekannter von mir. Der kennt jeden auf Sylt, weiß alles, hört alles, sieht alles. Wenn jemand eine Ahnung hat, wo Mark Kampmann ist, dann er. Sobald wir Kampmann gefunden haben, werden wir, oder besser, du, Walter, ihm mal ein paar Takte erzählen. Denk dir was aus, egal was, Hauptsache, er verliert das Interesse an Inge. Dann folgt Teil zwei des Plans: Morgen grillen wir. Inge kommt auch. Und nun passt auf: Renate wird ebenfalls da sein. Die hat dann hier alles vorbereitet und guckt Walter immer so an. Daraufhin müssen Kalli und ich nur noch ein paar Bemerkungen fallen lassen, und schon ist Inge eifersüchtig. Und zack: Happy End. Und, Walter, was sagst du?«

»Ich gehe ins Bett. Nacht.«

Kalli schaute in den Himmel und dann zu Heinz. »Sehr guter Plan. Wirklich ausgezeichnet.«

Das Auto holperte über die alte Straße in Richtung Ellenbogen. Jede Teernaht verursachte eine Erschütterung, jedes Mal stöhnte Walter auf.

»Gleich ist mein Hintern ganz gebrochen«, ächzte er, »kannst du nicht ein bisschen ruhiger fahren? Du hast keine Ahnung, wie weh das tut.«

Heinz nahm kurz das Gas weg, um langsamer durch ein kleines Schlagloch zu fahren.

»Ich kann da nichts für. Das ist eine private Straße, wir sind nicht auf der A1. Außerdem sind wir gleich da. Siehst du den Leuchtturm? Björne wohnt gleich daneben.«

Wenig später hielt Heinz vor einem kleinen reetgedeckten Haus.

»Da wären wir. Walter, du kannst die Augen wieder aufmachen, du hast es geschafft. Kalli, nimm die Flasche mit.«

Bevor sie klingeln konnten, wurde die Tür auch schon aufgerissen. Björne Larson trug einen Blaumann, darunter ein kariertes Arbeitshemd und auf dem Kopf eine Pudelmütze. Er nickte ihnen knapp zu und strich sich durch den grauen Vollbart.

»Moin.«

»Moin, Björne.« Heinz schüttelte ihm die Hand und deutete dann auf seine Begleitung. »Das ist mein Schwager Walter und Kalli, ein alter Freund. Kommt von Norderney.«

»Macht ja nichts.« Björne musterte die beiden. »Ist dein Schwager vom Pferd gefallen?«

»Schlimmer«, Heinz grinste, »durch eine Hecke. Heilt aber von selbst, sagt der Doktor. Dauert nur ein paar Tage.«

»Dann kommt mal rein.«

Björne führte sie in die Küche, wo sie sich um den großen Tisch setzten, auf dem schon Tassen und eine Kaffeekanne standen. Mit einem Blick auf die Flasche in Kallis Hand öffnete Björne eine Schranktür und holte vier Schnapsgläser hervor.

»Da sollten wir wohl einen Bullenschluck haben, was?«

Kalli guckte auf die Uhr. »Es ist noch nicht mal halb zehn. Das kann ich ...«

»Das ist Medizin.« Björne goss die Gläser voll und schob sie ihnen zu. »Ich denke, du kommst auch von einer Insel.«

»Ja, aber ...« Kalli roch entsetzt an seinem Glas.

Heinz stieß ihn ungeduldig an. »Prost, Kalli! Björne, Walter ...« Er kippte ohne abzusetzen den Schnaps hinunter, schüttelte sich kurz und nickte Björne zu, der die Gläser wieder füllte.

»Auf einem Bein ...«, sagte der und wartete, bis Kalli ebenfalls ausgetrunken hatte und ihm das Glas mit angewidertem Gesichtsausdruck hinhielt, »... kann man nicht stehen. Geht doch.«

Mit sichtlicher Mühe und viel Überwindung kippte Kalli auch den zweiten Schnaps und wischte sich dann mit dem Taschentuch die Schweißperlen von der Stirn.

»Schmeckt ja nicht schlecht. Also, der zweite war nicht mehr so schlimm wie der erste. Und du bist ein echter Insulaner? Oder zugezogen?«

»Schon hier geboren.«

Heinz griff zur Kaffeekanne. »Björne ist waschechter Sylter. Er hat als Tischler, auf dem Krabbenkutter, in einer Kneipe, bei der Marineschule, der Gemeinde und am Hafen, also schon überall gearbeitet. Warst du eigentlich jemals weg?«

»Ja, zwei Jahre. Beim Kommiss, Marine. War aber nicht schön. Ist auch ewig her.« Er hielt Heinz eine Tasse hin. »Was wollt ihr denn von mir?«

Walter schob sein leeres Schnapsglas zur Flasche. »Du, der

hilft. Mein Hintern wird besser.« Er wartete, bis Björne den Deckel wieder abgeschraubt hatte, und fragte dann: »Kennst du einen Kampmann?«

Björne füllte Walters Glas und nickte dabei. »Es gibt nur noch einen Kampmann. Mark, der Sohn von Karsten Kampmann. Der Alte ist vor vier Jahren gestorben. Beim Segeln über Bord gegangen. War ein feiner Kerl. Anwalt. In Westerland.«

»Und der Sohn?« Walter nahm sein Glas in die Hand. »Wie alt ist der?«

»Mark?« Björne überlegte. »Der muss so alt wie meine Tochter sein ... und Maike ist jetzt ... Gott, wie alt ist die eigentlich? ...Warte mal, die wird 48. Im August. Die waren in einer Klasse.«

»So jung ist der?« Walter wurde blass und kippte den Schnaps runter. »Um Himmels willen.«

»So jung ist das ja nun auch nicht mehr.« Björne schaute Walter ungerührt an.

»Doch«, sagte Heinz, »zumindest, wenn die Freundin 64 ist.«

»Wieso 64?«, antwortete Björne. »Seine Freundin ist höchstens Mitte dreißig. Fischer heißt die, arbeitet in Westerland, macht Vermietungen und so.«

»Aha.« Walter guckte trotzdem verzweifelt. »Und was ist das so für ein Typ?«

»Die Freundin?«

»Nein.« Heinz schenkte seinem Schwager noch einen Schnaps ein. »Mark Kampmann.«

»Mark ...« Björne rührte sinnend in seiner Tasse. »Karsten hatte immer viel Ärger mit dem Jungen. Die Mutter ist weggelaufen, hat sich einen reichen Feriengast geangelt, der hat irgendwas beim Film gemacht. Sie hat ihre Koffer gepackt und ihren Mann und Sohn sitzengelassen. Da war Mark vielleicht zehn. Karsten hat ihn allein großgezogen, mit Haushälterin und so. Der Junge hat nur Probleme gemacht. Irgendwann flog er auch noch von der Schule. Danach kam er nach Kiel ins Internat, da wurde es wohl besser. Er hat später sogar studiert. Vor einigen Jahren ist er in die Kanzlei eingestiegen, warum Karsten das wollte, hat nie jemand verstanden. Die haben sich nur gestritten. Bis der Unfall passierte. Seither gehört Mark die Kanzlei.«

»Ja, und wie ist der jetzt so?«

Walters Frage war immer noch nicht beantwortet. Björne sah ihn nachdenklich an. »Der ist nicht koscher, wenn du mich fragst. Er kommt ganz gut bei Leuten an, sieht auch gut aus und ist wohl ganz charmant. Aber irgendetwas ist da nicht in Ordnung: Es gibt Gerüchte, dass er in unsaubere Geschäfte verwickelt ist.«

Heinz schluckte. »Das klingt nicht gut.«

»Habt ihr Ärger mit ihm?«

Walter zuckte mit den Achseln. »Das wissen wir noch nicht. Aber wir müssen mit ihm reden. Wir waren schon in der Kanzlei und bei ihm zu Hause, aber da war er nicht.«

Björne erhob sich und suchte einen Zettel und einen Stift. »Karsten hat vor Jahren ein kleines Haus gekauft, das heißt, mehr so eine Hütte. Die liegt zwischen Braderup und Kampen, gegenüber vom Leuchtturm ›Rotes Kliff‹. Ich habe da ab und zu mal was repariert und nach dem Rechten gesehen, als Karsten noch lebte. Manchmal übernachtet Mark da. Wenn er Ärger mit der Freundin hat oder seine Ruhe haben will. Außer mir weiß keiner, dass ihm das Ding gehört. Ich schreibe euch auf, wie ihr hinkommt. Die Straße heißt Pück-Deel.«

Johann und Christine stiegen aus, als Inge aus der Haustür trat.

»Guten Morgen«, sagte sie, bevor sie ihre Nichte und danach Johann leicht umarmte, »ein bisschen aufgeregt bin ich jetzt ja doch.«

»Es wird schon alles gut werden.« Johann hielt Tante Inge die Beifahrertür auf. Christine setzte sich nach hinten. »Wir sind ja bei dir.«

Dankbar lächelte Inge ihn an. Sie war froh, dass sie nicht allein nach Flensburg musste. Sie hatte sich gestern Abend noch Notizen gemacht und hatte alles, was passiert war, in chronologischer Reihenfolge aufgeschrieben. Trotzdem erschien es ihr noch immer wie ein heilloses Durcheinander.

»Hast du alles dabei?« Christine hatte sich vorgebeugt. »Den Brief, deinen Personalausweis, die Kopie?«

»Ja«, sicherheitshalber kontrollierte Inge ihre Handtasche, »ich habe schon gestern Abend alles sortiert. Hoffentlich kann ich das Ganze so erzählen, dass dieser Sörensen mich nicht als hochgradig senil einstuft. Je mehr ich darüber nachdenke, umso komplizierter wird es.«

Johann warf ihr einen beruhigenden Blick zu. »Mach dir mal keine Gedanken. Und vielleicht kann *er* uns ja was erzählen.«

An der Verladung passierten sie die Schranken, die man mit der Fahrkarte öffnen konnte, und wurden in die erste Spur gewunken. Nur vier Autos warteten vor ihnen. Johann stellte den Motor ab und sah Christine bedeutungsvoll an. Sie stutzte, doch dann begriff sie.

»Ich könnte einen Kaffee vertragen. Johann, was ist mit dir?«

»Ich auch. Wollt ihr schnell mal zum Kiosk gehen?«

Inge schüttelte den Kopf. »Ich habe ja gerade erst gefrühstückt. Danke. Aber du kannst mir eine Zeitung mitbringen.«

Christine hatte schon die Tür geöffnet. »Ach, Tante Inge, komm doch mit rein. Ich kann nicht alles allein tragen.«

Mit einem kurzen Blick auf Johann stieg sie langsam aus. Johann wartete, bis sie im Kiosk verschwunden waren, dann zog er sein Handy aus der Tasche.

Als der Autozug über den Hindenburgdamm fuhr, ließ Christine ihre Blicke über das glitzernde Wasser schweifen. Inge war eingenickt; sie hatte die Brille noch auf der Nase und die Zeitschrift in der Hand, schlief aber tief und fest. Christine rutschte ein Stück nach vorn und legte Johann die Hand auf die Schulter. Er griff nach ihren Fingern und drückte sie fest.

»Hast du ihn erreicht?«, flüsterte sie.

Johann nickte.

Im selben Moment schreckte Tante Inge hoch.

»Oh«, sie streckte sich, »da habe ich wohl einen Moment gedöst.«

Sie nahm ihre Brille ab und legte sie ins Etui zurück. Mit angelehntem Kopf betrachtete sie die vorbeifliegende Landschaft. Plötzlich fiel ihr etwas ein. Sie drehte sich zu Johann.

»Sagt mal, was machen wir denn, wenn der Anwalt gar nicht da ist? Wir haben doch überhaupt keinen Termin«, sagte sie mit leichter Panik in der Stimme.

»Doch«, sagte Johann, »ich habe angerufen, als ihr im Kiosk wart.«

»Und?«

»Peter Sörensen erwartet uns sehnlichst.«

»Du sagst das so komisch.« Misstrauisch starrt Inge ihn an. »Ist da noch was?«

Christine schaute ihn auffordernd an. »Los, erzähl doch mal.«

Johann setzte sich gerade hin. »Ich wollte euch nicht nervös machen, wir haben ja noch eine Stunde Fahrt vor uns.«

»Johann!« Inge stieß ihm den Arm in die Seite. »Sag schon.«

»Peter Sörensen versucht seit Wochen verzweifelt, dich zu erreichen. Er hat immer wieder in Dortmund angerufen und dir mehrere Briefe geschrieben. Geht Walter nicht ans Telefon, wenn du weg bist? Und was ist mit deiner Post?«

»Doch, eigentlich schon. Aber vielleicht war er da immer bei den Nachbarn essen. Oder hat ihre Steuern gemacht. Briefe an mich würde er nie öffnen, das Briefgeheimnis nimmt er ernst. Die muss er irgendwo hingelegt und dann vergessen haben. Hat Sörensen denn gesagt, warum er mit mir sprechen will?«

»Das kann er mir nicht sagen. Aber er war ganz begeistert, dass wir auf dem Weg zu ihm sind.«

Nach der fünften Runde Schnaps legte Kalli lächelnd den Arm um Walters Schulter und strich ihm über den Kopf.

»Guck mal, jetzt wissen wir, wo er ist, da fahren wir nachher hin und sagen ihm ordentlich die Meinung.« Er hickste kurz, griff unsicher zu seinem Glas und trank den letzten Tropfen auch noch aus. »Björne! Du, der schmeckt immer besser. Kann ich noch einen haben?«

Walter entwand sich der zärtlichen Umarmung. »Kalli, du kriegst keinen mehr. Wir haben noch was vor.« Er stand auf, schwankte einen Moment und setzte sich wieder. »Mir ist schwindelig. Das kommt sicher noch vom Unfall.« Er kicherte leise. »Aber den Hintern merke ich gar nicht mehr. Entweder ist er weg oder geheilt. Guck doch mal, Heinz.«

Er richtete sich ein kleines Stück auf. Sein Schwager beugte sich vor. »Nein, alles gut. Wer fährt eigentlich das Auto zurück? Ich kann das nicht mehr.«

»Ruf doch Christine an«, schlug Kalli vor. »Dann kann sie ja dein Auto fahren.«

»Christine?« Heinz tippte sich an die Stirn. »Die fährt wie eine Wildsau. Nein, nein, die haut mir gleich eine Beule rein. Oder schießt mit uns in die Dünen. Aber ihr Johann, der macht einen guten Eindruck. Der kann bestimmt gut fahren.« Er holte sein Handy aus der Jackentasche und wählte. Nach einem kurzen Moment sagte er fassungslos: »Abgestellt. Das gibt es doch gar nicht. Und nun?«

Walter nahm ihm das Handy aus der Hand, überlegte kurz und drückte ein paar Knöpfe. Als auch er eine blecherne Bandstimme hörte, guckte er enttäuscht. »Inges ist auch aus.«

»Wer weiß, wo die gerade ist?«, brummte Heinz beleidigt. »Und was machen wir jetzt?«

»Wir könnten Renate anrufen«, murmelte Kalli, »ich bin doch noch nie Porsche gefahren.«

Björne nahm die leere Schnapsflasche und ging damit in die Küche. »Ich rufe mal Maike an. Die soll mit ihrem Sohn kommen. Dann haben wir zwei Fahrer.«

Eine halbe Stunde später schüttelte Björnes Tochter Maike vorsichtig Kalli, der auf dem Rücksitz eingeschlafen war.

»Kalli, aufwachen, ihr seid zu Hause.«

Heinz schlug beherzt aufs Autodach. »Komm, Junge, aussteigen. Zack, zack.«

Walter, der seitlich am Auto lehnte, die Hände in den Hosentaschen, machte plötzlich ein entsetztes Gesicht. »Großer Gott, da kommt diese Renate. Hey, Kalli, der Porsche.«

Das war das Stichwort. Kalli schoss hoch, stieß sich beim Aussteigen den Kopf an der Autotür und wirkte danach wieder klar.

»Hallo, Renate«, rief er ihr munter entgegen, »ist es schon so spät?«

Strahlend stieg Renate aus dem Wagen. »Walter, helfen Sie

mir bitte mit den Einkäufen? Wir wollten doch nachher grillen.«

Mit einem bösen Blick stieß Walter Heinz in die Seite und murmelte: »Du kannst auch tragen helfen. Ich bin verletzt. Außerdem muss ich mich eine Stunde aufs Ohr legen. Dieser Björne hat mich fertiggemacht.«

»Ich war in meinem ganzen Leben noch nie in Flensburg. Und ich habe auch keinen Stadtplan mit. Wie heißt die Straße, wo die Kanzlei ist?«, fragte Johann, als vor ihm das Schild »Stadtmitte« auftauchte.

»Am Südermarkt«, antwortete Inge, »du musst noch ein Stück geradeaus, ich glaube, ich finde das.«

»Kennst du dich hier aus?«

Inge nickte. »Es ist zwar schon lange her, aber ich habe ein gutes Gedächtnis. Da vorne, rechts.« Sie drehte sich zu Christine um. »Ihr habt fünf Jahre hier gewohnt, kannst du dich nicht mehr erinnern?«

»Tante Inge, als wir wegzogen, war ich sieben, da hat man noch keine Erinnerungen. Mir fallen nur so ein paar Momente ein. Irgendwann bist du hier mal mit Papas Auto gefahren, und meine Eltern haben dich ständig angebrüllt. Ich weiß aber nicht mehr, warum.«

»Stimmt.« Inge betrachtete schmunzelnd die Backsteinhäuser, die die Straße säumten. »Damals hatte ich gerade auf Sylt meinen Führerschein bestanden. Den wollte ich hier mit Heinz und Charlotte feiern. Heinz hat mich mit seinem Auto fahren lassen, einmal quer durch die Stadt, das fand ich ganz toll.«

Johann hielt an einer roten Ampel. »Und warum haben sie dich angebrüllt?«

Inge zeigte auf die Ampel, die über der Straße hing. »Ich habe kein einziges Rotlicht gesehen. Auf Sylt gab es damals keine Ampeln. Im Fahrschulbogen standen die immer an der

Straßenseite, ich habe nicht gewusst, dass es in der Luft auch Ampeln gibt. Heinz schrie die ganze Zeit so laut, dass ich gar nicht begriff, was er meinte mit ›Die Ampel, die Ampel‹. Die Polizei hat mich dann angehalten. Die waren aber sehr nett. Da vorn, Johann, da vorn ist der Südermarkt. Und dann Nummer drei.«

Inge betrat als Erste die Kanzlei und ging mit schnellen Schritten auf die junge Frau am Empfang zu.

»Guten Tag«, sagte sie, »mein Name ist Inge Müller, Herr Sörensen erwartet uns.«

Bei ihren letzten Worten öffnete sich schon eine gepolsterte Tür, aus der ein etwa sechzigjähriger grauhaariger Mann im braunen Anzug trat. Erleichtert lächelnd kam er ihr mit ausgestreckter Hand entgegen.

»Das ist ja wunderbar. Frau Müller, es freut mich, Sie endlich hier zu sehen. Mein Name ist Peter Sörensen. Frau Schmidt, Herr Thiess, kommen Sie doch gleich mit durch.«

Er führte sie in sein Büro, wo sie an einem Besprechungstisch Platz nahmen. Inge setzte sich zwischen Johann und Christine und legte die Kopie des Testaments auf den Tisch. Sörensen warf nur einen kurzen Blick darauf und nickte zufrieden. Als er wieder aufschaute, schoss Inge durch den Sinn, dass ihr irgendwas an ihm bekannt vorkam. Verwirrt schüttelte sie den Kopf und begann dann mithilfe ihrer Notizen zu sprechen.

Peter Sörensen hatte ruhig zugehört, nur einmal wurden sie durch eine Sekretärin unterbrochen, die einen Aktenordner brachte. Als Inge geendet hatte, räusperte er sich.

»Ja, Frau Müller, dann versuchen wir mal, Licht ins Dunkel zu bringen. Zunächst habe ich hier noch einen Brief an Sie. Frau Nissen hat verfügt, dass ich dieses Schreiben für Sie verwahre und Sie es in meinem Beisein lesen. Soweit ich weiß, wird nämlich darin alles erklärt.«

Er schaute sie ernst an. Dann klappte er den Aktenordner auf und entnahm ihm einen weißen Umschlag, den er Inge reichte. Mit zitternden Fingern öffnete sie ihn. Als sie Annas schöne Handschrift erkannte, atmete sie tief durch, blickte kurz zu Johann und Christine und begann zu lesen.

Als Letztes schnitt Renate Gurken in kleine Würfel. Alle Vorbereitungen waren getroffen. Sie hielt kurz inne und lauschte auf Geräusche von oben. Jetzt tat sich was, sie hörte die Wasserspülung, dann Schritte auf der Treppe. Renate bückte sich und blickte in die Backofentür. Die Frisur saß. Sie nahm sich das letzte Stück Gurke vor.

»Ach, Renate.« Heinz blieb erstaunt in der Küchentür stehen. »Sie sind ja noch da.«

Lächelnd drehte sie sich um. »Ich habe doch gesagt, dass ich Ihnen helfe. Sehen Sie, ich habe einen Kartoffelsalat gemacht, und einen Nudelsalat, jetzt bereite ich noch einen bunten Gartensalat zu, und danach kümmere ich mich um den Nachtisch. Haben Sie einen besonderen Wunsch?«

»Äh, nein ...« Heinz machte Platz für Kalli, der hinter ihm die Treppe heruntergekommen war. »Da weiß ich jetzt nichts. Na, Kalli, ausgeschlafen?«

Kalli betrachtete mit entsetzten Augen die vollgestapelten Arbeitsplatten.

»So viel Schnaps war das doch gar nicht.« Er nahm sich eine Flasche Wasser aus dem Kühlschrank und machte auf dem Absatz kehrt. »Ich würde da nicht reingehen«, warnte er den entgegenkommenden Walter, »wenn du Durst hast, kann ich dir auch was von meiner Flasche abgeben.«

Natürlich ging Walter weiter. Beim Betreten der Küche zuckte er zusammen. »Wie sieht das hier denn aus? Ist hier was explodiert?«

Renate kicherte und zwinkerte ihm zu. »Walter, Sie sind

wirklich witzig. Haben Sie gut geschlafen? Soll ich Ihnen einen Kaffee kochen?«

Heinz sah Walter ratlos an. Der hob zwei Schüsseln von einem Stuhl und ließ sich mit ihnen auf die freie Sitzfläche sinken.

»Nein, danke. Wir müssen gleich los. Und Sie …«

Renate nahm ihm die Schüsseln ab, wobei sie unauffällig seinen Arm streifte.

»Walter, das ist sehr nett, aber Sie müssen sich um mich keine Gedanken machen. Sehen Sie, ich habe hier noch genug zu tun. Und wenn Sie zurückkommen, ist alles aufgeräumt und fertig vorbereitet für unser großes Grillfest.« Mit einem Augenaufschlag drehte sie sich zurück zur Arbeitsplatte und den Gurkenwürfeln.

Heinz trat nervös von einem Bein aufs andere. »Aber Sie können doch nicht alleine hierbleiben.«

»Warum nicht?« Mit zwei Handgriffen steckte Renate ein paar Haarsträhnen zurück. »Es ist ja lieb, dass Sie sich alle so Gedanken machen, aber ich lebe allein«, sie sah Walter durchdringend an, »und kann mich ganz gut selbst beschäftigen. Wenn ich hier alles erledigt habe, lege ich mich in den Garten. Es ist ja so schönes Wetter.«

Heinz hob resigniert die Schultern. »Na gut. Wir müssen jetzt los. Ich hole meine Jacke.«

Mit schweren Schritten verließ er die Küche. Walter wollte ihm folgen, Renate erwischte ihn noch am Arm.

»Walter«, sagte sie mit schmeichelnder Stimme, »wenn Sie später noch mal reden möchten, also über Ihr Ehe-Aus, dann könnten wir doch nach dem Grillen zum ›Hafendeck‹ spazieren. Da ist heute Abend Tanz. So wie Sie aussehen, sind Sie doch bestimmt ein hervorragender Tänzer. Was halten Sie davon?«

Perplex sah Walter sie an. »Mal sehen«, stammelte er. »Vielleicht hat Inge ja auch Lust.«

»Inge?« Jetzt trat Renate einen Schritt zurück. »Glauben Sie wirklich, dass Inge kommt?«

»Ja«, Walter nickte zuversichtlich, »das hat sie gesagt. Also, dann.«

Vom Fenster aus schaute Renate ihnen hinterher. Walter hatte einen beschwingten Gang, er war sowieso sehr fit für sein Alter. Renate lächelte. Außerdem war sie zehn Jahre jünger, das würde ihm bestimmt guttun. Und Inge hatte ja doch was Provinzielles. Ganz im Gegensatz zu ihr. Renate fiel plötzlich ein, dass sie im Kühlschrank einen Pikkolo gesehen hatte. Sie holte ihn heraus, schraubte den Deckel auf und trank direkt aus der Flasche.

Inge ließ den Brief sinken und hob den Kopf.
»Der Brief ist von Oktober letzten Jahres.«
Peter Sörensen nickte. »Ja. Ich weiß.«
Christine rutschte ein Stück auf ihrem Stuhl nach vorn. »Was steht denn da jetzt drin? Inge, mach's doch nicht so spannend.«
Inge sah ihre Nichte an, dann strich sie den Bogen glatt und begann:

Wenningstedt, den 10. Oktober

Meine liebe Inge,
in den Romanen, die wir beide so gerne lesen, fangen solche Briefe immer mit den Worten: »Wenn Du das hier liest, werde ich nicht mehr bei Dir sein« an. Das wollte ich auch erst schreiben, aber dann fand ich es unmöglich. Weil es auch nicht stimmt, dass ich irgendwann nicht mehr bei Dir sein werde. Du erbst mein Haus, und da stecke ich in jeder Ecke und in jeder Wand. Und Du wirst das spüren. Sei sicher.

Du bist nach Sinjes Tod diejenige gewesen, die mir die Liebste war, und deshalb möchte ich, dass Du mein Haus bekommst. Das habe ich immer gedacht, und dabei bleibt es. Der Grund dafür, dass ich Dir schreibe, ist ganz einfach: Ich habe in meinem Leben zwar vieles richtig gemacht, aber einige Dinge muss ich noch aufräumen. Und das will ich jetzt tun.

Weißt Du, ich habe noch niemals Menschen nur aufgrund eines Gefühls verdächtigt oder beschuldigt. Das will ich auch jetzt nicht tun, aber dieses Mal lässt mein Gefühl mir

312

keine Ruhe. Deshalb möchte ich Dir einige Dinge anvertrauen, in der Hoffnung, dass keine meiner Befürchtungen zutrifft.

Alle haben immer gedacht, ich hätte meine Wohnung nur gemietet, aber das stimmt nicht. Die Wahrheit ist, dass mir das ganze Haus schon lange gehört, nur hat das niemand gewusst. Ich habe diese schöne Wohnung bewohnt, die anderen drei wurden vermietet, alles Schriftliche lief über einen Anwalt, mit dem ich befreundet war: Karsten Kampmann. Er war ein feiner Mensch und sehr loyal. Ich war seine erste Mandantin, als er vor über 50 Jahren als junger Anwalt seine Kanzlei eröffnete. Ich bin damals mit Sinjes Vater zu ihm gegangen. Ja, Inge, ich sehe Dich jetzt förmlich nach Luft schnappen. Du hast mich nie nach ihm gefragt, dafür war ich Dir immer dankbar. Sinjes Vater hieß Peer. Kennengelernt habe ich ihn als junges Mädchen im Lazarett in Flensburg. Peer war bei einem Bombenangriff schwer verletzt worden. Er war furchtbar tapfer und konnte oft vor Schmerzen nicht schlafen. Wenn ich etwas Zeit hatte, setzte ich mich zu ihm, und wir erzählten uns Geschichten. Wochenlang. Und dabei haben wir uns verliebt. Aber Peer war verheiratet. Seine Frau war damals bei seinen Schwiegereltern in Dänemark, sie kam erst nach Kriegsende zurück. Deshalb hatten wir ein halbes Jahr für uns. Nach seiner Entlassung hatten wir uns zwar geschworen, uns nie wiederzusehen, was wir aber nicht schafften. Er war meine ganz große Liebe. Und Sinje unsere Tochter.

Als der Krieg aus war, bin ich, wie Du weißt, mit Sinje zurück nach Sylt. Ich war sehr traurig, aber ich hatte wenigstens meine Tochter. Drei Jahre später hat Peer mich gefunden. Er hat darauf bestanden, dass er für Sinje und mich sorgt. Er hat das Haus gekauft und es umbauen lassen, so dass ich drei Wohnungen vermieten konnte. Dadurch war ich unabhängig. Karsten Kampmann regelte alles Rechtliche. Er war eingeweiht und hat jahrelang alles für mich organisiert. Peer tauchte offiziell nie auf.

Vor ein paar Jahren hat Karsten vorgeschlagen, die Verwaltung des Hauses an eine Verwaltungsgesellschaft zu übertragen, er wollte sich langsam aus den Geschäften zurückziehen. Karsten ist kurz danach tragisch ums Leben gekommen, und sein Sohn Mark hat die Kanzlei übernommen. Ich mochte ihn nie besonders, aber das konnte ich ja seinem Vater schlecht sagen.

Und jetzt kommt mein Gefühl ins Spiel. Vor ein paar Monaten habe ich mir die Unterlagen meiner Wohnungen zum ersten Mal genauer angesehen. Und was ich da entdeckte, hat mich umgehauen. Es gab Überweisungen, von denen ich nichts wusste, und einiges mehr. Ich habe Mark Kampmann angerufen und ihn gefragt, ob diese Verwaltungsgesellschaft seriös sei, er hat mich aber sofort beruhigt.

Die Art, wie er das gemacht hat, hat mich jedoch davon überzeugt, dass da irgendwas nicht stimmt. Und deshalb habe ich alles Peter Sörensen übergeben. Alles Weitere wird er Dir selbst erzählen. So wie ich ihn kenne, hat er alles so ordentlich gemacht, dass Dir nichts passieren kann.

Liebe Inge, Dir gehört nun das Haus, ich hoffe, dass Du irgendwann auch darin leben willst. Es ist ein gutes Haus, ich hatte in und mit ihm ein schönes Leben. Genau das wünsche ich Dir auch, meine Inge. Sei mutig und neugierig, Du bist noch jung genug, all die Dinge zu tun, die Du Dich bisher nicht getraut hast.

In Liebe,
Deine Anna

Kalli blieb am Straßenrand stehen. »Wo gehen wir eigentlich hin? Wieso fahren wir denn nicht mit dem Auto? Wir sind doch alle wieder nüchtern.«

Walter zeigte nach vorn. »Ich habe ein Taxi bestellt«, sagte er. »Es wartet an der Bushaltestelle.«

»Also, *ich* könnte wieder fahren«, erklärte Heinz. »Fünf kleine Schnäpse hauen mich nicht um.«

Walter beschleunigte seine Schritte. »Jetzt beeilt euch mal, die Taxiuhr läuft auch, wenn der nur wartet. Und du hast noch eine Fahne. Und außerdem kann so kein Zeuge unser Auto beschreiben.«

Kalli guckte ängstlich, Heinz schüttelte den Kopf. »Wir wollen doch nur mit ihm reden«, meinte er, »das ist ja wohl nicht verboten.«

Das Taxi stand tatsächlich schon da. Kalli und Heinz stiegen hinten ein. Walter warf einen Blick auf das Taxameter und setzte sich beruhigt auf den Beifahrersitz.

»Sind erst 3,50 Euro«, teilte er mit. »Fahren Sie uns bitte nach Kampen, nach … Heinz, wo sollen wir aussteigen? Ich will nicht bis vors Haus fahren.«

»Wieso nicht?«

»Wegen der Überraschung.«

Heinz überlegte kurz. »Dann also Braderuper Weg, Ecke Pück-Deel.«

Der Taxifahrer sah die drei erstaunt an. »Sind Sie sicher? Da gibt es aber nur so ein paar alte Häuser.«

Walter presste die Lippen zusammen und starrte nach vorn. »Fahren Sie einfach, Mann.« Er fühlte sich wie Robert de Niro.

315

Zwanzig Minuten später hielt der Taxifahrer neben einem Feldweg.

»Hier ist der Pück-Deel. Nach ungefähr dreihundert Metern stehen Sie mitten in der Braderuper Heide. Danach kommt das Wasser. Soll ich warten?«

Walter öffnete seine Tür. »Ja, aber machen Sie die Uhr aus.« Dann ging er los.

»Und wie ...« Verwirrt sah der Fahrer nach hinten.

»Sie kriegen ein gutes Trinkgeld.« Heinz klopfte ihm jovial auf die Schulter. »Wenn wir in einer halben Stunde nicht zurück sind, rufen Sie die Polizei. Bis gleich.«

Kalli war schon hinter Walter hergerannt. »Walter, warte mal ...«

»Ja?«

Walter verlangsamte noch nicht mal sein Tempo. Endlich hatte Kalli ihn eingeholt und zog an der Jacke.

»Walter! Jetzt lass uns doch auf Heinz warten. Hast du dir überhaupt überlegt, was du ihm sagen willst?«

»Ja. So ungefähr.« Walter war stehen geblieben und winkte Heinz ungeduldig, sich zu beeilen. »Ich werde ihm sagen, dass er meine Frau in Ruhe lassen soll. Er hat doch eine eigene Freundin. Und ich habe nur Inge.«

»Und du glaubst, da geht er drauf ein?«, fragte Kalli unsicher. »So wie Renate das erzählt hat, ist das mit Inge und ... ihm ... ja ganz schön ... wie soll ich sagen ... ernst?«

»Ach, Renate.« Heinz, der den Schluss von Kallis Satz gerade noch gehört hatte, winkte ab. »Ich glaube, dass Renate auch nichts Genaues weiß. Ich hoffe nur, dass kein Nachbar sie im Garten liegen sieht. Die denken dann doch sonst was.« Er schirmte seine Augen mit der Hand ab und fixierte einen Punkt am Ende der Straße. »Da hinten muss es sein, das rechte Haus. Übrigens, Walter, falls Inge mit Kampmann durchbrennt, kannst du ja Renate nehmen. Die ist ganz begeistert von dir.«

Walter sah seinen Schwager an, als wäre der nicht bei Trost. »Also bitte!«

»Wieso?« Kalli zuckte mit den Schultern. »Deine Tochter ist erwachsen, euer Haus bezahlt, das wird eine einfache Scheidung. Auch wenn es natürlich nicht schön ist. Aber Renate wird sich sofort um dich kümmern. Da hat Heinz recht.«

»Jetzt ist aber Schluss!« Walter war blass geworden. Und ärgerlich. »Es wird keine Scheidung geben! Ich kriege das schon hin. Und diese Renate ist doch knallverrückt. Und rote Haare mochte ich noch nie.«

»Die sind doch nicht echt«, versuchte Kalli ihn zu beruhigen, »die färben doch heute alle.«

In diesem Moment erreichten sie das kleine, alte Haus, das sich in den Sand duckte. Ein Fenster war gekippt. Heinz sah zu Walter und fragte: »Und jetzt? Sollen wir ihm erst mal sagen, dass Inge zu alt für ihn ist? Oder dass sie nicht wohlhabend ist? Oder was?«

Walter hob trotzig sein Kinn und ging auf die Eingangstür zu. Die beiden anderen folgten in kleinem Abstand. Walter drückte entschlossen auf den Klingelknopf. Als nichts passierte, drückte er noch mal. So lang, bis plötzlich die Tür aufgerissen wurde. Ein verschlafen wirkender Mann stand vor ihnen. Walter musterte ihn interessiert.

»Sind Sie Mark Kampmann?«

Unsicher sah der Mann von einem zum anderen. Er räusperte sich.

»Ja, wieso?«

Walter holte aus und schlug zu.

Inge ließ den Brief sinken und wischte sich über die Augen.

»Entschuldigung«, sagte sie mit rauer Stimme, »aber im Moment kann ich gar nichts sagen.«

»Das müssen Sie auch nicht«, antwortete Peter Sörensen, »den Rest erzähle ich Ihnen. Dass es einen Zusammenhang zwischen der Verwaltungsgesellschaft und Mark Kampmann gibt, vermuten wir schon länger. Ich habe in den letzten beiden Jahren drei Fälle gehabt, bei denen sowohl Kampmann als auch Guido Schneider eine Rolle gespielt haben. Ich unterliege der Schweigepflicht, aber es gibt bereits Ermittlungen.«

»Das wissen wir«, warf Christine ein, »meine Tante hatte schon Besuch von einem Herrn Martensen von der Kripo. Aber was sollten Sie meiner Tante noch erzählen? Was meinte Anna Nissen?«

Er wandte sich an Inge, die sich wieder gefasst hatte. »Peer war auch mein Vater und Sinje meine Halbschwester.«

»Was?« Inge riss die Augen auf.

Peter Sörensen lehnte sich in seinem Stuhl zurück. »Mein Vater hatte vor ungefähr zehn Jahren einen Herzinfarkt. Ganz plötzlich, ohne Vorwarnung. Als er in der Klinik wieder zu sich kam, fragte er immer nach einer Anna. Meine Mutter, die ein Jahr zuvor gestorben war, hieß aber Marianne. Als es ihm etwas besser ging, habe ich ihn gefragt. Er gab mir einen Schließfachschlüssel. In diesem Bankfach hatte er alles gesammelt, was mit Anna Nissen zu tun hatte. Und mit ihrer Tochter. Zwei Wochen später starb er.«

Christine seufzte und sah ihn mitfühlend an. »Das tut mir leid. Und was haben Sie dann gemacht?«

»Ich habe Anna Nissen angerufen. Und sie danach besucht. In den letzten zehn Jahren haben wir uns oft gesehen. Sie war eine tolle Frau.«

Inge schüttelte verwundert den Kopf. »Anna hat nie von Ihnen gesprochen.«

»Sie hat auch nie mit jemandem über meinen Vater gesprochen. Das war ihr Geheimnis. Und da gehörte ich dazu. Aber wenigstens hat sie mir im letzten Sommer die Unterlagen zu ihrem Haus gegeben, womit wir wieder beim Thema wären. Ich habe auch ihr letztes Testament beglaubigt und beim Nachlassgericht eingereicht. Sie sind damit die rechtmäßige Besitzerin des Hauses.«

»Und was ist mit dem zweiten Testament?«, fragte Inge. »Beim Gericht in Niebüll hat man mir doch gesagt, es gäbe noch ein anderes.«

»Ja«, antwortete Sörensen, »deshalb hat das Gericht auch die Staatsanwaltschaft eingeschaltet. Das geht jetzt seinen Gang.«

Johann verschränkte seine Arme vor der Brust. »Und was passiert mit Kampmann? Und diesem Schneider?«

»Wie gesagt, die Ermittlungen laufen. Viel mehr kann ich Ihnen nicht sagen. Das Problem ist, dass Kampmann untergetaucht ist. Das hat mir Martensen gestern erzählt. Die Büros der Verwaltungsgesellschaft haben sie gestern Abend durchsucht. Und wohl auch einiges sichergestellt.«

»Also ist meine Tante jetzt wirklich Hausbesitzerin?« Christine griff nach Inges Hand. Sie war ganz kalt.

Der Anwalt nickte. »Davon können Sie ausgehen.«

Inge sah erst ihn, dann Christine, dann Johann an. »Mir ist ganz übel. Ich rufe jetzt Walter an. Der soll ja schließlich mit einziehen.«

Sie suchte in ihrer Tasche nach dem Handy und tippte ihre

PIN-Nummer ein. Während sie auf die Freigabe wartete, lächelte sie in die Runde.

»Der wird umfallen. Aber ich habe mir schon genau überlegt, wie ich ihm meine Umzugspläne schmackhaft mache.«

Sie begann, seine Nummer einzugeben. In diesem Moment blinkte das Display: »Walter ruft an.«

Inge drückte aus Versehen die Annahmetaste mit dem Lautsprecher. »Das ist Gedankenübertragung, ich wollte dich gerade ...«

»Inge-Lore, ich habe deinem Kampmann eins auf die Zwölf gehauen. Der ist doch viel zu jung für dich.« Walters Stimme klang blechern. »Der hat sich noch nicht mal anständig gewehrt. So eine Memme!«

Elektrisiert sprangen Johann, Christine und Peter Sörensen auf. Inge bedeutete ihnen, ruhig zu sein.

»Walter, wo bist du?«

»Na, hier in Kampen. Der hat so ein altes Haus. Sieht aus wie ein Karnickelstall. Als ob du da leben könntest! Das taugt noch nicht mal zum Liebesnest. Es zieht hier wie Hechtsuppe, alles vergammelt.«

»Walter, bist du alleine da?«

Sörensen schrieb hektisch auf einen Zettel: »Adresse???«

»Nein. Kalli und Heinz sind auch mit. Kalli hält dem Weichei gerade die Beine hoch. Der war ja ohnmächtig. Und Heinz hatte Angst, dass der tot ist. Aber so doll habe ich auch nicht zugeschlagen.«

»Wo genau seid ihr denn?« Inge zwang sich, ihre Stimme ganz normal klingen zu lassen.

»Heinz, wie heißt das hier?«, brüllte Walter. »Aha ... wir sind in der Pück-Deel 12. Mitten in der Pampa. Wieso? Willst du etwa herkommen? Kannst du dir sparen. Wo bist du überhaupt?«

Jetzt fing Inge doch an zu zittern. »Walter, ich gebe dir mal eben Christine.«

Während Sörensen ins Vorzimmer eilte, um Martensen anzurufen, nahm Christine ihrer Tante den Hörer ab.

»Hallo, Onkel Walter«, sagte sie betont fröhlich, »hör mal, habt ihr diesen Kampmann irgendwie gefesselt oder so?«

»Kind, du liest zu viele Krimis«, antwortete ihr Onkel verwirrt. »Wir wollten ihn nicht überfallen, sondern mit ihm reden. Er ist nur noch nicht wieder ganz da. Kommt aber so langsam.«

»Du, Onkel Walter ...« Christine versuchte, die Zeichen, die Johann und Inge ihr gaben, zu deuten, »wir können das am Telefon jetzt schlecht erklären, aber es kann sein, dass Kampmann nicht ganz so, wie soll ich sagen ... ungefährlich ist.«

»Diese Memme? Ha!« Walter schien den Ernst der Lage nicht zu erfassen. »Der liegt hier wie ein Häufchen Elend, und wir sind zu dritt. Der soll sich mal mit uns anlegen. Das ist ja wohl ein Witz.«

Christine überlegte krampfhaft, wie sie ihn überzeugen könnte, als sie plötzlich durch die Telefonleitung ein Martinshorn hörte. Erleichtert nickte sie Sörensen zu, der gerade wieder zur Tür reinkam.

»Du, Onkel Walter«, sagte sie schnell, »wenn jetzt gleich die Polizei bei euch vor der Tür steht, dann macht ihnen bitte auf.«

Aus dem Hintergrund hörte sie Kallis Stimme: »Es klingelt an der Haustür. Und da ist Blaulicht. Kann mal jemand gucken gehen, was da los ist? Nicht, dass es brennt.«

Renate schritt an Walters Arm über den roten Teppich, vorbei an der Fotografenmeute, dem Eingang entgegen. Sie lächelte strahlend und raffte ihr silbernes Kleid auf der Treppe zusammen.

»Da kommt der neue Finanzminister«, rief die blonde Moderatorin eines Fernsehsenders, deren Name Renate gerade nicht einfiel, »begleitet von seiner neuen Lebensgefährtin, der zauberhaften Renate von Graf. Was für ein schönes Paar! Wir wollen wissen, wie ihre Pläne für die Zukunft sind. Frau von Graf, Herr Müller, hallo ...«

Renate wollte schon stehen bleiben, aber Walter zog sie weiter. Die Moderatorin ließ nicht locker: »Hallo, hören Sie ... Hallo!«

Ihre Stimme wurde immer durchdringender. Renate versuchte, sich aus Walters Arm zu lösen. Sie wollte so gern ein Interview geben. Aber er ließ nicht los.

»Hallo! Sind Sie taub? Aufwachen!«

Da schlug Renate die Augen auf. Vor ihr stand nicht die berühmte Fernsehmoderatorin, sondern Charlotte. Und sie war es auch, die ihren Arm im Klammergriff hielt, nicht Walter.

»Können Sie mir mal erklären, wieso Sie halbnackt in meinem Garten liegen?« Charlottes Stimme klang gefährlich ruhig.

»Lassen Sie doch los, Sie tun mir weh!« Benommen rappelte sich Renate hoch und rieb ihren Oberarm. »Jetzt kriege ich bestimmt einen blauen Fleck.«

Charlottes Blick war abschätzig. Dabei trug Renate ihren besten und teuersten Büstenhalter, rote Spitze mit kleinen gelben Blümchen. Ihren Rock hatte sie anbehalten, manche Zonen wirkten verhüllt einfach besser. Und ihr Dekolleté konnte sich sehen lassen, da mochte Charlotte gucken, wie sie wollte. Trotzdem zog Renate ihre Bluse über, knöpfte sie langsam zu und blickte Charlotte dabei selbstbewusst an. »Was machen Sie hier?«

Charlotte schnappte nach Luft. »Ich wohne hier. Dasselbe sollte ich Sie fragen. Und wo sind überhaupt mein Mann und mein Schwager?«

»Sie sind geschäftlich unterwegs.« Mit einer Haarklammer zwischen den Zähnen ordnete Renate ihr wildes Haar und steckte es lässig hoch. »Zusammen mit Kalli. Sie wollten am späten Nachmittag wieder hier sein, pünktlich zum Grillen.«

»Geschäfte? Grillen?« Verständnislos schüttelte Charlotte den Kopf. »Und wo ist meine Schwägerin?«

»Inge?« Renates Stimme ging um eine Oktave in die Höhe. »Das wüssten wir alle auch zu gerne. Aber die Sachlage ist ja mittlerweile klar. Sie hat Walter verlassen. Und sie schert sich überhaupt nicht um ihre Familie und ihre Freundinnen, macht einfach, was sie will. Ich habe selten eine solche Egozentrikerin erlebt. Walter ist völlig fertig, regelrecht gebrochen. Es wird lange dauern, bis er sich wieder auf Gefühle einlassen kann.«

Charlotte starrte sie stumm und mit hochgezogenen Augenbrauen an.

»Und Sie sind auch nicht viel besser«, redete sich Renate jetzt in Rage, »während sich Heinz und Kalli bemühen, Ihrem Schwager in dieser schweren Zeit beizustehen, setzen Sie sich einfach in den Zug und verlustieren sich in Hamburg. Die Männer saßen hier ohne Essen und Ansprache. Sie haben mich angefleht, ihnen zu helfen. Sie kommen doch alleine überhaupt nicht zurecht. Ich bin erst mal einkaufen gewesen, habe hier Ordnung gemacht und … wer ist denn das?«

Die blonde Frau, die plötzlich vor ihnen stand, sah aus wie Inge, nur zwanzig Jahre jünger. Sie warf einen erstaunten

Blick auf Renate und sagte dann zu Charlotte: »Deine Küche sieht aus wie ein Schlachtfeld. Dass mein Vater nicht der Erfinder der Hausarbeit ist, wusste ich, aber so etwas habe ich noch nie gesehen. Guten Tag, ich bin Pia Müller.«

Sie streckte Renate die Hand entgegen, die aber ignoriert wurde. Stattdessen rappelte sich Renate umständlich auf und glättete ihren Rock.

»Tag«, antwortete sie knapp, »sind Sie Walters Tochter?«

»Ja, ich habe aber nicht verstanden, wer Sie sind.«

»Renate von Graf.« Sie warf den Kopf in den Nacken. »Ich bin eine enge Freundin Ihrer ... Eltern.«

»Aha«, stellte Pia unbeeindruckt fest. »Charlotte, sollen wir mal deine Küche in Ordnung bringen? Und uns dann auf die Suche nach dem Rest der Familie machen?«

Charlotte stand immer noch wie angewurzelt vor Renates Liegestuhl. »Ich glaube, ich werde gleich ...«, zischte sie, doch der Klingelton ihres Handys hielt sie davon ab. Ohne den Blick von Renate zu wenden, nahm sie das Gespräch an.

»Ach, Christine ... Ich bin wieder zu Hause und stehe gerade im Garten. Vor Renate, sie hat sich hier gesonnt ... Wo steckt ihr? ... Und weißt du, wo Papa, Onkel Walter und Kalli sind? ... Was???«

Die letzte Frage kam so laut, dass Pia und Renate zusammenzuckten. Die Besorgnis in Charlottes Gesicht ließ aber gleich nach, so dass sich Pia und Renate wieder entspannten.

»Dann kommen sie ja bald ... Pia ist auch hier ... ja genau, sie weiß es, wir sind zusammen mit dem Zug hergefahren ... Gut, dann sehen wir uns gleich, bis dann.« Sie legte das Handy auf den Gartentisch. »Vielleicht muss man auch nicht alles verstehen. Christine, Johann und Inge sind gerade auf dem Autozug. Sie waren in Flensburg bei einem Anwalt. Und Heinz, Walter und Kalli sind in Westerland bei der Polizei, weil Walter jemanden niedergeschlagen hat. Dafür kommt er aber nicht in den Knast, sondern wird irgendwie gefeiert. Und gleich soll noch Anika mit einem Jörn erscheinen. Anika hat sich vor ein paar Tagen mit deiner Mutter betrunken, Pia. Wer Jörn ist, habe ich leider nicht begriffen, Christine redet ja auch immer so schnell. Ich gehe jetzt rein und mache mir eine heiße Schokolade.«

Langsam ging sie zum Haus. Bevor Pia ihr folgen konnte, hielt Renate sie am Handgelenk fest. Pia sah Renate freundlich an.

»Ja?«

»Weiß Ihr Vater, dass Sie hier sind?«

»Nein.« Pia schüttelte den Kopf. »Das habe ich ganz spontan entschieden, nachdem ich gestern Abend mit meiner Mutter telefoniert habe. Ich hatte ja keine Ahnung, was hier los ist. Ich war froh, dass ich beim Telefonieren saß. Aber jetzt will sie meinem Vater alles erzählen, deshalb wollte sie, dass ich dabei bin.«

Renate lächelte sie aufmunternd an. »Ach, wissen Sie, das kommt in den besten Familien vor. Ihr Vater trägt es übrigens mit Fassung, falls Sie das beruhigt. Wir haben schon das eine oder andere nette Gespräch gehabt, er ist nicht der Mann, für den sein Leben damit vorbei ist. Ich hoffe, ich kann ihm ein bisschen dabei helfen, ich hätte durchaus Interesse, und auch er scheint nicht ganz abgeneigt.« Mit einem gezierten Lächeln beugte sie sich vor. »Das ist ja auch in Ihrem Sinne, meine Liebe, Ihr Vater ist noch zu jung und viel zu liebenswert, er wird mit der Entscheidung Ihrer Mutter über kurz oder lang klarkommen. Da bin ich mir sicher.«

Verständnislos hatte Pia ihr zugehört. »Welche Entscheidung denn?«

»Na, Ihre Mutter verlässt doch Ihren Vater. Wegen eines anderen Mannes. Ich dachte, Sie wüssten Bescheid? Ich bin eng mit Inge befreundet, deshalb war ich involviert. Aber in den letzten Tagen hat mich das Verhalten Ihrer Mutter immer mehr geärgert. Das hatte keine Art. Da musste ich Stellung beziehen und habe mich zu Ihrem Vater bekannt. Wir sind uns sehr sympathisch ...«

Gespannt wartete sie auf Pias Reaktion. Es war alles möglich, Wut, Tränen, Eifersucht, Renate war auf alles gefasst.

Aber Pia lachte. Sie warf den Kopf zurück und lachte.

Übersprunghandlung, dachte Renate, durch den Schock. Mit ihrer sanftesten Stimme, einer Therapeutin gleich, sagte sie: »Das ist eine unerfreuliche Sache, ich weiß, aber alles Schlimme im Leben hat auch etwas Gutes.«

»Um Himmels willen!« Pia war kaum zu verstehen, so sehr bog sie sich vor Lachen. »Wie kommen Sie denn auf diesen Blödsinn?« Sie zitterte vor Gelächter. »Meine Mutter und ein anderer Mann? Hilfe, ich kriege Seitenstiche ... Und Sie und mein Vater ...?« Sie schnappte nach Luft.

Renate wurde langsam ärgerlich. Jetzt redete hier endlich mal jemand Klartext, und das war der Dank. So ein albernes pubertierendes Gegacker. »Wenn Sie es verdrängen wollen, bitte. Aber warum, glauben Sie, war Ihre Mutter bei einem Anwalt? Und warum hat sie Sie herbestellt? Warten Sie mal ab, bis Sie die traurigen Augen Ihres Vaters sehen.«

Pia biss sich verzweifelt auf die Unterlippe und wischte sich die Lachtränen aus dem Gesicht. »Ach, Frau von Graf ...«

»Renate.« Schließlich wusste Renate noch nicht, was aus ihr und Pias Vater noch wurde.

»Auch gut, Renate, vielleicht haben Sie ja irgendetwas missverstanden, mein Vater redet ja manchmal etwas kryptisch. Tatsache ist, dass meine Mutter hier auf Sylt ein Haus geerbt hat. Deswegen war sie beim Anwalt, wobei es irgendwelche Komplikationen gab. Mehr weiß ich auch noch nicht. Den Rest erzählt sie ja gleich. Aber es hat auf jeden Fall nichts mit meinem Vater zu tun. So, ich gehe jetzt rein und helfe meiner Tante, das Küchenchaos zu beseitigen. Wer hat da übrigens so brutal Gemüse geschnitten? Hm?«

Immer noch kichernd lief sie ins Haus. Renate holte tief Luft und überlegte, ob sie ihr noch etwas hinterherrufen sollte. Sie ließ es sein, denn sie war die Klügere. Diese eingebildete Pia würde das schon noch merken. Jetzt würde sie erst mal in dieses spießige kleine Bad gehen und sich die Nase pudern.

Als sie sich zehn Minuten später vor dem Spiegel gerade mit dem Konturenstift ihre Lippen nachzog, wurde es im Flur auf einmal laut.

»Charlotte!« Das war eindeutig die Stimme von Heinz. »Du bist ja wieder da! Das ist ja schön. Wann bist du denn zurückgekommen?«

»Vor einer Stunde. Pia hat mich angerufen und mir erzählt, was eigentlich los ist. Nachdem Inge sie endlich mal informiert hat.«

»Wieso? Was ist denn los?« Heinz sprach nun leiser, Renate musste ihr Ohr an die Tür drücken, um alles mitzubekommen. Zum Glück redete Charlotte lauter.

»Inge erzählt es gleich selbst, sie ist mit Johann und Christine auf dem Weg hierher. Ach übrigens, hat es eigentlich einen Grund, dass diese Renate jetzt hier lebt?«

»Ach, die ist immer noch hier?« Das war jetzt Kalli. »Siehst du, Walter, ich habe doch gleich gesagt, sie ist an dir interessiert. Wieso guckst du so, Charlotte? Das hat mit dir nichts zu tun. Renate hat uns ein bisschen beim Essenmachen geholfen, das ist doch nett. Und sie will sich um Walter kümmern, wenn der geschieden ist. Wenigstens glauben wir das.«

Zufrieden nickte Renate sich im Spiegel zu, bevor sie Charlottes Antwort hörte: »So ein Unsinn. Wieso sollte Walter sich scheiden lassen?«

»Na ja«, antwortete Heinz ausweichend, »Inge war auf Abwegen, wie man so schön sagt. Aber das dürfte jetzt erledigt sein. Walter hat das Problem gelöst. Aber das erzählen wir nachher in Ruhe. Es kommt übrigens noch ein Herr Martensen von der Kripo, der muss sich noch mal mit uns unterhalten.

Wir wollten nur nicht so lange bei der Polizei in Westerland auf ihn warten. Er kann ja mitgrillen, wir haben genug Fleisch gekauft. Hat Renate eigentlich Kartoffelsalat gemacht?«

Charlottes Schweigen konnte Renate im Moment nicht deuten. Es war egal. Entschlossen schminkte sie ihre Lippen und presste sie anschließend fest zusammen. Nach einem zufriedenen Blick in den Spiegel öffnete sie schwungvoll die Tür, traf Charlotte an der Hüfte, drehte sich elegant zu den Männern und rief fröhlich: »Da sind Sie ja wieder. Dann kann das Grillfest endlich losgehen. Ich hoffe nur, wir haben genug zu essen, ich habe ja nicht gewusst, dass so viel Damenbesuch hier einfällt.«

»Hallo!« Die Stimme von Christine unterbrach den beginnenden Tumult auf dem Flur. »Wir sind wieder da.« Gefolgt von Johann und einer bestens gelaunten Inge kam sie zur Haustür herein. »Was ist denn hier los?«

Inge lächelte in die Runde. »Es gibt Neuigkeiten. Oh, hallo, Renate, das ist ja nett, dass du auch da bist. Johann, hast du den Sekt aus dem Auto genommen? Sind Anika und Jörn schon da?«

In diesem Moment fuhr ein roter VW Käfer in die Auffahrt. Inge winkte und drehte sich wieder um.

»Da sind sie schon. Heinz, hol Gläser, wir haben was zu feiern. Wo ist eigentlich meine Tochter? Charlotte, du guckst so starr, komm, lass uns in den Garten gehen.«

Es dauerte eine gute halbe Stunde, bis alle an zwei langen Gartentischen saßen und jeder etwas zu trinken hatte. Inge wartete, bis es ruhig war, dann setzte sie sich gerade hin und räusperte sich.

»Ich weiß nicht genau, wo ich anfangen soll«, sagte sie und wurde vor Aufregung ein bisschen rot. »Es ist ja so viel passiert.«

»Am Anfang«, schlug Heinz vor und legte lässig seine Beine übereinander. »So dramatisch wird es ja auch nicht werden. Ich meine, im Gegensatz zu dem, was wir erlebt haben.« Er warf Kalli und Walter einen triumphierenden Blick zu und wippte aufgeregt mit seinem Fuß. »Immerhin haben wir heute ...«

»Jetzt lass Inge erst mal erzählen«, unterbrach ihn Johann bestimmt. »Es fing alles mit einem Brief an, den sie vor ein paar Wochen bekommen hat. Im Auftrag von Anna Nissen.«

Heinz runzelte die Stirn. »Das kann nicht sein, die ist gestorben. Ende März.«

»Papa.« Christine sah ihn ungeduldig an. »Hör doch mal zu.«

»Es war ihr Testament«, platzte es aus Inge heraus, »Anna Nissen hat mir ihr Haus vererbt. In Wenningstedt. Sie hat da nämlich nicht zur Miete gewohnt, sondern es gehörte ihr. Das ganze Haus, also ihre Wohnung und noch drei andere.«

»Da kriegen wir ja eine Menge Schotter!« Walter guckte elektrisiert hoch. »Wie groß ist das Grundstück? Und wie viel Wohnfläche hat das Haus?«

Inge legte ihm die Hand auf den Arm. »Genau deshalb habe

ich dir erst noch nichts erzählt. Ich wollte mir alles in Ruhe überlegen. Ob ich es verkaufe oder vermiete oder vielleicht selbst einziehe. Und dann habe ich Anika und Till getroffen, die eine Wohnung suchten. Da kam mir eine grandiose Idee ...«

Als sie geendet hatte, sah Inge Walter an.

»Und?«, fragte sie, »was sagst du?«

Walter blies die Backen auf und wiegte den Kopf. »Lass mich mal zusammenfassen: Du hast ein Haus geerbt. Ein großes Haus. Mit vier Wohnungen und großem Grundstück drumrum. Für das du viel Geld kriegen würdest. Du bist überfallen worden, weil irgendwelche Kriminelle das Testament gesucht haben. Man hat versucht, dich um das Erbe zu bringen. Und nun willst du mit Leuten dort einziehen, die du dir selbst aussuchst. Stimmt das so weit?«

»Ja«, Inge nickte, »genau so ist es.«

Er sah sie verwirrt an. »Und Kampmann ist nicht dein Verehrer? Und du warst nicht beim Scheidungsanwalt?«

»Nein!«

Walter kratzte sich am Kopf und wandte sich an Heinz und Kalli. »Dann hätte ich ihn gar nicht niederschlagen müssen?«

»Nicht unbedingt, aber es hat geholfen.« Keiner hatte bemerkt, dass Martensen näher gekommen war und nun hinter ihnen stand. »Guten Abend, das Gartentor stand auf, und ich habe Stimmen gehört. Darf ich?« Er sah Inge an, die auf einen Stuhl neben sich zeigte. »Danke. Also, um auf Kampmann zurückzukommen: Es geht natürlich nicht, dass Sie einfach in sein Haus marschieren und ihn umhauen. Aber wir haben ihn seit drei Tagen polizeilich gesucht. Wegen Urkundenfälschung, Betrug und noch einigen anderen Dingen. Er sitzt jetzt mit Guido Schneider in Untersuchungshaft. Sie haben über Jahre mit Blankovollmachten, gefälschten Unterschriften und absurden Verträgen richtig Geld gemacht. Anna Nissen hatte zum Glück zur richtigen Zeit das richtige Gefühl und

Peter Sörensen eingeschaltet. Und der hat uns informiert. Nichtsdestotrotz kann es sein, dass Sie, Herr Müller, eine Anzeige wegen Hausfriedensbruch und Körperverletzung bekommen. Kampmanns Lebensgefährtin Marion Fischer ist ziemlich sauer.«

»Ich habe ihm die Beine hochgehalten«, verteidigte Kalli die Aktion, »und Walter hat ihm ein nasses Geschirrhandtuch auf die Stirn gelegt. Das ist doch keine richtige Körperverletzung.«

»Ich habe eine Rechtsschutzversicherung«, Walter winkte ab, »aber sag mal, Inge«, er sah seine Frau mit gerunzelter Stirn an, »das ist ein ganzer Batzen, was da an Erbschaftssteuer auf uns zukommt. Da kennen die nichts, da halten sie richtig die Hand auf.«

»Moment!« Energisch meldete sich Pia zu Wort. »Ich komme da nicht so schnell mit. Also: Meine Mutter hat ein Haus geerbt, das richtig viel wert ist. Sie sagt weder meinem Vater noch mir ein Sterbenswörtchen davon, sondern nimmt sich eine Ferienwohnung auf Sylt, guckt sich alles an und überlegt klammheimlich, was sie mit der Erbschaft machen soll. Sie trifft sich mit kriminellen Anwälten, lässt alle in dem Glauben, sie will meinen Vater verlassen, und jetzt kommt raus, dass sie aus ihrem Erbe ein Mehrgenerationenhaus machen will. Ist das dein Ernst, Mama?«

Bevor Inge etwas sagen konnte, fragte Charlotte: »Und was war das mit den Arztbesuchen? War dir irgendwann alles zu viel? Ging es dir nicht gut?«

Pia schnappte nach Luft. »Arztbesuche? Mama! Denkst du denn nie an uns?«

Renate fühlte ihre Stunde gekommen. Leicht vorgebeugt blinzelte sie Pia an. »Was heißt uns? Ihre Mutter muss sich befreien. Nicht, Inge? Wir haben in der Kur lange darüber gesprochen, dass wir uns jahrelang für die Familie aufgeopfert haben und jetzt endlich selbst dran sind. Was machst du mit den beiden anderen Wohnungen?«

Kalli stupste Walter an. »Wusstest du, dass deine Frau krank ist?«

»Bin ich nicht!« Inge verlor die Geduld. »Pia, ich denke an euch. Und Kalli, ich bin nicht krank. Also: Als ich mir überlegt habe, was mit dem Haus passieren soll, habe ich gemerkt, wie groß mein Heimweh inzwischen ist. Nach vierzig Jahren in Dortmund. Unsere Nachbarn werden immer spießiger, meine beiden besten Freundinnen sind weggezogen, wir haben keine Enkelkinder, und Walter denkt sich vor lauter Langeweile jeden Tag neue Krankheiten aus. Wir haben zu viel Zeit, und wir werden immer älter. Aber wir haben noch ein paar gute Jahre vor uns, und die will ich genießen. Jetzt habe ich dieses Haus und mir gedacht, dass es doch schön wäre, zurückzukommen. Und ich kann mir sogar die Nachbarn aussuchen. Ich habe mir überlegt, dass Walter und ich unten wohnen, daneben Anika und Till. Dadurch haben wir wieder ein Kind im Haus. Weil Walter aber dauernd was Neues hat, brauchen wir auch einen Arzt. Ich habe mir ein paar angeguckt, so richtig toll fand ich keinen. Bis zu dem Einbruch. Dadurch habe ich Dr. Keller kennengelernt. Er ist ein sehr angenehmer Mann, hat eine reizende Freundin, die übrigens Köchin ist, und er wohnt in Klanxbüll, weil er hier keine Wohnung gefunden hat. Die beide möchten auch gern einziehen. Und die letzte Wohnung bleibt Ferienwohnung. Falls Pia uns besuchen möchte, oder du, Renate, oder Kalli. Tut mir leid, Herr Martensen, aber Sie waren zu spät.«

Martensen guckte niedergeschlagen.

Pia sah ihre Mutter nachdenklich an. »Und du glaubst, dass Papa unser Haus in Dortmund so einfach vermietet und mit dir auf die Insel zieht? Was soll er denn hier den ganzen Tag machen?«

»Pia!« Entrüstet schlug Walter auf seine Armlehne. »Was glaubst du eigentlich? Hältst du mich für so verknöchert?«

Alle waren zusammengezuckt, auch Inge, und starrten Walter besorgt an. Er holte tief Luft. »Das Haus in Dortmund wird verkauft. Das Dach müsste nächstes Jahr sowieso neu gemacht werden, die Fenster oben auch, da habe ich keine Lust mehr zu, und außerdem brauchen wir Geld für die Erbschaftssteuer und die Renovierungen. Da steht doch einiges an, Inge, oder? Ich will hier Premiere-Fernsehen, und sag mal, Anika, wer macht eigentlich für eure Kneipe die Steuer?«

Inge sah ihn lächelnd an. Walter erwiderte ihren Blick.

Christine rollte sich langsam auf den Rücken und grub ihre Zehen in den Sand.

»Herrlich«, seufzte sie, »und das noch drei Tage lang. Johann, mir geht es so gut.«

Er verteilte Sonnenmilch auf ihrem Bauch. »Mir auch. Auch wenn ich langsam verbrenne, weil du mich ja nie eincremst.«

Sie setzte sich abrupt auf. »Gib mir sofort die Flasche und halt still.«

Während sie langsam Sonnenmilch auf seinem Rücken verteilte, wanderten ihre Blicke über den Strand. Sie lagen etwas oberhalb, im Windschutz der Dünen. Es waren nur einige Strandspaziergänger unterwegs, über allem lag eine friedliche Stille.

»Langsam geht der Sommer los«, sagte sie. »Jetzt werden bestimmt auch bald die Strandkörbe aufgestellt. Übrigens, wie war es denn heute Morgen?«

Johann setzte sich vorsichtig auf und grinste. »Es ist richtig stark, wie Walter das Ganze zur Chefsache macht. Er ist mit Unternehmermiene durch die Wohnungen marschiert und hat Jörn Anweisungen gegeben. Sein Lieblingssatz war: ›Hier wird aber nicht gekleckert, hier kannst du klotzen. Das soll alles anständig aussehen.‹ Inge hat nichts mehr dazu gesagt, nur noch fröhlich genickt. Übrigens hat Jörn nun offiziell den Auftrag zum Umbau bekommen. Zusammen mit Anika. Darauf hat Inge bestanden.«

»Und das kann sie?« Christine sah ihn skeptisch an.

»Na klar. Ihr fehlt lediglich die letzte Prüfung. Jörn und Inge haben sie jetzt überredet, ihr Studium zu beenden. Inge und Walter wollen sich in der Zeit um Till kümmern. Das ist alles schon geplant.«

»Und wie wird jetzt der Umbau?«

»Oben zieht dieser Arzt mit Freundin ein, Dieter Keller, der war heute Morgen auch kurz da. Den Umbau bezahlt er selbst, das hat Walter ihm vorgeschlagen. Dann könnte er alles so haben, wie er will, und kriegt dafür einen langen Mietvertrag. Darauf hat er sich natürlich eingelassen. Zumal Walter ihm auch seine Steuererklärung macht.«

»Na bitte.« Christine lachte. »Und was wollte Walter von dir?«

»Wir haben gerechnet. Umbaukosten, Kreditmöglichkeiten, das ganze Zeug. Das kann ich ja gut. Und wie war es bei Heinz und Charlotte?«

»Wie immer«, antwortete Christine mit betont ernstem Gesicht. »Heinz hat schon die ersten Kostenvoranschläge angefordert, weil Walter auf der Insel zu wenige Kontakte habe und Inge nicht mit Geld umgehen könne. Deshalb will er sich lieber selbst darum kümmern. Und er ist ganz froh, dass Inge wieder nach Sylt zieht, dieses Ruhrgebiet sei ja doch wie Palermo.«

Johann hob die Augenbrauen. »Ach ja?«

Christine nickte. »Ja. Man höre ja so viel. Ach so, und dann kam noch Renate vorbei. Mit einem Blumenstrauß für meine Mutter, weil sie es so schwer gehabt habe. Sie wollte gar nicht lange bleiben, höchstens auf ein Gläschen Sekt. Das haben sie dann zusammen im Garten getrunken. Renate hat übrigens immer schon gewusst, dass Inge zu Walter gehört. Auch wenn er sich ein wenig verändern müsste. Aber das würde Inge schon hinkriegen. Und sonst wäre Renate ja auch noch da. Schließlich käme sie jetzt öfters, das sei ja so bequem mit der Ferienwohnung. Sie saß immer noch im Garten, als Björne Larson kam. Der wollte mal hören, ob das alles stimme, was in der Zeitung steht. Mein Vater hat natürlich liebend gern noch mal alles erzählt. Diesmal hatte Kampmann sogar eine Waffe. Renate ging richtig mit. Und war ganz betroffen, als sie nebenbei erfuhr, dass Björne seit vier Jahren verwitwet ist.«

»Wie lange bleibt sie denn noch?«

Christine hob die Schultern. »Das käme darauf an, hat sie gesagt und Björne angelächelt. Ach ja, Kalli kommt nächstes Wochenende auch wieder. Diesmal mit seiner Frau. Dann hätten Charlotte und Inge etwas Ablenkung, wenn er mit Heinz und Walter die Pläne für den Umbau mache.«

»Das läuft ja wie geschmiert. Zum Glück sind wir dann schon weg.«

»Ja.« Christine bemerkte noch einen kleinen Klecks Sonnenmilch auf seiner Schulter, den sie sanft verrieb. »Sag mal, hast du schon den Besichtigungstermin für die Wohnung in Hamburg gemacht?«

Johann nickte. »Nächsten Mittwoch. Wieso?«

»Was passiert eigentlich mit unseren ganzen Möbeln? Zwei Sofas, zwei Betten, zwei Waschmaschinen, zwölf Stühle ...«, sie strich immer noch über seinen Rücken, »was machen wir mit dem ganzen Zeug?«

Er griff hinter sich und hielt ihre Hand fest. »Ich habe mir erlaubt, das bereits in die Wege zu leiten. Inge gefallen die Möbel in der Ferienwohnung überhaupt nicht. Und Walter findet sie auch zu trist. Ich habe ihnen erzählt, dass wir demnächst in eine gemeinsame Wohnung ziehen und Möbel übrig haben. Inge möchte gern dein rotes Sofa, deine Küchenanrichte und die hellen Stühle. Ich habe gesagt, ich frage dich.«

Christine sah ihn entsetzt an. »Mein rotes Sofa? Auf keinen Fall! Dann soll sie lieber dein blaues nehmen. Die Anrichte geht in Ordnung, da ist deine schöner, und die Stühle ...«

Das Geräusch eines Motors zerriss die Stille. Christine und Johann richteten sich auf. Am Flutsaum fuhr ein Trecker mit einem Anhänger entlang, auf dem zahlreiche Strandkörbe standen. Ein Mann mit einer Pudelmütze saß hinter dem Lenkrad. Daneben leuchtete das lange rote Haar einer Frau. Ihr bunter Rock flatterte. Ein paar Meter weiter hielt der Trecker, der Mann kletterte von seinem Sitz und ging um den Anhänger herum. Sie sprang barfuß hinterher und versuchte ungeschickt beim Abladen eines Strandkorbs zu helfen, bis der Mann sie sanft beiseiteschob und den Korb allein schulterte. Renates wilde Lockenmähne wehte im Wind. Und Björne Larson lachte.

Danke!

Ich bedanke mich
   bei Rainer und Rudi Schmidt für die Hilfe,
   bei Joachim Jessen für die Zuversicht,
   bei Elke Möbus und dem Team der Strandsauna List für die
   Entspannung,
   bei Silvia Schmid für die Arbeit
   und bei allen anderen für die Geduld, die sie mit mir hatten.

Dora Heldt

Dora Heldt im <u>dtv</u>

Ausgeliebt
Roman
ISBN 978-3-423-21006-5

Wenn man nach 10 Jahren Ehe mit fast 40 per Telefon verlassen wird, dann ist das ein Schock. Genau das passiert Christine eines schönen Abends auf dem schwesterlichen Sofa in Hamburg. Zum Glück ist Frau nicht alleine – Freundinnen und Schwester sind gleich zur Stelle. Ein wunderbarer Identifikationsroman für alle Frauen um die 40.

Unzertrennlich
Roman
ISBN 978-3-423-21133-8

Geht's auch ohne beste Freundin? Für Christine ist die Antwort auf diese Frage ein klares Ja. Und das nicht ohne Grund. Dabei verpasst sie eine Menge, findet ihre Kollegin Ruth und plant für Christines 44. Geburtstag eine grandiose Überraschung.
»Ein launig-gefühlvoller Roman, den man wirklich jeder Freundin schenken möchte.« (The Medical Journal)

Dora Heldt im <u>dtv</u>

»Witzige und warmherzige Einstimmung
auf den Sommer.«
Für Sie

Urlaub mit Papa
Roman
ISBN 978-3-423-**21143**-7
ISBN 978-3-423-**25303**-1 (<u>dtv</u> großdruck)

Eigentlich wollte Christine einer Freundin helfen, ihre Kneipe auf Norderney zu renovieren. Doch dann wird sie von ihrer Mutter dazu verdonnert, ihren Vater Heinz (73) mitzunehmen. Schon die Anreise gerät zur Nervenprobe ...

Tante Inge haut ab
Roman
ISBN 978-3-423-**21209**-0
ISBN 978-3-423-**25308**-6 (<u>dtv</u> großdruck)

Urlaub auf Sylt! Freudig begrüßt Christine am Bahnhof ihren Johann, da tippt ihr das Unheil auf die Schulter: Hinter ihr steht Tante Inge (64), Papas jüngere Schwester. Was macht sie allein auf Sylt? Noch dazu mit so vielen Koffern?

Kein Wort zu Papa
Roman
ISBN 978-3-423-**24814**-3 (<u>dtv</u> premium)

»Das schaffen wir!« Wie gut, dass Ines nichts schrecken kann. Ohne ihre Schwester wäre Christine (47) sonst ziemlich mulmig zumute. Sie müssen für ein paar Tage eine Pension auf Norderney übernehmen – ein Job, von dem die Schwestern keine Ahnung haben. Rasch stoßen sie an ihre Grenzen. Und das nicht nur, weil sie nicht kochen können ...

Bitte besuchen Sie uns im Internet: www.dtv.de

Marina Lewycka im dtv

Kurze Geschichte des Traktors auf Ukrainisch
Roman
Übersetzt von Elfi Hartenstein
ISBN 978-3-423-**21101**-7
ISBN 978-3-423-**25304**-8 (<u>dtv</u> großdruck)

Nadias betagter Vater will wieder heiraten – eine üppige Blondine aus der Ukraine. Familienkrise! »Ein Bravourstück.« *Denis Scheck im ›Tagesspiegel‹*

Caravan
Roman
Übersetzt von Sophie Zeitz
ISBN 978-3-423-**21201**-4

Die Abenteuer einer Handvoll Erdbeerpflücker in England. Sie träumen von Wohlstand, Unabhängigkeit und Liebe. Doch sie haben nicht mit ausbeuterischen Arbeitgebern, bewaffneten Gangstern und regelwütigen Behörden gerechnet. »Dieses Buch singt vor Lebensfreude.« *Sunday Times*

Das Leben kleben
Roman
Übersetzt von Sophie Zeitz
ISBN 978-3-423-**24780**-1 (<u>dtv</u> premium)

Sie begegnen sich zufällig an einem Müllcontainer: Georgie Sinclair, alleinerziehende Mutter, und Mrs. Shapiro, eine verschrobene alte Dame mit einer Vorliebe für Schnäppchenjagd und einem Geheimnis aus der Zeit des Krieges … »Dieser Roman ist ein Vergnügen – exzentrisch und lebendig.« *The Independent*

dtv

**Ein frecher Frauenroman mit viel guter Laune –
und einer Leiche**

Jutta Profijt

Schmutzengel

Roman

ISBN 978-3-423-21206-9
ISBN 978-3-423-40262-0 (eBook)

Corinna (31) hat eine geniale Geschäftsidee; sie gründet die
»Schmutzengel« – ein Dienstleistungsunternehmen, das gestressten
Managern und unbeholfenen Muttersöhnchen die Organisation des
lästigen Haushalts und der anstrengenden Freizeit abnimmt. Der
Erfolg lässt nicht lange auf sich warten, bis zu dem Tag, an dem im
Haus des peniblen neuen Kunden plötzlich dieser Tote liegt.
Besorgt um das Image ihrer Firma beschließt Corinna: Der muss
weg! Doch wie und wohin? - Der neue witzige Roman von der
Erfolgsautorin der Kultbücher um den vorlauten Geist Pascha
(›Kühlfach 4‹, dtv 21129, und ›Im Kühlfach nebenan‹, dtv 21185).

Bitte besuchen Sie uns im Internet: www.dtv.de

dtv

Eine bitter-süße Sommerliebe

Marie Velden

Lilienrupfer

Roman

ISBN 978-3-423-21220-5
ISBN 978-3-423-40266-8 (eBook)

»Lieber Robbie Williams …« Seit geraumer Zeit führt Undine Busch, Mitte dreißig, ein E-Mail-Tagebuch und schickt es an eine erfundene Adresse von dem Superstar. Sie erzählt darin von ihren Wünschen und Träumen und von Christian, ihrer großen Liebe. Als Christian sie über Nacht verlässt, ist sie verzweifelt und verkriecht sich vor der Welt. Als sie plötzlich eine Antwort auf ihre zahllosen E-Mails an Robbie Williams erhält, verändert sich alles. Im Wirbel der Ereignisse steht sie auch wieder Christian gegenüber, der ihr ein Geständnis macht … »Ein offenes, ein charmantes und ehrliches Buch, das das Herz berührt.« (Büchereule)

Bitte besuchen Sie uns im Internet: www.dtv.de